Sluipend gif

ALEX KAVA

Sluipend gif

MIRA BOOKS AMSTERDAM

Oorspronkelijke titel: Whitewash
Originele uitgave: Mira Books, Canada

Vertaling: Erica Feberwee
Omslagontwerp: www.blacksheep-uk.com/Hesseling Design, Ede
Opmaak binnenwerk: Mat-Zet BV, Soest

Eerste druk oktober 2007

ISBN 978 90 8550 109 1
NUR 332

www.mirabooks.nl

Hoofdstuk 1

Donderdag 8 juni,
EcoEnergy Industrial Park
Tallahassee, Florida

Dwight Lansik weigerde naar beneden te kijken. Hij verafschuwde de geur die opsteeg van onder de stalen roosters van de loopbrug – een geur die hem deed denken aan een merkwaardige combinatie van gebakken lever, ongezuiverd afvalwater en bedorven vlees. Hoe vaak hij ook onder de douche ging en hoe hard hij ook schrobde – tot zijn huid bijna rauw was – hij wist dat hij die geur zou blijven ruiken. Dat was de reden dat hij de loopbruggen over de zilvergrijze tanks en het doolhof van buizen die de tanks met elkaar verbonden, doorgaans meed. En dat gold zeker voor deze tank, waarvan het enorme deksel openstond als een reusachtige grijnzende muil, terwijl de laatste vrachtwagens van die dag hun lading erin deponeerden.

Alleen had Ernie Walker hem gevraagd hiernaartoe te komen. Dat was typisch Ernie, die voor niets terugdeinsde wanneer hij weer eens iets te melden had – wat dat ook mocht zijn.

Een week eerder had Ernie met hem afgesproken pal onder de waterafvoer, zodat Dwight de enorme hitte zelf kon voelen.

'Je hebt gelijk, Ernie. Die buis is oververhit. Maar dat had je me toch ook gewoon kunnen vertellen!' had Dwight nijdig gezegd.

De beheerder van de centrale had zijn schouders opgehaald. 'Het leek me beter dat u het zelf voelde.'

Hoezeer het hem ook tegenstond, Dwight moest toegeven dat Ernie gelijk had. Als Ernie hem niet had meegesleept naar de Depress Zone, het deel van de installatie waar de overdruk werd afgevoerd, zou hij het werkelijke probleem nooit in de gaten hebben gekregen – een probleem dat veel ernstiger was dan een oververhitte afvoerbuis. En dat was ook niet zo verwonderlijk. Dwight kwam zelden verder dan het laboratorium. Dáár werd hij verondersteld zijn werk te doen. Trouwens, daar was hij ook het liefst, druk in de weer met het analyseren en berekenen van kooktijden en temperaturen waarbij vercooksing optrad. Recepten en formules, dat was waar hij zich mee bezighield.

Adele, zijn vrouw, had hem er altijd mee geplaagd. De herinnering bezorgde hem een steek van pijn. Hij was nu bijna een jaar alleen, maar miste haar nog altijd verschrikkelijk. Ja, ze had hem er altijd mee geplaagd – of misschien moest hij zeggen, er grapjes over gemaakt – dat hij elk op koolstof gebaseerd object, inclusief zichzelf, kon ontleden door er alleen maar naar te kijken.

En ze had gelijk gehad, moest hij erkennen. Hij wist dat zijn slungelachtige lichaam van achtenzestig bestond uit veertien kilo olie, bijna drie kilo gas, eenzelfde gewicht aan mineralen en ruim achtenveertig kilo water. Dat werd hij ook geacht te weten.

Maar er kon niet van hem worden verwacht dat hij bijhield of elk overdrukventiel naar behoren functioneerde. Of dat hij in de gaten hield dat de destillatiekolommen niet verstopt raakten. Dát was Ernies werk.

Anderzijds was het niet Ernies werk om zich met het computerprogramma te bemoeien dat het gehele proces controleerde en aanstuurde – de richtingen en temperaturen, de diverse fasen, hoelang en hoe snel het te verwerken materiaal door de buizen ging, wat onder druk werd gezet, gescheiden en afgetapt. Nee, dat was niet Ernies werk. Daarover besliste alleen hij, en niemand anders. Als ontwerper van de software was hij de enige die het recht én de mogelijkheid had die te veranderen en bij te stellen.

Die inhalige ellendelingen hadden echter een manier gevonden om daaraan voorbij te gaan, om aan hém voorbij te gaan. Hij hoopte maar dat Ernie niet weer een veelzeggende aanwijzing had gevonden, voordat hij, Dwight, de kans had gekregen er iets aan te doen.

Plotseling moest hij zich vastgrijpen aan de reling. Vergiste hij zich, of begon het stalen rooster onder hem te trillen? Hij draaide zich om naar de ladder aan het eind van de loopbrug.

Zou hij Ernie wel kunnen horen wanneer die de wiebelige metalen treden beklom? De verplichte gehoorbeschermers dempten alle geluiden – het brommen en trillen van de apparaten, het suizen en rinkelen van de buizen die met veel bochten en hoeken de tanks met elkaar verbonden, het sissen van de hydraulische machines en het janken van rotoren en katrollen, zelfs het klotsen van de vloeibare inhoud van de tank, diep beneden hem.

Hoewel hij toch echt dacht beweging in de loopbrug te hebben gevoeld, was er niemand te zien aan het eind van de reling. Hij wachtte af, in de veronderstelling dat hij Ernies handen dadelijk op de bovenkant van de ladder zou zien.

Opnieuw klonk onder hem het gebrom van een tankwagen. Een geknars gaf aan dat de chauffeur de motor in een andere versnelling zette, en een wolk dieselwalm dreef omhoog.

En weer ging er een siddering door de loopbrug.

Toch waren er nog steeds geen handen op de reling te zien, en uit niets bleek dat er iemand naar boven kwam. Misschien was de siddering veroorzaakt door de vrachtwagen. Of misschien had hij het zich allemaal gewoon verbeeld.

Hij zette zijn veiligheidsbril goed en keek op zijn horloge. Zijn werkdag zat er bijna op.

Waar bleef Ernie, verdorie? Hij had gehoopt een beetje eerder weg te kunnen, maar inmiddels was het al zo laat, dat hij ongetwijfeld vast zou komen te zitten in het verkeer. En dat betekende dat hij de heren in het Marriott Hotel bij het vliegveld zou moeten laten wachten. Kon hij daarmee zitten? Nee, waarom zou hij? Zonder hem konden ze niet beginnen. Zonder hem hadden ze niets te bespreken. Na diverse telefoontjes wist hij dat ze happig waren op elk beetje informatie dat hij hun kon geven. Ze mochten verdorie blij zijn dat hij had besloten de goede zaak te dienen en aan de bel te trekken.

Ofschoon zijn grootmoeder er destijds op had gestaan dat hij werd vernoemd naar Dwight D. Eisenhower, de beroemde opperbevelhebber, had hij zich in zijn hele leven nog nooit als een generaal opgesteld. Hij was altijd de brave, gehoorzame soldaat geweest, had altijd een dienende rol gespeeld, waardoor anderen de eer hadden kunnen opstrijken van het briljante en heldhaftige werk dat hij leverde. Het werd de hoogste tijd dat hij eindelijk van zich deed spreken.

Dus wat maakte het uit als hij wat te laat kwam in dat hotel? Ze snakten naar de informatie die hij hun had toegezegd, de gretige aasgieren – klaar om alles waarvoor hij zo hard had gewerkt, kapot te maken en teniet te doen. Nou, hij zou hen laten wachten!

Hij dwong zichzelf naar beneden te kijken. De soepachtige smurrie – het basismateriaal, zoals het officieel heette – pruttelde en wervelde diep beneden hem in een tank met een inhoud van bijna tienduizend liter, in afwachting van het moment dat het omlaag zou worden gezogen, naar de reusachtige scherpe bladen die het zouden hakken, snijden en malen tot een brij van stukjes ter grootte van een erwt.

Bij dat proces kwamen op geheel natuurlijke wijze, zonder enige elektronische tussenkomst of stimulans, rottingsgassen vrij. Nee, deze stank was geen mensenwerk, maar eenvoudigweg het biologische en onvermijdelijke resultaat van het bij elkaar gooien van rottend slachtafval. Slijmerige ingewanden, roestbruin bloed en helderoranje sponsachtige longen dreven en deinden langs rottende kippenkoppen waarvan de ogen nog intact waren en voor zich uit staarden. Hadden kippen soms geen oogleden?

Godallemachtig, wat een lucht! Ondanks de bril deed de stank zijn ogen branden.

Hou op met naar beneden te kijken, zei hij tegen zichzelf. Hij moest zich bedwingen om niet te kokhalzen.

Hij keek nogmaals op zijn horloge, draaide het op zijn plaats om zijn benige pols. De Rolex was meer waard dan zijn auto; een frivool geschenk van de algemeen directeur bij de ingebruikname van de centrale. Dwight droeg het alleen om zijn ondergeschikten eraan te herinneren dat hij van cruciaal belang was voor het bedrijf, want hij vond het eigenlijk maar een protserige vorm van geldverspilling.

Waar blééf Ernie, verdorie? Hoe durfde de man hem zo lang te laten wachten, in de brandende zon en in die misselijkmakende dampen?

Hij leunde tegen de reling. Hopelijk hield het zwaaien van de loopbrug dadelijk eens op, want hij begon onpasselijk te worden. Zijn onderhemd kleefde als een tweede huid aan zijn rug. Hij schoof de zorgvuldig opgerolde mouwen van zijn smetteloze katoenen overhemd nog verder omhoog, en in twee snelle bewegingen knoopte hij zijn boord open en deed zijn das wat losser. Het hielp allemaal niets.

De doffe geluiden vermengden zich tot een gebulder dat in zijn schedel weergalmde. Hij rukte de gele helm af en streek over zijn voorhoofd. Een lichte duizeligheid overviel hem, en hij voelde zich wankel.

Daardoor merkte hij de man niet op die achter hem de loopbrug betrad.

Bij de eerste zet sloeg Dwight zo hard tegen de reling, dat de lucht uit zijn longen werd geslagen. Hij klapte dubbel over het metaal, dat diep in zijn maag duwde. Voordat hij de kans had gekregen om naar lucht te happen, voelde hij dat zijn benen onder hem weg werden geslagen en opgetild.

'O God, nee!' Hij greep zich beet aan de reling. Zijn vingers klemden zich om het metaal. Stevig hield hij vast, ook toen hij over de reling werd geduwd. Met zijn voeten zocht hij houvast op de betonnen binnenrand van de brug, maar ze gleden weg. Er was niets: geen richel, geen scheur, geen kier. In een radeloze poging met zijn rubberzolen contact te maken, maaide hij wild met zijn benen. Zijn armen begonnen zeer te doen, en zijn handen dreigden hun greep te verliezen, doordat het metaal al glibberig was van zijn zweet.

Hij probeerde op te kijken, te smeken, maar zijn stem klonk iel, ver weg, gedempt door de gehoorbeschermers. Hij besefte dat hij niet te horen was boven het trillen, het krijsen en rinkelen. Toch smeekte hij hijgend, met horten en stoten. Hij hief zijn gezicht naar de schim boven hem – een enorme gedaante die door de zon daarachter omhuld leek door een stralenkrans.

Zijn bril was beslagen; zijn helm was in de soep gevallen, en door de gehoorbeschermers scheen zijn geroep alleen in zijn eigen hoofd te weerklinken.

Toen de metalen pijp op zijn vingers neerdaalde, wist Dwight zeker dat de botjes braken. Ondanks de pijn probeerde hij zijn grip op de metalen reling te verstevigen, maar zijn vingers hadden geen kracht meer. Hij voelde zijn lichaam bezwijken toen de pijp zijn hoofd raakte.

Toen stortte hij omlaag, in de smurrie. Zijn bewustzijn verliet hem al bijna. Om zich heen hoorde hij het ritmische klotsen van de soep, die als oceaangolven over hem heen spoelde. Door een wazige werveling van roestbruin water en blauwe hemel zag hij de kippenkoppen die met wijd opengesperde ogen langs hem deinden.

Hij besefte maar al te goed dat het slechts enkele minuten zou duren voordat hij naar beneden werd gezogen en door de brij werd opgeslokt. En dan zou hij deel worden van de samenstelling die hijzelf had bedacht.

Dus was hij dankbaar toen eindelijk alles om hem heen zwart werd.

Colin Jernigan beende door de drukke lobby van het Marriott Hotel, op zoek naar een rustig plekje.

Ondertussen bleef zijn mobiele telefoon maar trillen.

Hij werkte zich langs twee lusteloze zakenmannen, struikelde bijna over de enorme koffers die ze achter zich aan zeulden.

'Ja?' blafte hij ten slotte in de telefoon.

Het bleef stil.

Hij duwde tegen de draaideur en liep naar buiten. Helaas verruilde hij daarmee de drukte in de lobby voor het verkeerslawaai, waardoor hij zich nog steeds moest inspannen om iets te verstaan. 'Wat is er aan de hand?'

'De afspraak is zojuist afgezegd,' zei een man aan de andere kant.

Colin herkende de stem niet, maar dat deed er niet toe. Als de beller over dit nummer beschikte, had hij toestemming gekregen voor dit telefoontje.

Hij zei niets. Dat hoefde ook niet, want er klonk al een klik, gevolgd door een toon die aangaf dat de verbinding was verbroken.

Hij liet de telefoon in de zak van zijn jasje glijden, verrast noch teleurgesteld. Aangezien dat zinloze emoties waren, had hij ze al lang geleden achter zich gelaten. Als vanzelf gleden zijn vingers naar zijn gouden dasklem, en hij wreef erover alsof het een talisman was. Vervolgens trok hij zijn das recht, waarbij hij gebruikmaakte van de weerspiegeling in de ramen van het lege huisje van de parkeerbediende.

Hij wreef in zijn ogen bekeek zichzelf eens goed. Wat zag hij eruit! Nog even, en al zijn haar zou voortijdig grijs zijn. Bij het zien van zijn hangende schouders rechtte hij zijn rug. De pijn in zijn nek deed hem vermoeden dat zijn grijze haar misschien helemaal niet zo voortijdig was.

Een vergeefse reis. Een hele dag verloren. Hij zag er niet naar uit dat aan zijn baas te moeten vertellen. Ze zou goed nijdig zijn.

Kort vroeg hij zich af waarom Mr. Lansik zich op het laatste moment had teruggetrokken. Toen haalde hij zijn schouders op. Hij wierp een blik op zijn horloge en keek om zich heen, op zoek naar het shuttlebusje voor naar het vliegveld.

Onderweg naar huis zou hij een paar uurtjes kunnen slapen. Misschien zou hij nog vóór het nieuws van elf uur terug in Washington kunnen zijn.

Hoofdstuk 2

Vrijdag 9 juni,
Tallahassee, Florida

De wekker ging, maar Sabrina Galloway was al een uur daarvoor wakker gebeld.

Ze drukte de wekker met een driftige beweging uit en zette hem terug op haar nachtkastje. Haar hart ging nog steeds tekeer, en haar ademhaling was nog steeds gejaagd toen ze zich terug in de kussens liet zakken.

Wat verwachtte ze nou eigenlijk? Dit was toch de reden waarom ze haar rustige voorspelbare leventje in Chicago vaarwel had gezegd en naar Tallahassee was verhuisd? Ze had de kliniek nota bene zelf toestemming gegeven haar op elk uur van de dag – én de nacht – te bellen. Toch schrok ze er elke keer weer van als de telefoon al voor zonsopgang ging.

'Heb ik u wakker gemaakt?'

De toon was altijd hetzelfde: afgemeten, autoritair en zonder enige vorm van verontschuldiging. Ook al was het elke keer een andere verpleegster, de tekst was ongeveer gelijkluidend.

Aanvankelijk had Sabrina geprobeerd hun namen te onthouden. Nu de telefoontjes echter steeds frequenter werden, begon ze laks geworden – iets wat haar vader boos zou hebben gemaakt. Vroeger, althans. Nu niet meer, of in veel mindere mate.

'Ik besef dat het vroeg is,' had de verpleegster gezegd, 'maar mijn dienst zit er bijna op.'

Ook dat was een van de redenen voor de regelmatige telefoontjes, of ze nu net voor middernacht kwamen of even voor zessen 's ochtends.

'Natuurlijk, dat begrijp ik,' had Sabrina gezegd.

Ze beet op haar onderlip. In werkelijkheid begreep ze er helemaal niets van. Waarom kon de verpleegster die de dienst overnam, haar niet op een normaal tijdstip bellen? Een tijdstip waarop haar hart niet meteen op hol sloeg? Een tijdstip waarop ze niet meteen het ergste dacht, terwijl daar helemaal geen reden toe was? Ze vroeg zich af of ze nog in staat zou zijn adequaat te reageren wanneer er inderdaad iets ergs aan de hand was.

'Hij heeft weer geprobeerd weg te lopen,' had de vrouw aan de andere kant van de lijn gezegd – zonder haast, zonder nadruk.

Sabrina meende vooral ergernis in haar stem te hebben gehoord, alsof ze het had over een lastige tiener die zich niet aan zijn uitgaansverbod had gehouden.

'Hij staat erop u te spreken,' had de verpleegster er bijna achteloos aan toegevoegd. 'En dokter Fullerton denkt dat u hem inderdaad misschien wat zou kunnen kalmeren.'

Sabrina had beloofd zo spoedig mogelijk langs te komen, waarop de verpleegster had gezegd dat ze zich vooral niet moest haasten; ergens in de middag was vroeg genoeg. Ze moest niet denken dat ze de situatie niet onder controle hadden.

Waarom belden ze haar dan wakker op een tijdstip dat gereserveerd was voor nood- en spoedgevallen? Nu zat zij met een paniek waar ze de hele ochtend niet meer van af zou komen!

Ze was echter wel zo verstandig geweest dat niet hardop te zeggen. Dat had ze één keer gedaan, en daarop had ze te horen gekregen dat de kliniek zich alleen maar aan de instructies hield die zijzelf had gegeven, en dat ze haar verzoek respecteerden om onmiddellijk te worden ingelicht zodra vastbinden en kalmerende middelen nodig waren.

'We zijn niet verplicht om contact met u op te nemen,' had de dienstdoende verpleegster aan het eind van haar preek opgemerkt. 'We bellen u alleen maar op om u tegemoet te komen.'

Sabrina ging op de rand van haar bed zitten en wachtte tot de beklemming in haar borst zou verdwijnen. Elke keer verwachtte ze het ergste, of in elk geval iets wat vergelijkbaar was met de aanleiding voor dat eerste telefoontje, inmiddels twee jaar geleden – het telefoontje waarmee het allemaal was begonnen.

Met beide handen wreef ze over haar gezicht. Was het pas twee jaar geleden? De benauwdheid maakte plaats voor een stekende pijn – niet veel beter en net zo vertrouwd. Na twee jaar miste ze haar moeder nog steeds vreselijk.

Ze reikte naar haar joggingschoenen, die op hun vaste plek naast haar nachtkastje stonden, zodat ze er niet naar hoefde te zoeken wanneer ze – nog niet helemaal helder – uit bed kwam. Ook als er 's nachts géén telefoontje kwam, werd ze steevast voor zonsopgang wakker. Haar dagelijkse routine was haar redding en bracht een beetje orde in de chaos waarin haar geregelde, voorspelbare bestaan zo plotseling was veranderd.

In plaats van een pyjama droeg ze 's nachts een sportbeha en een korte joggingbroek, zodat ze 's ochtends geen enkel excuus had om haar ochtendritueel over te slaan. Dat was een gewoonte die ze zich na haar verhuizing naar Florida eigen had gemaakt. De eerste weken had het haar namelijk de grootste moeite gekost om het dekbed van zich af te gooien en uit bed te komen. Ze hield zich voor dat ze sterk moest zijn voor haar vader, dat ze het zich niet kon veroorloven ook hem nog kwijt te raken.

Zodra ze was opgestaan, maakte ze het bed op, strak en zorgvuldig. Maar nog voordat ze daarmee klaar was, liet ze zich terugzakken op de rand.

Ze vond het afschuwelijk dat ze hem weer hadden moeten vastbinden. De eerste keer dat ze bij haar bezoek had ontdekt dat hij als een soort misdadiger met leren riemen aan het bed was gebonden, had ze geëist dat hij onmiddellijk werd losgemaakt en dat ze hem mee naar huis mocht nemen. Ze had zich even niet gerealiseerd dat ze niet voor hem zou kunnen zorgen. Per slot van rekening had ze haar werk.

De dienstdoende verpleegkundige – dezelfde die haar erop had gewezen dat ze haar puur uit welwillendheid opbelden – had radicaal afgerekend met haar heldhaftige gebaar door nadrukkelijk op te merken dat haar vader de opnameformulieren zelf had ondertekend, dus dat alleen hij en dokter Fullerton de bevoegdheid hadden om hem te ontslaan. En het sprak vanzelf dat dokter Fullerton daarmee niet akkoord zou gaan.

Sabrina pakte het grijze T-shirt dat opgevouwen op de stoel in de hoek van de kamer lag en trok het over haar hoofd. In gedachten nam ze de komende werkdag door en reorganiseerde die zo, dat ze wat eerder weg zou kunnen voor een bezoek aan haar vader. Ze zou het met haar baas overleggen. Aangezien het vrijdag was, verwachtte ze echter geen problemen. Met een beetje geluk kon ze alweer op de terugweg zijn voordat het donker begon te worden.

Het was natuurlijk onzin, en ze vond het erg kinderachtig van zichzelf – want de praatjes en geruchten klonken precies als de bijgelovige verhalen die bij een kampvuur worden verteld – maar ze zag er als een berg tegen op om na donker nog in Chattahoochee te zitten.

In de keuken hoorde ze de klik van de eerste timer, en nog geen minuut later bereikte de geur van verse koffie haar neus. Weer even later stortte de ijsmachine in de deur van de koelkast met een zacht gekletter de vereiste hoeveelheid ijsblokjes voor haar ontbijtshake in de opvangbeker.

Terwijl ze wachtte tot de koffie klaar was, raapte ze de opgerolde lokale krant van de mat voor de voordeur en zette de bloempot weer recht waar de bezorger consequent op mikte. Een snelle blik op de krantenkoppen deed haar verlangen naar de Chicago Tribune. Wie had ooit kunnen denken dat ze de verhalen over verduistering en moord zou missen? Dat ze daaraan de voorkeur zou geven boven artikelen over streekfestivals en gewijzigde bestemmingsplannen? Hoewel het nu bijna een jaar geleden was dat ze naar Tallahassee was verhuisd, voelde ze zich er nog steeds niet thuis. Sterker nog, ze kon zich niet voorstellen dat ze zich hier ooit thuis zou voelen.

Dat lag echter niet aan Florida. Haar hele leven had ze in Chicago gewoond, en in die vijfendertig jaar was haar ingrijpendste verhuizing die van het centrum naar een van de buitenwijken geweest. Maar ze had zich nooit alleen gevoeld in die stad met bijna drie miljoen inwoners, zelfs niet wanneer de strenge winter zich maar had voortgesleept.

Natuurlijk had zich dan uiteindelijk wel een zekere rusteloosheid van haar meester gemaakt. Hoe kon het ook anders, met bergen smerige zwarte sneeuw en ijs langs de staten? In het sombere hart van de winter passeerden dik ingepakte vreemdelingen elkaar zonder zelfs maar oogcontact te maken, ieder in beslag genomen door de gedachte aan warmte en hoe daar zo snel mogelijk naar terug te keren.

Maar dat vormde slechts een deel van het winterleven in het Midwesten. Haar agenda en haar vaste activiteiten hadden ervoor gezorgd dat ze zich nooit verveelde. Haar studenten hadden haar op een aangename manier beziggehouden. En tot twee jaar terug was haar familie haar anker geweest: haar licht neurotische, maar liefhebbende moeder; haar briljante toegewijde vader, en haar roekeloze en charmante broer – tevens haar beste vriend. Ze had nooit kunnen denken dat ze hen allemaal zou verliezen, in minder dan één dag.

Nee, Florida was het probleem het. Ze besefte heel goed dat wat ze voelde uit haarzelf kwam en niet door haar omgeving werd veroorzaakt. Het warme zonnige Florida fungeerde hoogstens als katalysator. De inwoners van Tallahassee maakten in elk geval oogcontact wanneer ze haar op straat tegenkwamen. Ze vermoedde echter dat ze dat alleen maar deden om te kunnen vaststellen dat ze niet van hier was. Hoewel ze dat niet hardop zeiden, las ze het in hun blik.

Waaraan konden ze dat zien, vroeg ze zich af. Wat was het precies waardoor ze zich verraadde?

Ze keek de krant door, gunde zichzelf alleen de tijd om de koppen te lezen. Ondertussen deed ze een scheutje magere melk in een mok en vulde die bij met koffie.

Een kop onder aan de derde pagina trok haar aandacht: MINERAALWATER JACKSON SPRINGS TERUGGEHAALD UIT DE SCHAPPEN. Op weg naar haar werk, bij EcoEnergy, kwam ze altijd langs de fabriek, die nog altijd een familiebedrijf was. Ze schudde haar hoofd, niet echt verrast. Als wetenschapper was ze van mening ze dat de landelijke overheid ernstig tekortschoot bij het reguleren van de gemeentelijke watervoorraden, door veel te hoge percentages arseen en andere gevaarlijke stoffen in kraanwater toe te staan. De gedachte dat de kwaliteit van flessenwater beter te reguleren viel, was een illusie.

Toen ze een slok lauwe koffie nam, maakte ze zich meer zorgen over de cafeïne die daarin zat dan over het water waarvan de koffie gezet was. Sinds haar verhuizing naar Tallahassee had ze nog geen nacht goed geslapen. Toch vermoedde ze dat cafeïne nog de minste van haar zorgen was. Was het maar zo eenvoudig.

Haar vriendin Olivia hielp haar er geregeld aan herinneren dat ze van het ene op het andere moment haar koffers had gepakt om te verhuizen naar een deel van het land waar ze nooit eerder was geweest. Bovendien had ze een nieuwe baan in een bedrijfstak die haar volkomen vreemd was en een verzorgende rol, waarmee ze evenmin ervaring had. En deze veranderingen hadden alle in nog geen jaar tijd plaatsgegrepen. 'Natuurlijk komt het door de cafeïne dat je zo gestrest bent en 's nachts niet kunt slapen,' besloot Olivia dan met een stem waar de ironie vanaf droop.

Na de laatste slok koffie zette Sabrina de mok neer. Afwezig streek ze over haar ringvinger, waaraan ze ooit haar diamanten ring had gedragen. De ring was eigenlijk wat te wijd, maar ze had hem nooit laten aanpassen. Omdat ze bang was dat ze hem zou verliezen bij het aan- en uittrekken van haar rubberhandschoenen, had ze hem nu veilig weggeborgen in een doosje in haar ladekast, zodat hij niet door de gootsteen zou spoelen.

Wie hield ze eigenlijk voor de gek? De werkelijke reden dat ze de ring had afgedaan, waren alle beloften die het sieraad vertegenwoordigde en die allang door de gootsteen waren gespoeld. De betekenis die de ring ooit voor haar had gehad, was weg. Ze had voor deze verhuizing een hogere prijs betaald dan ze ooit had gedacht.

Feitelijk was haar nieuwe baan haar redding; die gaf weer zin aan haar leven. Tenslotte was ze wetenschapper; ze vond het heerlijk om telkens weer met nieuwe puzzels te worden geconfronteerd, om oplossingen te verzinnen voor problemen die onoplosbaar leken, om te zoeken naar alternatieven voor oude remedies. Dat zat in haar aard. Haar onverzadigbare nieuwsgierigheid vormde een onvervreemdbaar deel van haar. Het was de hoogste tijd geweest dat ze zich in het echte leven stortte, dat ze de uitdagingen van de wereld aanging, in plaats van erover te theoretiseren en te discussiëren. Tien jaar lang had ze zich zo gefocust op het verkrijgen van een vaste aanstelling, dat ze was vergeten hoe opwindend het was om ontdekkingen te doen.

Als kind zou ze haar huidige functie bij EcoEnergy een droombaan hebben gevonden. Eric, haar grote broer, was gek van American football en modelauto's geweest, maar zij had bij haar vader om zijn afgedankte microscopen gebedeld, zodat ze kon kijken waaruit bijvoorbeeld een kluit zand was opgebouwd. Uren was ze zoet geweest met uitvogelen hoe ze de bestanddelen van elkaar kon scheiden, en nog eens uren met uittesten wat er gebeurde als je aan elk daarvan water toevoegde. Toen Eric de meisjes had ontdekt, had zij monsters zwavelzuur en chroomfosfaat ontleed.

De zomer waarin ze vijftien was geworden, was haar moeder door het dolle heen van blijdschap geweest toen ze had gehoord dat Sabrina elke middag met Billy Snyder doorbracht. Tot ze had ontdekt dat het tweetal probeerde een soort zaklamp te creëren die ook zonder batterijen licht gaf.

'Je wordt net als je vader' was het ergste verwijt dat haar moeder haar had kunnen maken. Haar moeder had het echter nooit kunnen zeggen zonder te glimlachen, en Sabrina wist dat het eerder als een compliment was bedoeld dan als een beschuldiging. Dat was typisch haar moeder geweest, die melodrama en sarcasme net zo creatief had weten te hanteren als haar boetseerklei en haar penselen.

Sabrina had heel goed gezien hoeveel haar ouders van elkaar hielden, ook al plaagden ze elkaar met milde spot en joegen ze elkaar vaak op stang. 'Waardeloze uitvindsels' noemde haar moeder de uitvindingen van haar vader. Maar tegelijkertijd klapte ze uitbundig en moest ze vechten tegen haar tranen wanneer hij ze demonstreerde.

Die 'uitvindsels' van haar vader waren doorgaans echter ook de oorzaak van ruzie binnen het gezin – en, volgens haar moeder, eveneens de oorzaak van alle ontberingen en het verdriet die het gezin te doorstaan kreeg.

Haar vader, Arthur Galloway, scheen zich daar niets van aan te trekken. Wanneer haar moeder weer eens ontplofte, glimlachte hij alleen maar. En uiteindelijk wist hij haar weer te paaien met een kus op haar wang en door haar ervan te verzekeren dat hij nog altijd 'waanzinnig en tot over zijn oren' verliefd op haar was.

Sabrina moest toegeven dat ze zich eigenlijk geen ontberingen kon herinneren. Sterker nog, in haar beleving had het gezin nooit geldproblemen gekend. Als docent aan de universiteit had haar vader genoeg verdiend om zijn familie te kunnen onderhouden.

Pas na de dood van haar moeder had ze ingezien dat alle ruzies, alle verwijten eenvoudigweg haar moeders manier waren geweest om duidelijk te maken dat ze heel goed besefte dat haar man een beroemd uitvinder had kunnen zijn als hij geen gezin had gehad om voor te zorgen, met alle maandelijkse verplichtingen die dat met zich meebracht. Om hem duidelijk te maken dat ze zich bewust was van het reusachtige offer dat hij had gebracht, en om hem vooral heel duidelijk te maken – telkens opnieuw – dat zij daar niet om had gevraagd. Het was bijna alsof ze hem een reden – of misschien een tweede kans – wilde geven om van gedachten te veranderen. Het waren de uitbarstingen geweest van een vrouw die niet kon geloven dat ze zo veel geluk verdiende.

Hoe dan ook, haar ouders waren stapelgek op elkaar geweest. Uiteindelijk was het dan ook niet haar moeders wispelturigheid geweest die haar vader tot waanzin had gebracht en die een wig tussen haar kinderen had gedreven. Het gezin was uiteengevallen door het wegvallen van Sabrina's moeder.

Buiten klonk het geluid van iets wat verschoof en viel.

Sabrina schrok. De schrikreactie bleef, ook toen ze het geluid herkende. Bij de tweede klap kromp ze zelfs ineen.

Ze haastte zich door de woonkamer naar de glazen schuifdeur. 'Hé, hou daarmee op!' Ze schoof de deur open, maar het was al te laat; de grote witte kat van haar buurvrouw haalde met zijn poot uit en gooide een derde terracotta bloempot van het lage muurtje om haar terras. 'Lizzie! Ophouden!' Ze greep de bezem, die een vast attribuut was geworden in de hoek van haar kleine binnenplaats, en zwaaide ermee naar de poes om te voorkomen dat die de volgende pot omverwierp.

Pas nadat ze al weken tegen de kat tekeer was gegaan, had ze doorgekregen dat het mormel stokdoof was. Het had dus geen zin om alleen maar met de bezem te zwaaien, ze moest er ook nog voor zorgen dat het dier die kon zien.

Op een ochtend als deze was een confrontatie met Lizzie Borden echter wel het laatste waar Sabrina op zat te wachten.

Hoofdstuk 3

Tallahassee, Florida

Hoofdschuddend keerde Jason Brill de receptiebalie de rug toe. Het was werkelijk schandalig, wat dit hotel als een kingsize suite beschouwde! En degene die zich de manager noemde, had zelfs niet het fatsoen ook maar enige gêne te tonen. Bij elke vraag die Jason stelde, trok de man verrast zijn borstelige wenkbrauwen op. Hij wekte de indruk dat hij niet begreep waarom een luidruchtige en lege ondermaatse koelkast níét hetzelfde was als een welvoorziene minibar. Jason schikte zijn das en trok aan de manchetten van zijn overhemd, alsof het verschil van mening niet alleen in een woordenwisseling had geresulteerd. Hij kon die vent wel wat aandoen!

In het verleden zou hij dat ook hebben gedaan. Weliswaar wist hij dat zijn baas genoegen zou nemen met de kamer, maar dat gold niet voor hemzelf. Hij balde de hand waarin hij de sleutelkaart voor de bedroevende suite hield tot een vuist. Vervolgens stak hij de kaart kwaad in een achterzak van zijn broek.

Het was zijn taak ervoor te zorgen dat de senator alleen het beste van het beste kreeg en met alle zorg werd omringd. Dat viel deze ochtend bepaald niet mee, want kennelijk had niemand van het hotelpersoneel – dat zonder uitzondering gebrekkig Engels sprak, of in elk geval met een zwaar accent – ook maar enig idee wie senator John Quincy Allen was. Weer een reden om het standpunt van zijn baas ten aanzien van het immigratieprobleem te ondersteunen; een standpunt dat min of meer pleitte voor het terugsturen van alle immigranten en het optrekken van een muur langs de grens.

Even had Jason overwogen om zijn biezen te pakken en naar een ander hotel te gaan, maar dat zou waarschijnlijk weinig verschil maken. Er was in de hele stad simpelweg geen fatsoenlijk viersterrenhotel te vinden. Hij wenste dat de senator niet te kennen had gegeven hier per se te willen overnachten. Misschien kon hij hem alsnog overtuigen om na de rondleiding een terugvlucht te boeken. Op die manier kon hij de senator in elk geval de kledderige omelet besparen die de kok hier bij het ontbijt durfde te serveren. Hij was de vieze smaak nog steeds niet kwijt. En de maispap was ook al klef en kledderig geweest. Hij begreep toch al niet waarom een ontbijt in het Zuiden niet compleet was zonder zo'n korrelige klets maispap.

Maar aan de omelet zou de senator zich evenmin storen. Wel aan de maispap, maar hij zou zich er niet over beklagen. Hij zou alleen even zijn ogen neerslaan en Jason vluchtig toeknikken, alsof hij wilde zeggen: Was dit nu echt het beste dat je kon regelen?

Jason háátte die teleurgestelde blik, die blik waarin hij las: Dus dit is mijn dank. Soms had hij nog liever dat zijn baas hem uitkafferde.

'Het is niet gezond om dingen op te potten,' zei zijn oom Louie altijd. 'Uiteindelijk blaas je jezelf op.' Oom Louie was bepaald geen geleerde, maar bezat wel een flinke dosis gezond verstand. En daar ontbrak het in Washington DC maar al te vaak aan, had Jason ontdekt.

Hij had ook ontdekt wat het verschil was tussen mensen die met discipline en goede manieren waren grootgebracht en mensen die alles op eigen kracht hadden moeten leren – het verschil tussen senator John Quincy Allen en oom Louie. Het was het verschil tussen de Jason die een stompzinnige hotelmanager de rug toekeerde en de Jason die de man de zelfingenomen grijns van het gezicht zou hebben geslagen.

Hij rolde met zijn schouders en maakte zijn nek zo lang mogelijk, maar wist nu al dat de spanning in zijn spieren de rest van de dag niet van wijken zou willen weten.

Terwijl hij bij de liften stond te wachten om naar boven te kunnen, klapte hij zijn mobiele telefoon open en liep de lijst met te bellen nummers door.

Een lift arriveerde, en er stapten twee druk pratende meisjes uit.

Jason hield de deur voor hen open en deed een stap opzij.

Zodra ze hem zagen, staakten ze hun gesprek, midden in een zin – dat ontging hem niet, al verstond hij niet wat ze zeiden. De oudste van de twee boog haar hoofd toen ze langs hem liep, de jongste glimlachte hem toe. Het was een verrukkelijk ondeugende glimlach die leek te suggereren dat ze zich totaal niet bewust was van haar fraaie achterwerk. Het volgende moment keek ze echter achterom, alsof ze zich ervan wilde vergewissen dat hij haar strakke billen had opgemerkt.

De gedachte kwam in hem op dat de zelfdiscipline die bij zijn werk hoorde, ook grote nadelen had en beslist niet gezond kon zijn voor een vent van zesentwintig.

Niet dat er zoiets bestond als een handboek voor het hoofd van de staf van een senator. En niemand had hem ooit verteld wat wel en geen acceptabel gedrag was voor iemand in zijn functie. Dat had hij allemaal zelf moeten uitzoeken.

Al gauw had hij geleerd dat rechtstreekse uitspraken in de politiek een zeldzaamheid waren, dat er voortdurend dubbelzinnigheden of halve waarheden werden gedebiteerd die voor meerderlei uitleg vatbaar waren, dat er gebruikt werd gemaakt van de fraaiste zinspelingen, of je er nu op uit was het met iemand op een akkoordje te gooien of om hem onderuit te halen. En voor die insinuaties hadden ze nog mooie termen ook, zoals 'demonisering'.

Dit alles stond in schrille tegenstelling tot het milieu waarin Jason was opgegroeid, waar het niet uitmaakte hoe mooi je het onder woorden wist te brengen als je iemand onderuithaalde: het resultaat bleef hetzelfde.

Zodra hij de lift in stapte, ging zijn mobiele telefoon.

'Jason Brill.'

'Brill, je spreekt met Nathalie Richards.'

Onwillekeurig glimlachte hij. Over iemand onderuithalen gesproken... 'Ms. Richards, hallo.'

'Wat is er aan de hand? Waarom is de locatie van de ontvangst ineens veranderd?'

'Met mij gaat het goed, dank u. En met u?'

'Schei daarmee uit, Brill. Ik heb geen tijd voor dat bijdehante, lollige gedoe van je. En ik hou er niet van als mensen de stoelendans gaan doen en niet de moeite nemen dat hier te melden.'

'Komkom, Ms. Richards, u hebt met uw mensen al de leiding over de hele energieconferentie. Dit gaat alleen om een ontvangst. Een privédiner dat senator Allen houdt voor wat vrienden en kennissen die bij de conferentie aanwezig zullen zijn.'

Hij was er echter vrij zeker van dat het niet zomaar een diner zou worden, eerder een viering. Als alles goed ging, zou het harde werken van de senator worden beloond en zou EcoEnergy als eerste Amerikaanse oliemaatschappij de brandstof mogen leveren voor al het rollend materieel van de Amerikaanse troepen. Dat was wel een viering waard, al was het misschien een beetje voorbarig.

'Vrienden en kennissen, die toevallig wel allemaal een dikke vinger in de pap hebben,' zei Ms. Richards.

'Maakt u zich geen zorgen. Uw baas wordt ook uitgenodigd.' Ook al heeft hij er alles aan gedaan om dit contract tegen te werken, dacht hij erachteraan, maar dat zei hij wijselijk niet hardop.

'Daar gaat het niet om, Brill. En dat weet je!'

'Het enige wat ik weet, is dat u zich veel te druk maakt over iets wat de moeite niet waard is.'

'Je kunt niet voortdurend –'

Hij tikte met zijn telefoon tegen de wand van de lift, bracht het toestel weer naar zijn oor en zei: 'De verbinding is verre van optimaal, Ms. Richards. Ik sta hier in een lift in Tallahassee en...' Hij zette de telefoon uit en liet hem in de zak van zijn jasje glijden.

Waarschijnlijk zou hij zijn gedrag later moeten bezuren, maar op dit moment had hij belangrijker zaken aan zijn hoofd dan proberen het Witte Huis te vriend te houden. Zoals het bevoorraden van een ondermaatse koelkast.

Hoofdstuk 4

EcoEnergy

Het liep al tegen twaalven, en Sabrina had haar baas nog steeds niet kunnen vinden. Ze twijfelde er niet aan, of ze kon ook zonder zijn toestemming met een gerust hart een paar uur eerder vertrekken, maar ze vond het toch prettiger om even te overleggen – vooral als hij nog iets had waarvan hij wilde dat zij het in het weekend zou afmaken.

Ofschoon Lansik op het presentiebord stond, had nog niemand hem deze ochtend gezien. Op zich was dat niet zo vreemd; hij was erg op zichzelf en zat altijd in het laboratorium of zijn kleine kantoor daarachter. Als zij niet naar hem had gevraagd, zou het waarschijnlijk niemand zijn opgevallen dat hij er niet was.

'Misschien is iets gebeurd thuis... Een ziek kind of zo,' opperde Pasha Kosloff met zijn Russische accent, zonder op te kijken van de flesjes die hij aan het vullen was met een donkerbruine vloeistof. Met zijn lange slungelachtige lijf zat hij over het apparaat gebogen, zijn schouders naar voren.

Sabrina reageerde niet, al wist ze dat hun baas geen kinderen had. Ze keek naar Pasha's lange slanke vingers terwijl hij de flesjes zorgvuldig, een voor een, in de centrifuge zette. Zijn gebaren waren weloverwogen, angstvallig, bijna in slow motion, alsof hij bezig was een meesterwerk te scheppen.

Ze keek op haar horloge en stak haar handen in de uitgelubberde zakken van haar versleten laboratoriumjas. Haar eigen werk zat in het distilleertoestel dat de verste hoek van het laboratorium in beslag nam – een oud bakbeest dat nog een halfuur zou zoemen en trillen voordat ze de inhoud kon controleren.

'Misschien heeft hij wel een verhouding,' zei Anna Copello. 'En piept hij er tijdens het werk tussenuit, zodat zijn vrouw niks in de gaten heeft.'

Ook dat kon de verklaring niet zijn, wist Sabrina. Tenminste, niet voor zover het Lansiks vrouw betrof. Toch verbaasde Anna's suggestie haar niet. Haar jongere collega had er een handje van om meteen het slechtste van mensen te denken.

Ze draaide zich om naar Michael O'Hearn, de oudste van het team – een gezond ogende, stevig gebouwde, kleine man met een wilde bos zwart haar en een geitensikje dat al bijna helemaal zilvergrijs was. Van iedereen hier zou hij hun baas het beste moeten kennen. Ondanks de dikke veiligheidsbril die hij droeg, zag ze dat hij met zijn ogen rolde als reactie op Anna's suggestie.

'Dat denk ik niet,' zei hij. 'Volgens mij is zijn vrouw vorig jaar overleden.'

Ook dat was niet waar, wist Sabrina. Verbouwereerd keek ze hem aan. Hoe was het mogelijk dat hij niet wist hoe de vork in de steel zat?

'Ach, wat verschrikkelijk!' zei Anna geschokt.

Pasha keek zelfs even op van zijn flesjes. 'Waarom heeft hij daar nooit iets over gezegd?'

'Hij is nu eenmaal erg gesloten,' zei O'Hearn. 'Maar als je beter had opgelet, had je hem kunnen horen zeggen dat zijn vrouw er niet meer is.'

Sabrina ontsnapte naar het distilleertoestel en deed alsof ze de peilglazen controleerde. Ze was verbijsterd door de ontdekking hoe weinig de anderen eigenlijk van hun baas wisten. Haar verbijstering gold vooral O'Hearn. Ze had begrepen dat Lansik en hij al collega's waren geweest lang voordat ze een leidinggevende functie hadden gekregen bij de productontwikkeling van EcoEnergy. Hoewel iedereen hier langer dan zij met Lansik samenwerkte, leek het erop dat zij als enige wist dat hij geen kinderen had en dat zijn vrouw niet was overleden, maar – zoals O'Hearn had gezegd – er niet meer was.

Daar was ze geheel bij toeval achter gekomen. Kort na haar aanstelling bij EcoEnergy was ze op een zondagmorgen vroeg het laboratorium binnen gekomen, op een tijdstip dat ze Lansik daar wel vaker tegenkwam. Die zondag had ze hem echter betrapt, in slaap op de oude blauwe bank in zijn kantoor. En dat niet alleen, hij had zijn badjas, toiletspullen en pantoffels bij zich gehad, waardoor zij de indruk had gekregen dat hij al langere tijd in zijn kantoor sliep. Met tegenzin had hij haar bekend dat hij thuis geen rust meer kon vinden sinds zijn vrouw hem had verlaten.

Haar eerste gedachte was geweest dat zijn vrouw was overleden. Zoals hij het had geformuleerd, had het als een pijnlijk gebeuren geklonken. Hij had haar eerder een weduwnaar met een gebroken hart geleken dan een man die door zijn vrouw in de steek gelaten was. Maar toen had ze tussen de spullen op zijn bureau een stapel gekreukelde papieren gezien, met een nietje aan elkaar gehecht. Het waren officieel uitziende documenten geweest, en op de eerste pagina's had in grote letters ECHTSCHEIDINGSCONVENANT gestaan.

Het ging haar niets aan, had ze gemeend. Lansik was haar baas; ze was niet met hem bevriend, hij was geen familie van haar. Wat er in zijn privéleven gebeurde, was... nou ja, privé.

Toen de telefoon in Lansinks kantoortje begon te rinkelen, keken ze allemaal op van hun werk.

Ten slotte was het Sabrina die de deur openduwde. Aarzelend keek ze om zich heen, en haar blik bleef even op de blauwe bank rusten. Toen reikte ze naar de telefoon op het bureau. 'EcoLab.'

'Ms. Galloway?' zei een vrouw.

Van schrik deed Sabrina een stap naar achteren. Waarom ging de vrouw er voetstoots van uit dat zij de telefoon van haar baas opnam? 'Dat klopt,' zei ze zo zacht, dat ze zich afvroeg of de vrouw haar wel kon verstaan.

'U spreekt met Anita Fraiser. Ik bel namens Mr. Sidel. Hij vroeg me contact met u op te nemen, met het verzoek hem om één uur te ontmoeten bij de toegang tot Reactor 1. U doet vanmiddag de viprondleiding.'

'Maar... Maar ik wist helemaal niet dat er vandaag een rondleiding op de agenda stond. Dit moet een vergissing zijn, dat kan niet anders.'

William Sidel was de algemeen directeur van EcoEnergy, en ze wist zeker dat ze het zich zou herinneren als ze een afspraak met hem had – helemaal als ze werd geacht een rondleiding te verzorgen.

'Nee, het is geen vergissing. U stond op de lijst.'

'De lijst?'

'Eens even kijken. Ik moet hem hier ergens hebben.'

Sabrina hoorde papiergeritsel. Ze keek door de deur van het kantoortje naar het laboratorium en zag dat haar collega's haar stonden aan te staren zonder zelfs maar de moeite te nemen om te doen alsof ze níét meeluisterden.

'Ja, hier staat het. Uw baas heeft u op de lijst gezet, mocht hij om welke reden dan ook niet in de gelegenheid zijn.'

'Heeft hij zich ziek gemeld?' Ze kon zich niet voorstellen dat Lansik haar willens en wetens voor een voldongen feit zou plaatsen.

'Ik weet alleen dat Mr. Lansik vandaag niet komt. Dus nogmaals, Mr. Sidel verwacht u om één uur, bij de toegang tot Reactor 1.'

Hoofdstuk 5

Tallahassee, Florida

Jason was tevreden. Het was precies gegaan zoals hij had verwacht. Hij hoefde de senator maar in het hart van een actuele milieukwestie te zetten, of ze kwamen eropaf. 'Ze', dat waren natuurlijk de media.

Hij was blij dat hij de senator zover had weten te krijgen bij zijn marineblauwe pak en rode das een smetteloos wit overhemd aan te trekken. Dat had echter wel enige moeite gekost. Wit was voor ultraconservatieven, vond senator Allen, en niet voor gematigde Democraten.

Op welbewust nonchalante toon had Jason gezegd dat de senator uiteraard zelf moest weten wat hij aantrok, maar dat hij in het marineblauwe pak met een wit overhemd op de een of andere manier groter, langer leek. Voor een gelegenheid waarbij veel foto's zouden worden gemaakt en waarbij ze voortdurend in beweging zouden zijn, hoefde hij niets meer te zeggen, wist Jason.

En inderdaad, senator Allen had zijn blauwe katoenen overhemd verwisseld voor het smetteloos witte exemplaar dat Jason keurig op een hangertje in de kast in zijn hotelkamer had gehangen.

De route van Tallahassee naar de centrale was niet bepaald pittoresk te noemen. De senator had zijn voorhoofd gefronst en Jason een van die subtiele blikken van afkeuring toegeworpen, die deze maar al te goed kende. Het gebied leek totaal verlaten, en alleen al langs de rand van het Apalachicola National Forest groeiden meer pijnbomen dan Jason ooit in Florida had verwacht.

Na enkele minuten verliet de limousine de snelweg om de rit te vervolgen over een smalle geasfalteerde tweebaansweg met aan weerskanten een zachte berm. Daar moesten ze naar uitwijken telkens wanneer een grote tankwagen die te breed was voor zijn weghelft, hen tegemoetkwam. De snelheid waarmee die tankwagens over de weg denderden, verried dat ze van de plaatselijke automobilisten doorgaans alle ruimte kregen die ze nodig hadden.

De chauffeur van de limousine, die zich had voorgesteld als Marek Zelenski, waagde zich tot twee keer toe aan een krachtmeting, die er uiteindelijk in resulteerde dat hij van de weg werd gedrukt en te ver in de zachte berm belandde. De auto kwam met een schok tot stilstand, en Marek barstte los in een tirade waarvan Jason vermoedde dat die een stroom van godslasteringen in het Pools behelsde. Ten slotte keek hij in het achteruitkijkspiegeltje, mompelde een snelle verontschuldiging in gebroken Engels en manoeuvreerde de limousine de weg weer op.

'Zo te zien is hier dringend behoefte aan een nieuw wegennet,' merkte Jason op in een poging tot luchtigheid.

De senator schudde zijn hoofd. 'Behalve die tankwagens zijn we weinig verkeer tegengekomen. Dus het zou zinloos zijn om de tijd en het geld van de belastingbetaler aan nieuwe wegen te verspillen.'

Jason begon al instemmend te knikken, in plaats van te zeggen dat hij maar een grapje had gemaakt. Toen zag hij de glinstering in de blauwe ogen van de senator.

'Bovendien, weinig verkeer betekent weinig stemmers,' voegde de senator er met een glimlach aan toe. 'En dus zou het ook een verspilling van míjn tijd en míjn geld betekenen.'

Op dat moment vroeg Jason zich af of hij misschien spijt zou krijgen van dit hele fiasco. Uiteindelijk was het zíjn idee geweest. Hij had dit bezoek gezien als de ideale kans voor de senator om zijn positie onder de aandacht te brengen bij de aanstaande energietop en tegelijkertijd mee te liften op de gunstige pers die Eco-Energy op dit moment kreeg.

Daar had de senator ook alle recht toe. Hij had EcoEnergy vanaf het allereerste begin gesteund. Hij had gelobbyd om nationale gelden los te krijgen voor de bouw van de centrale en vervolgens gepleit voor belastingvoordelen waardoor personeel kon worden aangenomen en het bedrijf kon gaan draaien. Sinds enkele jaren stond EcoEnergy in enorm hoog aanzien bij de milieubeweging, en inmiddels was het bedrijf ook de lieveling van de nieuwsmedia, als een lichtend baken in de energieoorlog. Dus waarom zou de senator daarvan niet de vruchten mogen plukken? Na alles wat hij had gedaan, verdiende hij lof en erkenning als pionier van deze nieuwe manier van energie opwekken, die een technologische doorbraak betekende.

Maar om de een of andere reden had senator Allen zich niet bijster enthousiast getoond over Jasons idee. Hij had zelfs opgemerkt dat hij niet het risico wilde lopen de aandacht van de media weg te halen van de energietop.

Het ging Jason er niet om de aandacht van de topconferentie weg te halen, als wel om de rol van de senator te benadrukken. Met deze topconferentie begon ook de strijd om de media-aandacht. Doorgaans maakte de senator graag gebruik van dit soort gelegenheden, en Jason begreep dus niets van zijn reserves.

Ze passeerden het elektronisch beveiligde toegangshek van het bedrijfsterrein en stopten kort bij het wachthuisje, waar Jason tot zijn verrassing een geüniformeerde bewaker in de houding zag staan. Dat deed hem eerder denken aan de mores in een kazerne dan die in een commerciële energiecentrale. De limousine kwam ook niet zomaar langs de controlepost. Alle papieren werden zorgvuldig gecontroleerd, waarbij de jonge beveiligingsbeambte uitvoerig de tijd nam om de bijzonderheden te controleren en de gezichten op de foto's met die van de inzittenden te vergelijken.

EcoEnergy, dat een terrein van in totaal veertig hectare bezat, werd aan drie kanten omsloten door een dicht woud. Pas toen ze aan het eind van de weg kwamen – veel breder en veel beter onderhouden dan de openbare weg die ze achter zich hadden gelaten – werd de centrale zichtbaar tussen de bomen. De bouwwerken samen boden de aanblik van een vreemde kleine stad.

Aan één kant stonden, in een aangelegd park, een stuk of vijf moderne panden van twee en drie verdiepingen hoog, opgetrokken uit staal en glas – het kantorencomplex, nam Jason aan. Aan het eind van een parkeerplaats was een stukje van de rivier te zien, die aan weerszijden achter de bomen verdween.

Daartegenover verhieven zich ongeveer tien, twaalf reusachtige zilverkleurige tanks zo hoog als torenflats, die glinsterden in de zon. Ze werden met elkaar verbonden door stalen loopbruggen. Een wirwar van pijpen, waarvan de grootste zo'n dertig centimeter in doorsnee waren, en reusachtige elektrische leidingen slingerden zich langs en over de tanks – stuk voor stuk glimmend wit, alsof de centrale net in bedrijf was genomen. Alle tanks werden door de pijpen verbonden met de bovenkant van een gebouw dat het achterste gedeelte van het park besloeg: een reusachtig bouwwerk van golfplaat, zonder ramen en met heel weinig deuren.

Om eerlijk te zijn had Jason iets heel anders verwacht. Hij had zich het bedrijf veel smeriger voorgesteld gezien het feit dat de opgestelde rij tankauto's – uit hetzelfde wagenpark als de wagen die hen van de weg had gereden, besefte hij – kippeningewanden of stookolie vervoerden. Diep onder de indruk, keek hij naar de senator, in de hoop bij hem een soortgelijke reactie te zien.

Het gezicht van de senator, die achterovergeleund tegen de zachte leren bekleding zat, verried echter geen enkele emotie.

Ze naderden het kantorencomplex en namen de laatste bocht naar de ingang.

Toen zag Jason ze. Ze stonden op de stoep geparkeerd, namen de hele ronde oprijlaan in beslag en verdrongen elkaar voor de beste plek. Hij telde negen busjes van de nieuwsmedia en nam niet eens de moeite om de mensen te tellen die zich bij de toegang tot het hoofdgebouw hadden verzameld.

Toen hij zich naar de senator keerde, zag hij dat deze zich naar voren had gebogen en zich in de handen wreef alsof hij uitkeek naar een feestmaal.

Hij klopte Jason op de rug – een zeldzaam, maar oprecht gebaar – en zei: 'Goed werk, jongen.'

Hoofdstuk 6

EcoEnergy

Sabrina kon de gedachte niet van zich af zetten dat er sprake was van een vergissing. Ze was wel de laatste van het team die Lansik zou aanwijzen om tijdens zijn afwezigheid de leiding te nemen – niet vanwege een gebrek aan capaciteiten of ervaring, maar gewoon omdat ze er als laatste bij was gekomen. Ze wist hoezeer Lansik hechtte aan anciënniteit en dat hij die alleen wegens een gebrek aan loyaliteit terzijde zou schuiven. Dat in overweging genomen was O'Hearn de eerste die als vervanger in aanmerking kwam, en daarna Anna.

Toen ze de anderen vertelde dat zij was aangewezen om de rondleiding te verzorgen, las ze in hun ogen dezelfde vraag die haar bezighield. Tegelijkertijd kon ze zich niet voorstellen dat ze haar benijdden. Als het aan haar lag, zou ze deze kelk graag aan zich voorbij hebben laten gaan.

Anna was de enige die hardop haar twijfel durfde uit te spreken. 'Heeft Sidel jóú gevraagd om de rondleiding te doen?' Om haar ongenoegen te benadrukken trok ze een van haar volmaakt geëpileerde wenkbrauwen op. Dat deed ze altijd; ze gebruikte altijd haar gezicht om duidelijk te maken wat ze dacht.

Pasha had eens opgemerkt dat hij Anna en haar uiterlijk op elkaar vond lijken, maar Sabrina kon – of wilde – niet zien wat ze met elkaar gemeen zouden kunnen hebben. Ofschoon Anna een aantal jaren jonger was dan zij, slaagde ze erin Sabrina het gevoel te geven een van haar probleemstudenten te zijn. Volgens Anna gebruikte Sabrina voortdurend glazen laboratoriumflesjes die Anna voor zichzelf apart had gezet en documenteerde ze haar resultaten op een manier die beneden de maat was. Om redenen die Sabrina nog steeds niet kende, mocht Anna haar niet, en dat was al zo vanaf het allereerste begin.

O'Hearn had eens gegrapt dat met Sabrina's komst Anna niet langer de enige schoonheid was in hun groep van prettig gestoorde wetenschappers. Sabrina vroeg zich weleens af of hij daarin gelijk had.

Hoe dan ook, Anna behandelde haar als de spelbreker, als degene die de sfeer op het werk verziekte.

'Sidels secretaresse zegt dat mijn naam op de lijst staat,' zei Sabrina in een poging zichzelf te verdedigen, aangezien ze de indruk kreeg dat Anna een verklaring verwachtte.

'De lijst?' Anna keerde zich om naar O'Hearn en sloeg haar armen over elkaar. 'Wat voor een lijst?'

O'Hearn haalde slechts zijn schouders op en draaide zijn stoel weer naar zijn computerscherm, als om haar duidelijk te maken dat het hem volkomen siberisch liet.

Pasha was al naar zijn eigen werkplek teruggekeerd.

Na een blik op de beide mannen wierp Anna in een hulpeloos gebaar haar handen in de lucht, en zonder Sabrina nog een blik waardig te keuren beende ze weg.

Sabrina haastte zich terug naar Lansiks kantoortje. Toen ze aan de telefoon had gezeten, had ze een dossiermap zien liggen met INSTRUCTIES RONDLEIDING erop. Die map had recht voor haar gelegen toen ze de hoorn had teruggelegd, in het bakje met inkomende stukken – verlokkend, uitdagend. Het was niets voor haar om aan andersmans spullen te komen, laat staan ze mee te nemen. Anderzijds was het Lansik die haar in deze situatie had gebracht, dus dan moest hij niet klagen als ze zijn gegevens raadpleegde, zodat ze die in zijn plaats zou kunnen gebruiken.

Ze liet de dikke dossiermap, waarin zich ook een spiraalbloc bleek te bevinden, in haar attachékoffer glijden. Later, na de rondleiding zou ze hem terugleggen. Daarna ontvluchtte ze haar collega's en zocht haar toevlucht aan een tafeltje in het EcoCafé; hetzelfde hoektafeltje bij het raam als waaraan ze elke dag haar lunch gebruikte.

Hetzelfde tafeltje, dezelfde lunch.

Haar broer had haar ooit een slaaf van haar eigen routine genoemd en beweerd dat ze veel te star was om echt van het leven te kunnen genieten. Maar ja, hij had dan ook nooit langer dan een halfjaar een baan weten te houden, laat staan een relatie. Zij mocht dan saai zijn, had ze tegengeworpen, maar ze had wel werk waarvan ze hield, geld op de bank en een dak boven haar hoofd. En dat kon hij niet zeggen. Alhoewel, dat wist ze niet. Ze had hem immers in geen twee jaar gezien.

Terwijl ze haar gebruikelijke bruine boterhammen met eiersalade at, nam ze Lansiks aantekeningen door. Zijn hanenpoten waren nauwelijks te ontcijferen.

Ze had amper twee happen van haar brood genomen, toen ze zich realiseerde dat ze alleen maar at om haar zenuwen te kalmeren. Waarom was ze eigenlijk zenuwachtig, vroeg ze zich af. Aan de universiteit had ze geregeld formele presentaties verzorgd, soms – niet vaak – zonder voorbereiding. En ze kende het proces van thermolyse als geen ander. Het fascineerde haar zodanig, dat ze er alles van had willen weten. De rondleiding zou haar dan ook geen enkele moeite hoeven kosten.

Dus wat zat haar dwars? Het onverwachte van het hele gebeuren, of het feit dat Lansik haar boven de anderen had verkozen?

Ze had de algemeen directeur van EcoEnergy pas één keer ontmoet. Alhoewel, 'ontmoet' was te veel gezegd. O'Hearn had hem aangewezen tijdens een van de personeelsevenementen die door het bedrijf werden georganiseerd. Het was haar opgevallen dat Sidel de een na de ander een schouderklopje gaf en overal de lachers op zijn hand had, maar dat hij niet de moeite nam zich met zijn wetenschappelijke staf bezig te houden. Volgens O'Hearn was dat niets persoonlijks, maar ontweek hij hen simpelweg omdat hij anders zou moeten doen alsof hij wist waar ze het over hadden.

Sidel was een briljant ondernemer, aldus O'Hearn, wanneer het erom ging investeerders binnen te halen en overheidsinstanties te bewerken, maar had geen idee van – en ook geen enkele belangstelling voor – het procedé zelf. Nog onlangs had hij op de cover gestaan van zowel Forbes, Time als Discover.

Ze ging nog even langs het laboratorium om haar attachékoffer weg te zetten. Ze was aan de late kant, besefte ze. Terwijl ze zich naar Reactor 1 haastte, vroeg ze zich af of ze ook nog even langs het toilet had gemoeten, al was het maar om te controleren of ze geen etensresten tussen haar tanden had, haar handen te wassen en misschien even een kam door haar haren te halen. Nou ja, daar was het nu te laat voor. Ze streek een verdwaalde lok achter haar oor.

Ze besteedde weinig aandacht aan haar uiterlijk – veel te weinig, had haar moeder altijd geklaagd. Haastig bekeek ze haar kleren. De laboratoriumjas was hagelwit en keurig gesteven. Alleen de zakken waren door het vele gebruik wat uitgelubberd. Haar zwarte broek hoorde bij haar standaardgarderobe. Ze had er nog zes – precies hetzelfde model – in haar kast hangen.

Al lang geleden had ze erin berust dat ze geen gevoel voor mode had. Haar artistieke en soms flamboyante moeder had dat bevestigd en was nog een stap verder gegaan door haar 'onderontwikkeld' te noemen waar het om kleding en uiterlijk ging. Ter verdediging had Sabrina dan altijd aangevoerd dat als Albert Einstein elke dag in hetzelfde had kunnen lopen, zij dat ook kon.

Zelfs haar sieraden beperkte ze tot een minimum – klassiek maar eenvoudig: een achttienkaraats gouden ketting die van haar moeder was geweest en een Movado-horloge dat haar vader haar had gegeven toen ze een vaste aanstelling had gekregen.

Onderweg naar Reactor 1 kwam ze tot de conclusie dat ze niets aan haar kleding of uiterlijk zou hebben veranderd als ze die ochtend bij het van huis gaan al van de rondleiding had geweten.

Het zou allemaal best lukken, hield ze zich voor, en ze duwde haar klamme handen in de zakken van haar witte jas.

Hoofdstuk 7

Washington DC

Hoofdschuddend keek Natalie Richards naar de kleine televisie in haar kantoor. 'Het is niet te geloven!' Ze wees naar het televisiescherm, met slechts een vluchtige blik op de man die in de stoel voor de gasten zat, aan de andere kant van haar bureau. Normaliter zou ze minstens zo gefrustreerd zijn door het feit dat hij ontspannen naar achteren leunde, met zijn benen over elkaar, alsof hij inderdaad een gast was. Nu had ze echter alleen maar oog voor de televisie. Ze had haar handen op haar brede heupen gezet, maar het liefst zou ze die om iemands nek leggen.

Ze was alle kanalen langs geweest. Senator John Quincy Allen was live op elke kabelzender! En tenzij er zich de komende paar uur een terroristische aanval of een natuurramp voordeed, zou hij zonder twijfel het belangrijkste onderwerp zijn van alle drie de journaals van deze avond.

Ze liet het volume van de televisie op laag staan – niet uit beleefdheid tegenover de man in haar gastenstoel, maar omdat ze een telefoontje verwachtte. Haar baas zou razend zijn als hij dit hoorde, en dat zou niet lang meer duren. Nieuws verspreidde zich in deze stad met de snelheid van het licht. Het enige voordeel was dat zij daardoor niet de boodschapper hoefde te zijn.

'Wat is hij van plan, denk je?' Ze liep om haar kleine stampvolle bureau heen en keek Colin Jernigan in de ogen. Die ogen stonden vermoeid, zag ze. De afgelopen dagen had hij waarschijnlijk niet veel slaap gekregen.

Telkens wanneer ze hem zag, durfde ze te zweren dat die schitterende blauwe ogen een beetje doffer waren geworden en zijn kortgeknipte haar een beetje grijzer. Als ze het zich goed herinnerde, was hij nog geen veertig, de stakker. Niet dat het ook maar enigszins afbreuk deed aan zijn verschijning. Nog altijd was hij knap, een sterke, verzorgd ogende man. En wat ze nog het meest ergerlijk vond, was dat hij altijd even kalm bleef. Ook nu weer. Het leek wel alsof niets hem uit zijn evenwicht kon brengen. Ongetwijfeld was hij mede daardoor de beste in zijn vak. Tenminste, dat was hij altijd geweest. Zijn fysieke slijtage deed er niet toe.

Ze ging er prat op aan iemands ogen te kunnen zien of hij een rol speelde of oprecht was. In Colins geval maakte ze zich zorgen om wat ze níét zag, om wat ze al heel lang niet meer had gezien: de schittering die ze zich van vroeger herinnerde.

'Heb je iets voor me? Het kan me niet schelen wat,' zei ze toen ze het wachten op een antwoord beu was. 'Ik moet iets kunnen zeggen, iets acceptabels, want anders krijg ik er ongenadig van langs.'

'Ik heb geen idee waar senator Allen op uit is.' Hij schonk haar een zeldzame glimlach. 'Het verbaast me dat jij dat niet weet. Ik dacht altijd dat jij de machtigste vrouw in de stad was.'

'Dat heb je dan goed gedacht. Ik ben de machtigste zwárte vrouw in de stad,' pareerde ze zijn poging om grappig te zijn. 'En dat komt ongeveer op hetzelfde neer als wanneer je zegt dat je de mooiste vrouw in de dug-out bent. We staan als vrouwen immers niet in de rij om aan slag te komen.' Ze leunde tegen het bureau en sloeg haar armen over elkaar. Weer ernstig, zei ze: 'Niet om het een of ander, maar als die senator uit Florida de energietop vergalt, kom ik je hoogstpersoonlijk op je lazer geven.'

'Mij? Niet hem?'

'Ik zal me met jou moeten behelpen. Zijn lazer is buiten mijn bereik.' Ze verwachtte niet dat hij ook maar een krimp zou geven, maar hoopte van wel. Tegelijkertijd besefte ze dat ze hem niet zou vertrouwen als hij zich zo gemakkelijk liet intimideren. Wat een door en door slecht bedrijf was de politiek toch geworden.

Er klonk een klopje op de deur.

'Binnen!' riep ze.

Haar privésecretaresse keek om de hoek van de deur. 'Het spijt me dat ik u stoor, Ms. Richards.' Ze deed een stap naar achteren om een jongeman in een zwarte spijkerbroek, leren laarzen en een leren jack binnen te laten. Aan een koordje om zijn nek hing een geplastificeerd legitimatiebewijs. Zijn warrige haar was platgedrukt door de helm die hij op dat moment onder zijn arm droeg. Zonder de leren koerierstas zou Natalie hem in die uitmonstering nooit hebben binnengelaten.

Zodra hij haar de tas had aangereikt, draaide hij zich om en verdween, zonder ook maar één woord te hebben gezegd.

Haar secretaresse glimlachte, knikte en trok de deur zachtjes achter zich dicht.

'Gebruik je tegenwoordig weer koeriers?' vroeg Colin.

'Dat zijn we altijd blijven doen. Laat al die andere idioten maar met e-mail werken en zich doodschrikken als blijkt dat iemand de hand heeft weten te leggen op alle berichten die ze dachten te hadden gewist. Dit...' Ze deed de tas open en haalde er een envelop uit die met was verzegeld was. 'Dit is niet te traceren. En zelfs als iemand deze envelop te pakken zou krijgen, dan nog is de inhoud niet te ontcijferen.'

'Het klinkt allemaal een beetje ouderwets in deze tijd van geavanceerde technologie, vind je ook niet?'

Ze trok een wenkbrauw op. 'Alsof jouw methodes niet ouderwets zijn.' Ze griste de afstandsbediening van haar bureau en zette de televisie uit. 'Vertel op, wat is er misgegaan?'

'Ik heb geen idee.'

'Daar neem ik geen genoegen mee.' Langzaam schudde ze haar hoofd. Lang geleden al had ze geleerd dat haar gebaren meer gezag uitstraalden dan haar woorden ooit zouden kunnen.

'Vergeef me de woordspeling, maar misschien kreeg Mr. Lansik uiteindelijk toch kippenvel van het idee de boel aan te kaarten.'

Ze keek hem doordringend aan, trok opnieuw een wenkbrauw op en schonk hem een dreigende frons om hem duidelijk te maken dat ze niet in de stemming was voor woordgrapjes, sarcastische opmerkingen of andere staaltjes van zijn droge humor. 'Probeer je me nou echt wijs te maken dat dit toeval is? Dat Allen een rondleiding krijgt, amper vierentwintig uur na die misgelopen ontmoeting?' Nadrukkelijk, lettergreep voor lettergreep, herhaalde ze: 'Dat zou toeval zijn?'

'Ik geloof niet in toeval.'

Hij zei het zonder zich te verontschuldigen, maar aan de manier waarop hij ging verzitten – onopvallend, maar zij zag het toch – merkte ze dat ze hem nerveus maakte. Mooi, dat was precies de bedoeling.

'We hebben geen tijd om op een volgende kans te wachten. Is dat duidelijk?' Ze verwachtte geen antwoord op die vraag. 'Dit moet rond zijn vóór de energietop, dat weet je.'

'Lansik heeft blijkbaar besloten zijn mond te houden en onder te duiken. Van een kale kip pluk je geen veren, laat staan van een vogel die gevlogen is,' zei hij, maar deze keer was hij zo verstandig er niet bij te glimlachen.

'En hoe zit het met de rest van de wetenschappelijke staf?'

'Daar zou ik niet al te veel van verwachten. Zo kort voor de conferentie hoeven we nergens op te rekenen.'

Ze tikte op de envelop die ze uit de leren tas had gehaald. 'Dan moeten we overschakelen op plan B.' Ze reikte hem de envelop aan, zonder de inhoud te hebben bekeken, en sloeg haar armen weer over elkaar. 'Hier is je volgende opdracht.' Ze had gehoopt dat hij iets voor haar had gehad – wat dan ook – want plan B beviel haar helemaal niet. 'William Sidel kan olie destilleren uit kippendarmen. Het minste wat jij kunt doen, is met een paar veren komen – of de vogel nou gevlogen is of niet.'

Hoofdstuk 8

EcoEnergy

Sabrina begon zich af te vragen waarom Sidel erop had gestaan dat zíj de rondleiding verzorgde. Tot dusverre had hij namelijk niets anders gedaan dan haar in de rede vallen. En dat verbaasde haar. Hij had immers de reputatie een charmeur te zijn.

Anderzijds, alles wat zij van hem wist, had ze uit krantenartikelen en nieuwsberichten, niet uit de eerste hand.

In het Time Magazine was hij 'een tovenaar' genoemd, een moderne Repelsteeltje die een manier had gevonden om olie uit afval te winnen. Het had er alle schijn van dat hij kon doorgaan met zijn tovenarij, als EcoEnergy zou worden beloond met een overheidscontract van honderdveertien miljoen dollar om brandstof te leveren voor het hele Amerikaanse leger. Alleen dat al zou een enorm wapenfeit betekenen, had het artikel betoogd, gezien het feit dat het contract nog nooit aan een binnenlands bedrijf was gegund, maar altijd aan dezelfde oliemaatschappij in het Midden-Oosten. Sabrina wist dat het verwerven van dat ene contract voor EcoEnergy het verschil kon betekenen tussen uitgroeien tot een serieuze leverancier van alternatieve brandstof en een voortzetting van de status-quo als een interessant experiment.

Nu ze Sidel eindelijk persoonlijk leerde kennen, voelde ze zich in haar verwachtingen teleurgesteld. Ze vond hem helemaal niet charmant, en in haar ogen had hij niets van een tovenaar. Hij zag er nog steeds uit als een linebacker, wat hij op de universiteit ook was geweest: indrukwekkend groot – al verried zijn buikje dat hij tegenwoordig weinig meer aan lichaamsbeweging deed. Ook had hij nog steeds een jongensachtig gezicht en de manier van doen die daarbij hoorde. Feitelijk kwam hij op haar over als een corpsbal van middelbare leeftijd die er niet op durfde te vertrouwen dat zijn diepe stem en imposante verschijning hem voldoende aandacht zouden opleveren. En die dat compenseerde met verbale uitbarstingen, achteloze opmerkingen en onbeholpen grappen.

Telkens wanneer zij even zweeg, kwam hij met irrelevante informatie op de proppen. Het leek wel of hij zich niet op zijn gemak voelde wanneer er een stilte viel en alleen het gezoem en geratel van de pijpen boven hun hoofd te horen was. Ze vroeg zich af of hij soms net zo nerveus was als zij.

Ze begon aan de vijftienkoppige groep – diverse potentiële investeerders en een senator – uit te leggen wat thermolyse was. 'Thermolyse versnelt het proces van druk en extreme hitte dat in de aarde op natuurlijke wijze plaatsvindt en waardoor op koolstof gebaseerde materie in olie verandert. Wij gebruiken dezelfde –'

'Weet u, dit doet me denken aan mijn lerares in de derde klas,' viel Sidel haar in de rede. 'Ik begreep nooit iets van al die onzin bij geologie.' Hij lachte – als enige. Hoewel Sabrina en de anderen hem verbouwereerd aankeken, vervolgde hij: 'Weet u wat ze deed als we hadden vergeten ons huiswerk te maken? Dan zette ze ons voor het bord, met onze neuzen ertegenaan, in een cirkel die ze daar met krijt op had getekend. Nou, ik kan u wel vertellen dat die gok van mij een groot stuk van het bord in beslag nam!'

Deze keer begonnen enkele leden van de groep te lachen, en Sabrina zag dat Sidel meteen ontspande; hij haalde zijn handen uit zijn broekzakken, verplaatste zijn gewicht naar de andere voet en zag er niet langer uit alsof hij klaar was voor de volgende tackle. Kennelijk was hij het type man dat voortdurend aandacht vroeg, maar hij deed het op zo'n manier dat niemand zich er echt aan stoorde. Of liever gezegd, niet meteen, zolang de humor de nodige zelfspot bevatte en de grappen niet ten koste van anderen gingen.

Ze was het gewend met dergelijke mannen om te gaan, al waren het doorgaans haar studenten geweest, en niet haar baas. Uit ervaring wist ze dat zulk gedrag snel irritant kon worden.

'Er moet toch een enorme hoeveelheid brandstof voor nodig zijn om deze tent alleen al draaiende te houden,' merkte Glenn Owens, een van de investeerders, op.

'Zeg, het is geen draaimolen!' grapte Sidel.

Owens kon er niet om lachen. 'Serieus, gaat er niet meer brandstof in dan er uiteindelijk uit komt?' Hij had zich tot Sabrina gericht en zich welbewust van Sidel afgewend.

Owens was haar voorgesteld als een miljardair uit Omaha die een groot deel van zijn fortuin decennia eerder had verdiend met investeringen die hij had gedaan samen met medemiljardair Warren Buffet. Hij was een lange zilvergrijze heer, nonchalant gekleed – in een blauwe polo van Ralph Lauren en een kakibroek – alsof de rondleiding zijn laatste afspraak was op weg naar een partijtje golf. Zijn manier van doen had echter niets nonchalants. Toen Sidel aanstalten leek te maken om de vraag te beantwoorden, stak Owens zijn hand op om hem het zwijgen op te leggen.

'We hebben een netto-energieopbrengst van vijfentachtig procent,' antwoordde Sabrina na een ongemakkelijke stilte. 'Anders gezegd, van alle energie die we produceren, gebruiken we vijftien procent om die productie tot stand te brengen. Die vijftien procent bestaat uit olie, die als brandstof dient voor onze elektrische generatoren. De rest wordt verder geraffineerd en gedistilleerd tot diesel en benzine voor auto's.'

'En hoe zit het met de afvalproducten? Wat gebeurt daarmee?' wilde Owens weten.

'Het basismateriaal dat we verwerken, levert geen gevaarlijk afval op. Sterker nog, al het basismateriaal kan worden gebruikt, in diverse vormen en toepassingen,' legde ze uit. De efficiënte werkwijze van EcoEnergy was een van de aspecten die haar in de baan hadden aangetrokken. 'Wat niet tot brandstof kan worden verwerkt, wordt afgevoerd en verkocht als bestanddeel voor hoogwaardige kunstmest. Door depolymerisatie worden materialen op moleculair niveau afgebroken...' Ze zweeg, want ze merkte dat ze hun aandacht kwijtraakte door een teveel aan vakjargon. Ze glimlachte en probeerde het opnieuw. 'Alles wat gevaarlijk zou kunnen zijn, wordt door de hoge temperaturen afgebroken. Wat overblijft, wordt afgevoerd en teruggebracht naar kamertemperatuur. Dan is het schoon genoeg volgens de normen van de EPA – dat is de Environmental Protection Agency, zoals u ongetwijfeld weet – zodat het bij de volgende cyclus opnieuw kan worden gebruikt of in de rivier kan worden geloosd.'

'Misschien mag ik nog iets toevoegen aan wat Ms. Galloway zojuist heeft gezegd.' Sidel deed een stap naar voren, nu volkomen serieus. 'Wat we uiteindelijk lozen is zo schoon, dat we van de EPA niet eens als een afvalverwerkingsbedrijf geregistreerd hoeven zijn.'

'Het klinkt allemaal te mooi om waar te zijn,' hield Owens vol.

'Daarom wilde ik dat je het met eigen ogen zou zien, Glenn.' Senator Allen klopte Owens op de rug. 'Het is de weg van de toekomst!' Hij richtte zich tot de hele groep. 'Deze centrale – en laten we hopen dat er meer komen zoals deze – betekent onze bevrijding van de buitenlandse oliemaatschappijen. Stelt u zich eens voor...' Inmiddels was hij erin geslaagd zich naar het midden van de groep te manoeuvreren. '...brandstof uit afval – slachtafval. We zullen nooit meer kunnen worden gechanteerd door de oliesjeiks van het Midden-Oosten. Niemand zal olie nog kunnen gebruiken als reden om een oorlog te beginnen. Het is echt heel bijzonder.'

Vanaf de zijlijn keek Sabrina toe, geduldig wachtend op een teken dat de politieke toespraak afgelopen was.

Nu pas realiseerde ze zich dat dit waarschijnlijk de reden was dat Jason Brill, het hoofd van de staf van senator Allen, bij het begin van de rondleiding had geprotesteerd tegen Sidels mededeling dat er geen pers mee mocht.

Ze nam aan dat Mr. Brill daar inmiddels toch wel blij om was, want ondanks de welsprekendheid en het beschaafde voorkomen van de senator viel niet te ontkennen dat de gele helm en de plastic veiligheidsbril hem bepaald niet flatteerden. Ze maakten hem enigszins tot een karikatuur – een bolvormig geel knikhoofd met uitpuilende ogen als van een buitenaards wezen.

Senator Allen gebaarde naar Sidel, legde in een waarderend gebaar zijn hand op diens schouder en zei: 'En deze man is het genie achter de hele onderneming.'

Terwijl Sabrina zich nog altijd afwachtend op de achtergrond hield, hoorde ze het. De geluiden die vanboven kwamen, waren niet het vertrouwde zoemen en klotsen van nat basismateriaal dat werd rondgewerveld en gespoeld. In plaats daarvan klonk er een hoog gerinkel en een geratel alsof er kiezelstenen door de buizen schoten. Ze deed nog een stap bij de groep vandaan en luisterde aandachtig, keek onopvallend omhoog. Eén blik was voldoende om te zien de klep van Reactor 5 openstond.

Dat kon niet.

Haar waarneming werd echter bevestigd door de geluiden die ze hoorde.

Er werd basismateriaal in vaste vorm – ongeraffineerde stukjes en deeltjes – de reactor in gestuurd. Een reactor die voor niets anders werd gebruikt dan het produceren van schoon afvalwater.

Ze keek naar Sidel, die inmiddels weer lachend grappen stond te maken en hoorde dat hij de groep uitnodigde voor een korte omweg, 'zodat u een goede indruk krijgt van ons magische basismateriaal'. Hij leek wel een kok die popelde om zijn geheime ingrediënt wereldkundig te maken.

Toen hij zich naar haar toe draaide, meende ze even dat hij haar naar de klep had zien kijken. Moest ze hem wenken? Moest ze zijn aandacht trekken en hem apart nemen?

De mannen begonnen weer te lachen.

Nee, dit was niet het moment om iets wat een gevaarlijke fout zou kunnen zijn, ter sprake te brengen. Bovendien wist ze het niet zeker. Misschien had Lansik recentelijk een verandering in het systeem doorgevoerd. Waarschijnlijk was er een logische verklaring voor wat ze had gezien. Ze moest het eerst grondig natrekken, concludeerde ze terwijl ze Sidel en de anderen volgden. Al was het maar om te voorkomen dat ze als een soort Chicken Little overkwam. Ze trok een gezicht toen ze bedacht wat een vreemde, maar toepasselijke vergelijking dat was.

Hoofdstuk 9

Tallahassee, Florida

Jason had zelden zoiets smerigs geroken. En dan dacht hij nog niet eens aan die rottende kippeningewanden. Het was de stank in de limousine die hem bijna deed kokhalzen en zijn lunch uitspugen. Godallemachtig! Ofschoon alle raampjes openstonden, stonk de hele limousine naar braaksel. Toch deed Jason zijn uiterste best om niet weg te kijken van de senator en zijn walging te verhullen. Het marineblauwe pak was waarschijnlijk onherstelbaar geruïneerd, besefte hij.

Marek gaf senator Allen nog een natte handdoek. 'Die stank krijg ik er nooit meer uit,' verzuchtte de chauffeur hoofdschuddend en met een zwaar accent. Hij nam niet eens de moeite om zijn weerzin te verbergen. Vervolgens ging hij achter het stuur zitten, zich totaal niet bewust van de blikken van de senator, die naar zijn achterhoofd keek alsof hij dat het liefst als een dartbord zou gebruiken, met in gif gedoopte pijltjes.

Jason bood niet aan te helpen. Het enige wat hij deed, was de gebruikte handdoek aannemen. In tegenstelling tot Marek wist hij wanneer hij afstand moest bewaren en zijn mond moest houden.

Om zichzelf af te leiden van de stank probeerde hij zich te concentreren op wat er was voorgevallen. Hij kon zich niet aan de indruk onttrekken dat die schoft van een Sidel precies had geweten wat hij deed, toen hij de groep was voorgegaan die loopbrug op, met uitzicht op de tank vol 'magisch basismateriaal'. Wat zijn bedoeling ook was geweest, het deed er niet toe. Jason zou nooit vergeten dat Sidel als de eerste de beste corpsbal had staan hinniken toen senator Allen zich over de reling had gebogen om te braken. De senator moest zich vooral geen zorgen maken, had Sidel geroepen. Ook dát konden ze afbreken, samen met de rest van het 'magische' afval. Het enige wat Jason aldoor had kunnen denken, was: Goddank is de pers hier niet bij.

Vroeger had Jason kerels die zelfs nog groter waren dan Sidel weleens een lesje geleerd, met een elleboog in hun nieren en een vuist tegen hun strot. Dat leek hem schoner en eerlijker dan de manier waarop de senator vond dat de dingen moesten worden gedaan.

Sidel was te ver gegaan. Na alles wat de senator voor hem had gedaan, zou de rat het braaksel van senator Allens dure Italiaanse schoenen hebben moeten likken, in plaats van te wijzen en te hinniken.

Jason had de band tussen de twee mannen nooit begrepen. Hij wist dat ze elkaar kenden uit hun studietijd aan de Florida State University, maar kon zich niet voorstellen dat ze ooit goede vrienden waren geweest, zelfs niet toen ze nog jong waren. Daarvoor leken ze hem te verschillend. Sidel had als linebacker bij de Seminoles gespeeld, senator Allen had het tot voorzitter van de debatingclub geschopt. Desondanks leek er sprake van een sterke loyaliteit, in elk geval van de kant van de senator.

Loyaliteit, niet-aflatende trouw: dat begreep Jason maar al te goed. Hij had een harde leerschool gehad. Het milieu waarin hij was opgegroeid, was er een van mensen die niemand vertrouwden; mensen die zo goed konden stelen en liegen en bedriegen, dat ze niet eens beseften dat er grenzen waren.

Het verschil met politici was niet eens zo groot, meende hij. Het was dus niet zo gek dat hij naar Washington DC was getrokken zodra hij oud genoeg was geweest om een motor te kopen – een slanke krachtige Yamaha – en zijn jeugd zo ver mogelijk achter zich te laten.

Hij had een baan gevonden als koerier en op zijn motor door de hoofdstad gescheurd, bedreven door het verkeer manoeuvrerend, op – en soms over – de grens van het toelaatbare. Totdat hij zichzelf en zijn motor de vernieling in had gereden doordat hij een zwarte SUV geen voorrang had gegeven.

De bestuurder van de SUV – een hoge buitenlandse diplomaat – had gedreigd ervoor te zorgen dat zijn rijbewijs werd ingetrokken, maar dat had Jason niets kunnen schelen. Aangezien de motor er ernstiger aan toe was dan hij, was hij ervan uitgegaan dat het toch al gedaan was met zijn carrière als koerier.

Ondanks drie gebroken ribben en een ernstig beschadigde knie had hij het met bloed besmeurde pakketje alsnog afgeleverd.

Drie dagen later had de koeriersdienst hem laten weten dat de ontvanger van zijn laatste zending hem wilde spreken. Jasons eerste gedachte was geweest dat hij op zijn flikker zou krijgen – zeker zo'n klootzak die niet tegen bloed kon. Of misschien had er iets belangrijks in het pakje gezeten, dat door het ongeluk geplet was.

Het laatste wat hij had verwacht, was dat de ontvanger, na het verhaal van zijn heldhaftige bezorging te hebben gehoord, hem een baan wilde aanbieden. Senator Allen had gezegd dat hij hem deed denken aan hemzelf toen hij jong was. Blijkbaar was dat positief, want nog geen twee jaar later was Jason het jongste hoofd van de staf geworden van een senator op Capitol Hill. Het was de eerste keer geweest dat iemand vertrouwen in hem toonde.

Onwillekeurig vroeg hij zich af wat Sidel had gedaan om zo veel vertrouwen te krijgen. Uit alles wat hij over Sidel had gelezen, kwam de man naar voren als een eenvoudige boerenzoon met een onmiskenbare ondernemersmentaliteit, maar zonder verdere bijzondere talenten. Waar hij goed in was, was de mensen knollen voor citroenen verkopen, anderen enthousiasmeren voor zijn snode plannen, en dat uitsluitend met woorden en beloften. Hij kreeg mensen zover dat ze hem volgden, in hem geloofden, dat ze de handen uit de mouwen staken en zelfs geld in hem investeerden.

Alleen was thermolyse niet het een of andere snood plan. Het was briljant, en het was dan ook niet Sidels idee. Hij had het patent gekocht, een van de wetenschappers in dienst genomen die aan de wieg van de uitvinding hadden gestaan en er daarna genoeg aan toegevoegd en mee geïmproviseerd om te kunnen beweren dat hij de geestelijk vader was.

Met zijn gevatheid was Sidel de gangmaker op elk feest. Vanwege zijn ergerlijke grappen probeerde iedereen hem te vriend te houden, want niemand wilde het doelwit van zijn spot worden. Hij kon lik op stuk geven als geen ander. Jason herinnerde zich Sidels reactie toen een brutale verslaggever van The Environmental Magazine had geprobeerd hem uit de tent te lokken door hem een handelaar in smeerolie te noemen. 'We produceren hier geen smeerolie,' had Sidel gezegd. 'Dat zou u weten als u zo slim was om uw eigen tijdschrift te lezen.'

Het viel niet te ontkennen dat Sidel op het ei van Columbus was gestuit. Het was een perfect, ingenieus procedé. Jason was er trots op dat de senator zich ervoor inzette.

Alleen vertrouwde hij Sidel niet en begreep hij niet waarom de senator hem wél vertrouwde.

'Waarom pikt u dat allemaal van hem?' flapte hij eruit. Hij móést het vragen.

'Van wie? Van Sidel?'

'Ja, natuurlijk. Van wie anders?'

Senator Allen veegde nog een laatste keer over zijn zijden das, verfrommelde de handdoek tot een prop en gooide die op de vloer. 'Omdat hij weet hoe hij dingen voor elkaar moet krijgen, jongen. Echt, dat weet hij als geen ander.' En alsof daarmee alles was gezegd, keerde hij zich naar het raampje van de limousine en keek naar de eindeloos lange rijen pijnbomen.

Hoofdstuk 10

EcoEnergy

Sabrina haastte zich terug naar het laboratorium om haar witte jas weg te hangen en haar attachékoffer te halen. Ondanks de omstandigheden was ze opgelucht dat de rondleiding voortijdig afgebroken had moeten worden. Hoewel ze al aan de late kant was, hoopte ze vóór het avondeten in Chattahoochee te zijn. De gedachte dat haar vader gevoerd zou moeten worden omdat de verpleging weigerde de riemen los te maken, vond ze afschuwelijk.

Het verbaasde haar niet dat O'Hearn en Pasha nog aan het werk waren. Pasha's gezin was in Moskou achtergebleven, en O'Hearn had haar ooit verteld dat hij een verstokt vrijgezel was, al had hij het weleens over een zoon gehad. Al eerder op de dag, toen ze zich hadden afgevraagd waar Lansik zou kunnen zijn, had ze het haar verrast hoe weinig ze van hun baas wisten. Ook was het opmerkelijk dat ze geen van allen – met uitzondering van Anna, van wie ze niets wist en ook niets wilde weten – iemand hadden die thuis op hen wachtte.

Ze was al met rinkelende sleutelbos op weg naar buiten, toen Pasha vroeg: 'Ging goed, rondleiding? Nee?' Hij bleef staan op weg naar de opslagruimte achter in het laboratorium, in afwachting van haar antwoord.

Doorgaans keek hij niet eens op van zijn werk. Dat hij nu de moeite nam haar deze vraag te stellen, deed haar vermoeden dat ze tijdens haar afwezigheid op het onderwerp waren doorgegaan.

'Jawel. Alles ging goed,' antwoordde ze, ondanks de herinnering aan de niet goed afgesloten klep van Reactor 5. 'Tot Sidel de groep uitnodigde een blik te werpen in de tank.'

'Ai, dat moet hij ook niet doen!' O'Hearn, die achter een van de computers zat, trok zijn neus op alleen al bij de herinnering aan de stank.

'Senator Allen hing binnen de kortste keren over de reling, omdat hij moest kotsen,' vertelde ze.

O'Hearn begon te lachen – iets wat hij zelden deed – maar Pasha draaide zijn hoofd om. 'Kotsen?' Blijkbaar was het een woord dat hij niet kende.

'Hij ging over zijn nek,' zei O'Hearn met een glimlach, genietend van de verwarring van de Rus. 'Hij heeft zijn maag geleegd.'

Sabrina vond het vreselijk dat O'Hearn zo vaak grappen ten koste van Pasha maakte. Hij had zelfs ooit gezegd dat het een soort wraak was voor de Koude Oorlog. 'Hij moest spugen,' verduidelijkte ze, voordat O'Hearn kon doorgaan.

'O, aha! Niet goed.' Pasha knikte en vervolgde zijn weg naar de opslagruimte.

Sabrina wilde al weggaan, maar keek toen weer naar O'Hearn. Er gebeurde hier haast niets zonder dat hij ervan wist. Als er veranderingen in het systeem waren aangebracht, zou hij er waarschijnlijk van op de hoogte zijn. Nadat ze zich ervan had overtuigd dat Pasha buiten gehoorsafstand was, ging ze naast de rij computers staan en wachtte tot O'Hearn opkeek. 'Weet jij of Lansik het procedé opnieuw heeft geprogrammeerd en of ook Reactor 5 nu meedraait?'

'Reactor 5 is alleen voor Klasse 2-afval: kunststoffen en metalen.'

'Dat weet ik.'

'We zijn nog niet zover dat we kunststoffen en metalen kunnen verwerken. Daar komen te veel giftige stoffen bij vrij. Voordat we daaraan kunnen beginnen, moeten we eerst een manier zien te vinden om van die giftige stoffen af te komen,' vertelde hij op zakelijke toon. 'We hebben nog een lange weg te gaan voordat we Reactor 5 in gebruik kunnen nemen. Dat moment ligt waarschijnlijk nog eens veertig miljoen dollar van ons verwijderd.'

'Ja, dat weet ik allemaal.' Ze probeerde haar ongeduld te verbergen. Ze had geen behoefte aan een college; tenslotte kende ze het hele proces van A tot Z. Maar ze wist ook wat ze had gehoord en gezien. Het had erop geleken dat de klep van de reactor openstond. Daar was ze bijna zeker van. 'Zou er een reden kunnen zijn dat Lansik Reactor 5 toch in gebruik genomen heeft? Misschien om de productie te verhogen?' Alleen Lansik ging over de software die het mechanisme uiteindelijk activeerde, hendels bediende of – zoals in dit geval – kleppen openzette.

'Er is geen enkele reden waarom Reactor 5 zou zijn geactiveerd, behalve om Klasse 2-afval te verwerken,' zei O'Hearn. Hij krabde zich op de kruin, waarbij zijn vingers in zijn wilde haardos verdwenen. Met zijn hoofd een beetje schuin keek hij naar haar op, zijn donkere ogen tot spleetjes geknepen alsof hij probeerde te peilen waar ze heen wilde. 'Waarom vraag je dat?'

'O, zomaar.' Ze had het nog niet gezegd, of ze had er al spijt van. Natuurlijk begreep hij dat er een reden moest zijn dat ze het vroeg.

Hoeveel kon ze hem vertellen? Als bleek dat ze het mis had, als ze zich de vreemde geluiden alleen maar had verbeeld en als de klep helemaal niet openstond, zou ze voor gek staan. Anderzijds, als er inderdaad een storing was...

'Alleen... Nou ja, tijdens de rondleiding meende ik te zien dat de klep van Reactor 5 openstond. Dat is alles. Maar ik zal me wel vergist hebben.'

Ze vertelde er niet bij dat ze ook geluiden had gehoord alsof er grind door de pijpen ging, dat het had geklonken alsof er stukjes vermalen metaal en plastic ter grootte van doperwten door de pijpen joegen, in plaats van een brij van zachte kippeningewanden. Zelfs kippenbotjes zouden niet het geluid hebben gemaakt dat zij had gehoord.

Nog steeds keek O'Hearn naar haar op, niet overtuigd.

'Nou ja, ik raak altijd een beetje in de war wanneer ik daar ben,' voegde ze er glimlachend aan toe, bij wijze van uitzondering het domme blondje uithangend. Het was het soort opmerking dat Anna zou maken. 'Dus waarschijnlijk heb ik me vergist en Reactor 3 en 5 door elkaar gehaald.'

'Dat zal het zijn.' Hij knikte tevreden en richtte zijn aandacht weer op het computerscherm.

Haar vingers sloten zich strakker om het handvat van haar attachékoffer. Aarzelend bleef ze staan, alsof ze wachtte op toestemming om te vertrekken. Waarschijnlijk was dat het resultaat van een te lange tijd in de academische wereld. Ze was nooit bijster goed geweest in groepen, te veel een eenling om op anderen te leunen. Na bijna een jaar bij EcoEnergy wist ze nog altijd weinig van haar collega's.

Kennelijk wilde Lansik het zo. Per slot van rekening wisten ze over hem ook zo goed als niets.

Als zich inderdaad een probleem voordeed, was het heel goed mogelijk dat hij zijn medewerkers daarvan niet op de hoogte stelde, dat hij hen alleen zou inlichten als hij hun hulp nodig had. Ze besloot af te wachten en de zaak met hem op te nemen.

O'Hearn keek weer naar haar op. 'Was er verder nog iets?'

'Nee, niks. Dan zie ik je maandag wel weer, neem ik aan. Of anders morgen?'

'Nee, morgen ben ik er niet. Ik heb plannen voor het weekend.' Hij ging verzitten en begon te tikken, waarmee hij elke verdere conversatie afkapte. Hij had zowaar een beetje defensief geklonken, vond ze.

Niet dat dat haar iets kon schelen. Ze wachtte niet af om te zien of haar indruk juist was. Ze was allang blij dat ze kon ontsnappen.

Hoofdstuk 11

EcoEnergy

William Sidel gebaarde naar Glenn Owens dat hij het zich gemakkelijk moest maken in een van de zwartleren stoelen die gereserveerd waren voor de gasten.

Zijn hoekkantoor vormde een driehoek, en twee van de drie wanden bestonden volledig uit glas – drie lagen dik om het lawaai van de vrachtwagens beneden buiten te sluiten. Het kantoor bood uitzicht op de Apalachicola River, maar zijn gasten keken uit op slechts een van de glazen wanden. Daar stond tegenover dat ze vol zicht hadden op wat William in gedachten zijn 'triomfmuur' noemde. Daar werd zijn levensloop in beeld gebracht met ingelijste foto's en tijdschriftencovers, die de bezoekers ervan moesten doordringen hoe belangrijk hij wel niet was.

Hij wist dat Owens niet onder de indruk zou zijn van politieke foto's, ook niet die met Bush senior en junior en Clinton en de huidige president, al ontging het hem niet dat Owens' blik even bleef rusten op een foto van hem met Reagan. Ook was hij er vrij zeker van dat Owens niet veel gaf om de covers met naast zijn beeltenis koppen als 'De milieutovenaar'.

Nee, hij wist precies wat bij Owens voldoende respect zou afdwingen om hem zover te krijgen dat hij zijn chequeboekje trok. Hij moest dan ook een grijns verbijten toen hij zag dat Owens wat langer keek naar een foto van hem met generaal Schwarzkopf en een andere met een groep mannen van de National Guard. Wat maakte het uit dat die laatste was genomen bij een trainingskamp in Florida? Hij had welbewust een deel van de foto afgeknipt, zodat de achtergrond niet te zien was, in de hoop dat iedereen zou denken dat het kiekje bij een kamp in Irak was gemaakt.

Owens kwam onmiddellijk ter zake. 'Senator Allen schijnt te denken dat dit procedé van jou onze kans is om los te komen van de OPEC en al die bloedzuigers in het Midden-Oosten.'

William was aangenaam getroffen. In plaats van de vraag meteen te beantwoorden liep hij naar de mahoniehouten kast achter zijn bureau, waarin verscheidene flessen en glazen stonden. Zonder iets te vragen verbrak hij het zegel van een fles Johnnie Walker Blue, schonk twee vingers in en reikte zijn gast het glas over het bureau heen aan.

Owens deed geen moeite om zijn verrassing te verbergen.

Dit was een van de onbekende details die William boven water had weten te krijgen over Owens, die buitengewoon hechtte aan zijn privacy. Uiteraard had hij de informatie niet zelf boven water gekregen; daar had hij zijn mensen voor.

'Je hebt het zelf gezien,' zei hij terwijl hij achter zijn bureau plaatsnam. 'Het lukt die arme kerel niet zijn maag in bedwang te houden in de buurt van dat spul, en toch gelooft hij er heilig in.' Zelf nam hij ook wat van de Schotse whisky – zuiver uit beleefdheid, want eigenlijk hield hij er niet van. Hij had liever een biertje.

Met zijn glas geheven, bij wijze van toost, keek hij toe terwijl Owens een grote slok nam. Het liefst zou hij de zilvergrijze schraper willen vertellen dat hij ook zonder diens miezerige tien miljoen dollar wel stinkend rijk zou worden. Het ging hem ook niet zozeer om het geld; hij kon toch al alles kopen wat hij wilde. Sterker nog, hij kon iedereén kopen.

Toen de telefoon ging, keek hij Owens met opgetrokken wenkbrauwen aan en haalde zijn schouders op. 'Dit moet wel heel erg belangrijk zijn, want anders zou mijn secretaresse me niet storen.' Hij nam op. 'Ja?'

'We zitten met een probleem.'

Bijna schoot hij naar voren in zijn stoel. Hij knipperde verrast met zijn ogen toen hij zag dat het gesprek via zijn directe buitenlijn binnenkwam. 'Als er problemen zijn, moet jij ze oplossen,' zei hij. Hij schonk Owens een glimlach. 'Daar betaal ik je tenslotte voor. En flink ook!' Na die woorden hing hij op.

Hoofdstuk 12

Washington DC

Abda Hassar parkeerde zijn taxi langs de stoeprand. Het wachten kon beginnen. Bestelbusjes en andere leveranciers werden geacht om om te rijden naar de achterkant. Hier, aan de voorkant, patrouilleerden twee agenten van de gemeentepolitie. De een had een fluitje in zijn mond, de ander gebaarde limousines door te rijden en ging tekeer tegen de bestuurders van busjes die probeerden dubbel te parkeren. Maar op dit tijdstip kon Abda langs het trottoir blijven staan zonder een reprimande te krijgen of te worden weggestuurd.

Na een nieuwe zak geroosterde zonnebloempitten open te hebben gemaakt, gooide hij een handjevol in zijn mond. Dit was al zijn tweede zak. Hij had de hele dag nog niets anders gegeten. Met zijn tong duwde hij de pitten in zijn wang, en vervolgens begon hij het zout uit de schilletjes te zuigen.

Hij schoof zijn Ray Ban-zonnebril omhoog om de vermoeidheid uit zijn ogen te wrijven. Drie uur slaap per nacht was altijd genoeg geweest, maar de laatste tijd niet meer. Overdag zat hij op de taxi – dat stelde hem in staat een communicatienetwerk te onderhouden zonder argwaan te wekken – en 's nachts deelde hij opdrachten uit en werkte aan hun plan.

Na de klep van zijn Red Sox-pet omlaag te hebben getrokken

leunde hij naar achteren en legde zijn hoofd tegen de hoofdsteun. Het liefst zou hij zijn ogen dichtdoen, al was het maar een kwartiertje, tien minuten, maar dat kon hij natuurlijk niet riskeren.

Doelbewust vermeed hij oogcontact met mensen die langs zijn taxi liepen en keken of hij vrij was. Soms was er een idioot die op het raampje tikte of op de motorkap sloeg om zijn aandacht te trekken. Konden ze dan niet lezen? Er stond toch duidelijk 'Buiten dienst' op het dak? Wat waren Amerikanen toch onnozel en onbeschoft.

Hij keek naar zijn geplastificeerde vergunning op de zonneklep. De stompzinnige glimlach stoorde hem. Het was een wat al te opvallende vermomming, waarvan hij bang was dat die hem nog eens zou opbreken. Op de foto, die amper een jaar eerder was genomen, zag hij eruit als een jochie, gladgeschoren, met kortgeknipt haar, en dan die onnozele grijns.

Zijn vriend en compagnon Khaled had gezegd dat hij moest glimlachen, niet alleen voor de foto, maar ook bij andere gelegenheden. 'Amerikanen verwachten van ons, Arabieren, dat we somber en nors kijken,' had Khaled uitgelegd. 'Probeer vriendelijk en beleefd tegen hen te zijn. Groet hen. Wens hun een prettige dag en zorg ervoor dat je glimlacht, altijd. Dan hebben ze niet in de gaten waar je mee bezig bent.'

Inmiddels woonde Abda al bijna tien jaar in Amerika. Na elf september had hij fanatiek op zijn Engels geoefend, waardoor zijn Arabische accent nagenoeg verdwenen was. Hij wilde absoluut niet geassocieerd worden met de honden die met een vliegtuig een gebouw vol onschuldige mensen in waren gevlogen. Er waren wel betere manieren om je doel te bereiken, om een krachtig signaal af te geven. En als het toch onvermijdelijk was dat er slachtoffers vielen, moesten dat bedrijven zijn of de leiders van een land. Het volk mocht nooit de dupe worden. Daar geloofde hij heilig in, en dat was ook zijn drijfveer bij deze opdracht.

Wanneer passagiers hem vroegen waar hij vandaan kwam – en dat deden ze altijd, ondanks zijn bijna onberispelijke Engels – vertelde hij hun dat zijn moeder van Franse afkomst was en zijn vader Arabier. Hij liet onvermeld dat zijn vader een van de rijkste oliesjeiks van de Verenigde Arabische Emiraten was, want als hij dat vertelde, was de volgende vraag onvermijdelijk waarom hij dan als taxichauffeur werkte. Dan was hun wantrouwen gewekt.

Trouwens, hij had al snel in de gaten gekregen dat Amerikanen veel liever over zichzelf praatten. 'Bent u voor uw werk of voor uw plezier naar onze schitterende hoofdstad gekomen?' Meer hoefde hij zijn passagiers niet te vragen. Net als barkeepers waren taxichauffeurs goedkope therapeuten, en dus hoorde hij het ene na het andere verhaal aan over dramatisch verlopen echtscheidingen, spectaculaire loopbaansuccessen en alles wat daartussen lag.

Zodra Abda hem de treden af zag komen, was hij waakzaam. Hij ging snel rechtop zitten, maar ving een glimp van zichzelf op in de achteruitkijkspiegel. Er lag een afkeurende blik in zijn ogen. 'Rustig aan,' zei hij tegen zichzelf.

De jonge man was maar een simpele loopjongen die als eenvoudige koerier werd gebruikt. Niemand zou hem ooit serieus nemen. En toch wachtte Abda bijna slaafs op hem, alert en gretig, gebrand op wat zijn boodschapper zou achterlaten.

Hij probeerde het gevoel van macht niet te laten wegsijpelen, maar vast te houden. Hij kon zich niet laten beperken door een afhankelijkheid van mensen die liever zijn vijanden zouden zijn dan zijn kameraden. Natuurlijk, ze waren verbonden door een gemeenschappelijk doel, maar ideologisch gezien bleven ze elkaars tegenstanders. Was het verkeerd om je door je vijanden te laten gebruiken als jij op jouw beurt hen voor je karretje spande?

'Hoek Fifteenth Street en Constitution Avenue,' zei de man nadat hij het portier open had gedaan en zonder Abda aan te kijken op de achterbank was gaan zitten. Hij deed net alsof hij niet al talloze malen in diens taxi was gestapt.

Abda speelde het spel mee en begroette hem glimlachend. 'Goedemiddag. Wat een prachtige dag vandaag!'

De man negeerde hem. Terwijl hij met één hand iets intikte op zijn palmtop, haalde hij met zijn andere een stel dossiermappen tevoorschijn en begon die door te bladeren.

Apparaten als palmtops zouden uiteindelijk de ondergang van de menselijke communicatie betekenen, had Abda besloten. Geen terroristische aanval, geen oorlog op enorme schaal, maar een simpel apparaatje waardoor beschaafde mannen en vrouwen boodschappen naar elkaar stuurden in plaats van elkaar persoonlijk te ontmoeten.

Hij wierp een vluchtige blik in de achteruitkijkspiegel, zogenaamd alsof hij naar het verkeer keek, terwijl hij zich tussen de andere auto's voegde.

De man op de achterbank was niet veel jonger dan hij, en toch waren hun levens totaal verschillend. Abda vroeg zich af hoe het bestaan van de man er over tien jaar zou uitzien, of over twintig jaar. Het zou niet lang duren voordat zijn voortdurende frons tot rimpels om zijn mond en in zijn voorhoofd zou leiden. Zijn blonde haar zou geleidelijk aan grijs kleuren. Zijn gebruinde huid zou getaand worden. De dure gouden armband zou niet langer de indrukwekkende uitstraling hebben die de man er nu aan toekende. En de ogen, die hij verborg achter een dure bril – waarvan hij hoopte dat die hem ouder en serieuzer deed lijken, maar die hij eigenlijk helemaal niet nodig had – zouden flets worden, hun flonkering verliezen en uiteindelijk écht weinig meer zien.

Wat Abda zich vooral afvroeg, was of de ziel van de man over tien, twintig jaar vrede zou hebben gevonden. Die zekerheid had Abda tenminste: hij had de innerlijke vrede al bereikt, en dat zou over twintig jaar niet anders zijn.

Binnen enkele minuten hadden ze de bestemming bereikt. Nog voordat Abda de taxi volledig tot stilstand had kunnen brengen, gaf de man hem een biljet van tien dollar en zwaaide het portier open.

Ofschoon Abda wist dat de man geen bonnetje wilde en ook geen geld terug, vroeg hij het toch. Toen de man zijn hoofd schudde, bedankte Abda hem. Vervolgens manoeuvreerde hij de taxi weer tussen het verkeer, voordat hij de aandacht zou trekken of zou worden aangehouden door iemand die wilde meerijden.

Nu pas merkte hij dat zijn handen klam waren van het zweet en dat zijn hoofd bonsde op het ritme van zijn hartslag. Hij durfde bijna niet in de achteruitkijkspiegel te kijken. De spanning en de nervositeit waren nog net zo hevig als op de eerste dag dat de lange blonde jonge man bij hem was ingestapt.

Uiteindelijk dwong hij zich in de achteruitkijkspiegel te kijken. Bij het zien van de kleine envelop op de achterbank, zoals altijd met was verzegeld, werd hij door opluchting overspoeld.

Hoofdstuk 13

Florida State Hospital
Chattahoochee, Florida

Sabrina herkende de nerveuze, rusteloze man in de makkelijke stoel nauwelijks.

Hij wiegde zacht met zijn bovenlichaam heen en weer, alsof hij in een schommelstoel zat, maar bewoog ondertussen voortdurend met zijn handen, trommelde met zijn vingers op elk beschikbaar oppervlak en stak ze soms zonder aanwijsbare reden de lucht in. Zijn blik schoot alle kanten uit, behalve de hare. Zijn tong kwam onophoudelijk naar buiten, likte zijn lippen, bewoog in het rond en duwde vanbinnen uit tegen zijn wangen, alsof hij in zijn mond geen rust meer kon vinden.

Het had haar ruim een uur gekost om in Chattahoochee te komen – veel langer dan ze had gehoopt. Gelukkig bleken de polsriemen inmiddels verwijderd, maar welke prijs had hij daarvoor moeten betalen? Ze wist niet zeker of ze dat wel wilde weten. De medicatie die hij kreeg, leek voornamelijk een vernietigend effect te hebben op wat er nog over was van zijn briljante geest. Of hij raakte er helemaal door van de wereld óf hij werd teruggebracht tot een beverig hoopje zenuwen. Alsof het nog niet erg genoeg was dat hij voortdurend weg dwaalde uit de werkelijkheid en dat hij herinneringen, hallucinaties en hersenschimmen door elkaar haalde en daarmee een surrealistische wereld schiep waarin niemand hem kon volgen.

'Ik heb vanavond doperwten gegeten,' vertelde hij haar als een kind van vier dat alles zegt wat in hem opkomt.

'Zal ik de volgende keer een cheeseburger voor je meesmokkelen?' Gespannen wachtte ze op een glimp, een opflikkering van de man die ze kende.

Maar hij keek haar niet eens aan. Zijn blik bleef heen en weer schieten, alsof hij naar een pingpongwedstrijd keek ergens achter haar.

'Eric was er gisteren,' zei hij op dezelfde nonchalante toon als de opmerking over het avondeten.

Eerst dacht ze dat ze hem verkeerd verstaan had. Ze probeerde zijn blik te vangen om te bepalen in hoeverre hij in de werkelijkheid verkeerde.

'Hij zag er goed uit. Hij zit in Pensacola Beach.'

'Pap, Eric zit ergens in New York of Connecticut. In elk geval niet hier, in Florida.' Ze begreep niet hoe hij daarbij kwam.

'Jawel. Hij heeft een nieuwe baan.' Hij boog zich naar voren. 'Een of andere geheime opdracht,' fluisterde hij, nog altijd zonder haar aan te kijken. 'Ik mag aan niemand vertellen dat hij hier is geweest.'

Ze aarzelde. 'Eric is hier niet geweest, pap,' zei ze toen.

Al zijn andere hallucinaties kon ze aan, maar deze niet. Ze kon het niet en wilde het niet. Al sinds twee jaar had haar broer met niemand contact meer, uit eigen vrije wil. Hij wist niet eens dat hun vader in Chattahoochee zat.

'Misschien heb je het je verbeeld, pap. Misschien denk je alleen maar dat je hem hebt gezien.' Ze reikte naar zijn hand, in de hoop de wiegende beweging te stoppen of in elk geval te vertragen.

Al na een paar seconden trok hij zijn hand los en begon onbeheerst naar het plafond te wijzen. 'Hij woont boven een boothuis en kijkt uit op een baai met dolfijnen.' Hij klonk niet boos of ongeduldig omdat ze hem niet geloofde. Het was eenvoudigweg een mededeling.

Ze gaf het op. Als hij er troost uit putte zich te verbeelden dat zijn enige zoon helemaal uit New York was gekomen om hem op te zoeken, wie was zij dan om hem die troost te ontnemen?

'En hij werkt voor een zekere Howard Johnson.'

Ze glimlachte, knikte en beet op haar onderlip. O pap, ik mis je zo, dacht ze.

Plotseling kruiste zijn blik de hare, en hij hield die vast, alsof hij haar gedachten had gelezen. Er veranderde helemaal niets aan zijn voorkomen toen hij zei: 'Die cheeseburger... daar wil ik graag zoetzuur en ui op. Niet vergeten.'

Met ingehouden adem boog ze zich naar hem toe om hem oplettend aan te kijken. 'Pap?'

'En kun je ook wat frietjes meenemen?'

Roerloos bleef ze zitten, niet wetend of ze nog hoop mocht koesteren. 'Natuurlijk,' zei ze uiteindelijk. 'Ik neem ook frietjes mee.' Ze lachte hem toe en bleef op de rand van haar stoel zitten. Het liefst zou ze zijn hand weer in de hare nemen, want ze verlangde naar troost en geruststelling, maar hij roffelde alweer met zijn vingers op de armleuningen.

Voordat ze een zucht van verlichting had kunnen slaken, schoot zijn blik weer alle kanten uit.

Haar enige troost lag in het feit dat ze hem bij zich had en dat hij – heel even maar – in het hier en nu was geweest. Ze mocht niet te veel verlangen. De artsen hadden haar verteld dat het waarschijnlijk heel geleidelijk zou gaan, met af en toe een helder moment.

Uit de research die zijzelf had gedaan, wist ze dat hij net zo plotseling zou kunnen terugkeren als hij was verdwenen. Maar ook het andere uiterste was mogelijk, namelijk dat hij nooit meer terugkwam.

Ritmisch tikte hij met zijn voeten op de grond. 'Ik ga morgen lunchen met je moeder,' zei hij.

Moedeloosheid overviel haar. Hij kwam niet terug. Voorlopig niet, tenminste.

Hoofdstuk 14

Tallahassee, Florida

Het liefst zou Jason op 'wissen' drukken toen hij de reeks gemiste oproepen op zijn mobiele telefoon langs liep. Hoewel hij slechts drie van de ingesproken berichten had beluisterd, vermoedde hij dat de rest ongeveer dezelfde strekking had: iemand had gelekt naar de media over het 'ongelukje' van de senator.

Het zou hem niet verbazen als het Sidel was geweest, al kon hij zich niet voorstellen wat die daarbij te winnen had. De senator tegenover een klein groepje in verlegenheid brengen was één ding, maar zelfs een nooit volwassen geworden grappenmaker als Sidel moest toch begrijpen dat zijn belang er niet mee was gediend als hij zijn rechtstreekse verbinding met overheidssubsidies, belastingvoordelen en misschien zelfs een megacontract tegen zich in het harnas zou jagen.

Senator Allen weigerde op de vragen van de media in te gaan. Wat er ook werd gezegd of gepubliceerd, hij zou zich niet tot een reactie laten verleiden. 'De hele zaak is volstrekt belachelijk. Ik voel me al een paar dagen niet honderd procent. Misschien heb ik wel een griepje onder de leden,' zei hij op een toon alsof hij het zelf geloofde.

Hij stond er echter wel op dat Jason al hun verdere plannen voor dat weekend afblies, inclusief het verkennen van de locatie waar ze het ontvangstdiner zouden houden dat aan de energieconferentie voorafging. Hij wilde de volgende ochtend meteen terug naar Washington.

Jason knikte en beet op zijn tong, in het besef dat zijn baas een verschrikkelijke fout maakte. Hij zag de krantenkoppen al voor zich: BRAKENDE SENATOR SLAAT OP DE VLUCHT. Alle geweldige citaten, alle uitspraken over het bevrijd raken van buitenlandse olie en het redden van het milieu, alles van vóór de rondleiding, zou op de plank worden gelegd en worden vergeten.

Goddank bestonden er geen filmpjes of foto's van de senator, hangend over de reling, terwijl hij zijn lunch in een tank met kippeningewanden deponeerde.

Over zijn kaak strijkend keek Jason naar zijn baas, die van zijn Chivas zat te nippen. Hij wierp een blik op de plank boven de ondermaatse koelkast, telde de lege miniflesjes die daar keurig op een rij stonden en kwam tot de slotsom dat het misschien maar beter was dat hij alle afspraken voor het weekend had afgezegd. Hij bond liever de strijd aan met de media dan met 'versprekingen na een heftige avond', waarbij de senator metaforen door elkaar hutselde en uitspraken deed die tegen het racistische aan hingen.

Hij wist dat senator Allen een groot hart had. De senator trok zich oprecht het lot van bijstandsmoeders aan en zette zich ervoor in dat ze werk kregen, zodat ze weer op eigen benen konden staan. Hij spande zich in voor hogere minimumlonen en steunde belastingvermindering voor de middenklasse. Maar juist omdat hij zo'n vurig voorvechter was van de Amerikaanse arbeiders, liet hij zich soms meeslepen door zijn gedrevenheid en noemde hij illegale immigranten 'parasieten'.

'Hij wilde me gewoon iets duidelijk maken, verdomme,' zei de senator plotseling na een lange stilte waarin hij van zijn Schotse whisky had gedronken en naar de lichtjes van Tallahassee had gekeken.

'Wat dan?' Jason wist dat ze allebei in gedachten nog met Sidel bezig waren.

'Ik heb hem vorige week verteld dat het contract misschien niet door het Appropriations Committee komt.'

'Ik dacht dat dat al zeker was?' Hij moest zich beheersen om er niet aan toe te voegen: En waarom krijg ík dat nu pas te horen?

De timing had perfect geleken: de toewijzing van het contract had bekendgemaakt zullen worden op de energietop. Jason had de rondleiding geregeld als een soort aanloopje, om iedereen eraan te herinneren dat senator Allen de drijvende kracht was achter het contract. De media spraken al van een 'slimme en gedurfde verzekering' dat het procedé van thermolyse zoals EcoEnergy dat had ontwikkeld inderdaad 'de bevrijding van buitenlandse olie' kon betekenen. Jason had het zo georkestreerd, dat alle aandacht, alle eer rechtstreeks met senator Allen in verband gebracht zou worden.

De senator wees met zijn glas naar hem, bijna onverschillig, alsof het allemaal niet zo belangrijk was, en zei: 'Bijna niets is ooit helemaal zeker, jongen.' Vervolgens boog hij zich naar voren, hief zijn wijsvinger en tikte ermee tegen zijn lippen – een gebaar dat Jason inmiddels kende. Het betekende dat er een idee bij de senator was opgekomen, dat hij klaar was om terug te slaan. 'Ik wil dat je iets voor me doet.'

Eindelijk, dacht Jason. Zijn handen jeukten om Sidel aan te pakken. 'Natuurlijk. Zegt u het maar.'

'Ik wil die vervloekte Pool nooit meer zien.'

'Pardon?'

'De chauffeur van de limousine. Hij moet weg, het land uit.'

Jason staarde zijn baas aan. Het was duidelijk dat die meende wat hij had gezegd.

De sombere frons op het gezicht van de senator maakte plaats voor een grijns toen hij weer achteroverleunde en tevreden van zijn Chivas nipte.

Hoofdstuk 15

Tallahassee, Florida

Doordat ze nog met haar gedachten bij haar vader was, had Sabrina op de terugweg vanuit Chattahoochee een verkeerde afslag genomen. Toen ze eindelijk thuiskwam, was het appartement bijna volledig in duisternis gehuld. Alleen in de hoek van de woonkamer brandde een lamp, dankzij de timer die ze erop had gezet, zodat ze nooit in een aardedonker huis kwam.

Eerst liep ze naar haar telefoon om de voicemail af te luisteren. Er brandde echter geen rood lichtje op het basisstation van het draadloze toestel. Uit het oog, uit het hart, schoot het door haar heen. Haar vrienden in Chicago waren dan ook meer collega's dan vrienden geweest. Maar zelfs Olivia stuurde al steeds minder e-mails, en die bestonden bovendien steeds vaker uit een doorgestuurde grap of inspirerende boodschap in plaats van een persoonlijk bericht. Iedereen had het druk met zijn eigen leven, zijn eigen gezin. Dat begreep Sabrina maar al te goed.

Wat ze echter niet begreep, was dat Daniel het zo snel, zo gemakkelijk had opgegeven. Vóór haar vertrek uit Chicago had ze aangeboden hem zijn ring terug te geven. Het was niet eerlijk, had ze gezegd, want ze wist niet hoelang ze weg zou blijven.

Hij had gelachen en gezegd dat ze moest ophouden hun relatie te analyseren als een soort wetenschappelijke vergelijking. 'Dit is een zaak van het hart,' had hij gezegd. 'En het hart kan niet denken.' De ironie was haar niet ontgaan dat hij haar behandelde als een van zijn studenten, bij de analyse van een gedicht.

Ze waren zo verschillend, dat ze zich afvroeg hoe ze ooit had kunnen verwachten dat hun relatie een succes zou zijn. Misschien had ze simpelweg gehoopt op een kopie van de relatie tussen haar ouders. Het enige resultaat was dat ze door haar eigen mislukking pas goed was gaan inzien hoe uitzonderlijk het huwelijk van haar ouders was geweest.

Ze legde haar autosleutels en portefeuille in de middelste la van haar bureau en zette haar attachékoffer naast de rijk bewerkte klauwpoot van het kersenhouten meubel.

Het bureau en haar moeders piano waren de enige twee meubelstukken die ze uit Chicago had meegenomen. Niet dat ze daar zoveel meubels had gehad. Het was gemakkelijker geweest de tweedehands inrichting van haar eenkamerflat te verkopen en in Florida nieuw meubilair aan te schaffen.

Vergeleken met het salaris dat EcoEnergy haar betaalde, was haar loon als universitair docent maar een schijntje geweest – nog een reden waarom Daniel haar steeds minder vaak was gaan bellen. Een week eerder – of was het alweer twee weken terug? – had hij haar met zoveel woorden verweten dat ze in Florida bleef vanwege het geld. 'Misschien zou je vader een stuk sneller opknappen als EcoEnergy niet zulke enorme bonussen uitkeerde,' had hij bij wijze van grapje gezegd. Hoewel hij meteen zijn excuses had aangeboden, stak de opmerking haar nog steeds.

Ze streek over het gladde rozenhout van de piano. Het muziekinstrument was van rond de vorige eeuwwisseling, dus meer dan honderd jaar oud, maar nog altijd prachtig. Het was een van de weinig overgebleven instrumenten van Bush and Lane, pianobouwers te Chicago. Alleen al de aanblik riep kalmerende, warme herinneringen bij haar op.

De muzikale en artistieke talenten van haar moeder waren net zo grillig geweest als haar emoties. Ze had zelden pianogespeeld en alleen wanneer ze daar zin in had gehad. Vaak had ze gewacht tot het haar werd gevraagd, en zelfs dan had ze enkel op hun beroemde buurtfeestjes toegegeven, zodra haar echtgenoot zich bij haar had gevoegd en er voldoende mensen waren die plechtig hadden beloofd om mee te zingen. 'Dan horen jullie het niet als ik een verkeerde toets aansla,' had ze lachend uitgelegd, al had iedereen geweten dat dat toch niet zou gebeuren.

Gelukkiger dan op die schaarse momenten – samen achter de piano, omringd door vrienden – had Sabrina haar ouders zelden gezien. Ze hadden alle oude bigbandnummers gespeeld, heerlijke nummers om mee te zingen, zoals All of Me, Boogie Woogie Bugle Boy en Chattanooga Choo-Choo. En altijd had haar moeder afgesloten met When You Wish Upon a Star. Dan was het geroezemoes verstomd, het gelach en gegrap opgehouden en had iedereen zich overgegeven aan de vloeiende melodie en de luchtige, maar ontnuchterende boodschap.

Sabrina zelf kon amper de vlooienmars spelen. Het was Eric die het muzikale talent van hun moeder had geërfd. Maar niet de belangstelling.

Ze deed haar ogen dicht, en terwijl ze haar vingers over de toetsen liet glijden, wenste ze dat ze opnieuw, al was het maar heel even, die muziek van destijds kon horen, vermengd met het gelach en met oom Teddy's bariton als derde stem. Het zou nog heerlijker zijn als ze ook de geuren weer kon ruiken: van de sigaretten van Verda May – haar moeders beste vriendin – van de brandende kaarsen, en zelfs van de verbrande kaneel van de appeltaart die haar moeder altijd vergeefs probeerde te bakken. Op het laatste moment had haar vader steevast naar Della's Bakery, om de hoek, gemoeten om een alternatief dessert te halen. De feestjes, het gelach, de muziek: aan dat alles was een einde gekomen toen haar moeder was gestorven.

Ze drukte een paar toetsen in, het begin van de vlooienmars. Ooit zou ze les nemen, al was het maar om When You Wish Upon a Star te kunnen spelen.

Op het terras hoorde ze een schrapend geluid. Die verdraaide kat weer! Ze deed de glazen schuifdeur open, klaar om de bezem te pakken.

Toen ze een vleugje lavendel rook, bleef ze echter staan. Nog voordat ze de oude vrouw kon onderscheiden, was ze zich bewust van haar aanwezigheid. Ze zat in een van de rieten stoelen voor het aangrenzende appartement. Het schrapende geluid moest afkomstig zijn geweest van haar stoelpoot, die over de betonnen vloer schuurde. Nu hoorde Sabrina ook een ander geluid: het getinkel van ijsblokjes in een glas. In de stilte van de avond kon ze zelfs het tevreden spinnen van Lizzie horen, ergens vlakbij.

'Miss Sadie?' vroeg ze zacht, want ze wilde de oude dame niet laten schrikken. Anders dan haar kat hoorde Miss Sadie nog prima.

Vanuit het donker kwam de vertrouwde diepe fluwelen stem. 'Kom even bij me zitten, kindje.'

Opnieuw hoorde Sabrina het getinkel van ijsblokjes, toen ze om de haag van lagerstroemia liep die hun terrassen van elkaar scheidde.

Zodra haar ogen aan het donker gewend waren, zag ze Miss Sadie zitten. De oude dame had haar kroeshaar naar achteren gekamd en bij elkaar gebonden in een keurige knot. Ondanks de duisternis had ze haar bril nog op. Naast haar, op een klein tafeltje, stond een hoog glas. Miss Sadie dronk whiskey, wist Sabrina. Whiskey met ijs en water. Naast het glas stond een ijsemmer, met een tang en nog een glas.

Het was vrijdagavond, besefte Sabrina. Zonder dat ze dat ooit hadden zo afgesproken of gepland, hadden Miss Sadie en zij sinds maart elke vrijdagavond samen buiten gezeten, genietend van een glas whiskey met water en ijsblokjes. Er werd doorgaans niet veel gezegd. Meestal keken ze zwijgend naar de sterren en luisterden ze naar de nachtvogels. Ze vertelden elkaar slechts flarden, fragmenten uit hun leven, hun verleden – nooit hele verhalen. Om de een of andere reden was dat niet nodig. Het was moeilijk uit te leggen, maar ze waren als oude vriendinnen die zo ook wel genoeg van elkaar wisten om elkaar te waarderen.

Ze ging naast Miss Sadie zitten, in de enigszins gammele rieten stoel, deed ijsblokjes in het lege glas, schonk het tot een derde vol met whiskey en vulde de rest bij met water. Vervolgens nam ze een slok. De sterkedrank brandde nog meer in haar keel dan anders, maar dat vond ze deze avond wel prettig.

'Ik kom net terug uit Chattahoochee,' vertelde ze.
Miss Sadie knikte.

Lizzie streek langs haar been en begon luid te spinnen. O, aan deze kant van de haag was Lizzie allerliefst. Aan de andere kant maaide ze potplanten uit de weg alsof het muizen waren.

'Chatt-a-hoo-chee,' herhaalde Miss Sadie langzaam, en ze nam een slok van haar whiskey. 'Mijn moeder maakte ons altijd doodsbang door te dreigen dat ze ons naar Chattahoochee zou sturen als we ons niet wisten te gedragen.'

'En, hielp het?'

'Mijn broertje, Arliss, heeft er in 1955 een tijdje gezeten, al was hij toen allang geen kind meer. Hij kwam daar terecht omdat hij zich níét wist te gedragen, zou je kunnen zeggen. Toen waren het heel andere tijden. Het was óf Chattahoochee óf de gevangenis. Dat kun je niet vergelijken met de situatie van nu.'

Sabrina leunde achterover en hief haar gezicht op naar de sterren. Er was iets in de stem van Miss Sadie waardoor alles wat ze zei, klonk als een melodie. Misschien kwam het door haar Zuidelijke accent, in combinatie met de manier waarop ze elk afzonderlijk woord uitsprak: traag en fluweelzacht, als stroop. Miss Sadies stem had op haar een rustgevender effect dan de whiskey, een rustgevender effect dan wat ook in haar bestaan van dit moment.

In korte tijd was de oude dame belangrijk voor haar geworden. Ze was iemand aan wie ze niets hoefde uit te leggen, iemand die niets van haar verwachtte.

'Hoe is het met je vader?' vroeg Miss Sadie. Ze liet het aan Sabrina over hoeveel – of hoe weinig – ze kwijt wilde.

'Ik weet het niet,' moest Sabrina bekennen. 'Ik weet het echt niet.'

Miss Sadie knikte weer, tevredengesteld. Meer hoefde Sabrina niet te zeggen. Het was alsof de oude dame haar verwarring en onzekerheid perfect aanvoelde, zonder dat ze die onder woorden hoefde te brengen.

Sabrina had zo'n idee dat er nog maar weinig was waar Miss Sadie van opkeek. De oude dame zei vaak dat ze in de eenentachtig jaar van haar leven alles wel een keer voorbij had zien komen.

Ze zwegen, genoten van de stilte en hun whiskey, en Sabrina probeerde de gebeurtenissen van de dag achter zich te laten.

'Hoe is het Arliss vergaan?' vroeg ze op zeker moment.

Op dezelfde melodieuze toon als altijd antwoordde Miss Sadie: 'Vijf dagen na aankomst in Chattahoochee heeft hij het laken van zijn bed gehaald en zich ermee verhangen.'

Hoofdstuk 16

Washington DC

Abda besloot de taxi een paar straten bij zijn bestemming vandaan te parkeren, want anders zou de wagen maar aandacht trekken. Hij spuugde de laatste schilletjes van de zonnebloempitten in zijn hand, deed het raampje omlaag en gooide ze naar buiten. Daarna pakte hij alles bij elkaar wat hij nodig had, zette de Red Sox-pet op en liep naar het restaurant.

Hoewel het er even druk was als altijd, zaten ze al op hem te wachten aan hun vaste tafeltje.

Zonder iets te zeggen schoof Abda naast Khaled op de bank.

Qasim zag er belachelijk uit in zijn designer T-shirt. Abda wilde al afkeurend op het geborduurde logo wijzen, maar realiseerde zich toen dat Qasim zulke kleren moest dragen om niet op te vallen in zijn omgeving.

Een serveerster genaamd Rita bracht hem zijn koffie, met extra koffieroom zonder dat hij daarom hoefde te vragen. Ze had hen al vele keren bediend en dacht dat ze studenten waren. Ze had Qasim zelfs geholpen met zijn zogenaamde colleges Amerikaanse literatuur.

Ook nu had Qasim het dikke studieboek weer bij zich. Het lag boven op een aantekeningenschrift, op de gebruikelijke plek naast zijn koffiemok. Er staken papiertjes uit, als boekenleggers.

Qasim nam zijn rol wat al te serieus, en soms was Abda bang dat hij er zelf in ging geloven. Was het denkbaar dat Qasim zou vergeten waarom ze hier waren?

Abda had altijd gedacht dat hij zich meer zorgen moest maken over Khaled, de stille intellectueel, die met zijn ogen – nooit verbaal – geregeld Abda's toewijding tartte, zijn bereidheid om alles te doen wat nodig was en voor niets terug te deinzen. Abda wist dat Khaled zichzelf beter in staat achtte leiding te geven aan deze missie, dat hij zichzelf beschouwde als een strijder met meer inzet en gedrevenheid. Er kon er echter maar één de baas zijn, en ze konden zich de luxe van jaloezie, wrok of wantrouwen niet veroorloven. Dat wist Khaled, en hij zou zijn persoonlijke overtuiging dan ook nooit laten prevaleren boven hun opdracht. De idee dat een individu belangrijker was dan zijn land, zijn volk, was een typisch westers concept: frivool, zelfzuchtig.

Abda hoopte dat ook Qasim zich daarvan bewust was, in zijn felgekleurde kleding met die belachelijke merknaamlogo's en nog belachelijker prijskaartjes.

Zodra Rita hun bestelling – wat broodjes – had opgenomen en weer weg was, haalde Abda een studieboek van statistiek uit zijn rugzak. Tussen de bladzijden lag de envelop waarvan het zegel inmiddels was verbroken. Zorgvuldig haalde hij het enkele velletje papier eruit, vouwde het open en legde het in het midden van de tafel.

Gedrieën bogen ze zich eroverheen alsof het om een gewijde tekst ging.

Qasim haalde een pen tevoorschijn en sloeg zijn schrift open, alsof hij aantekeningen ging maken – nog altijd in zijn rol als student.

Het schema was op eenvoudig wit paper getekend en leek op het eerste gezicht niets te betekenen.

Toen Abda de envelop die op de achterbank van zijn taxi was achtergelaten, had geopend, had hij geschokt zijn adem ingehouden. Op het blaadje had alleen een schematische voorstelling gestaan, compleet met merkwaardige, in potlood geschreven codes van twee of drie letters, soms voorzien van een cijfer. Om eerlijk te zijn was hij ervan overtuigd geweest dat hij was bedrogen, dat er plotseling een eind was gekomen aan de informatieoverdracht, dat dat potloodgekrabbel bedoeld was als een zieke grap. Dus nu hij zijn vrienden naar de schets zag staren, begreep hij hun verwarring maar al te goed.

Wijzend naar een rechthoek aan de bovenkant van het papier legde hij uit: 'Dit is de hoofdtafel.' Hij liet zijn vinger naar de rondjes daaronder glijden en tikte ze een voor een aan. 'De afgevaardigden uit Europa,' vervolgde hij op fluistertoon. 'De vertegenwoordigers van Amerikaanse oliemaatschappijen. Leden van het Congres.' Hij zag de verwarring in de ogen van zijn makkers plaatsmaken voor opwinding toen ook zij in de gaten kregen wat de codes betekenden.

'Het banket?' vroeg Khaled zacht.

Het ontging Abda niet dat hij een glimlach verbeet.

Abda pakte de pen van Qasim en trok een cirkel om enkele van de met potlood geschreven codes. 'Dit is niet alleen de verdeling van de tafels, maar ook van de stoelen. Dus nu weten we precies waar ons doelwit komt te zitten.'

Hoofdstuk 17

Zaterdag 10 juni,
EcoEnergy

'Een grote caffè latte halfvol met extra veel espresso. Verder nog iets?'

'Nee, dat is het.' Sabrina pakte de koffie aan en gaf de vrouw achter de toonbank met haar vrije hand haar creditcard.

Aangezien ze dankzij die creditcard precies kon bijhouden wat ze elke maand uitgaf, gebruikte ze hem overal voor, om haar obsessieve drang naar orde en overzicht te bevredigen. Dat, samen met internetbankieren, maakte dat ze nooit meer contant geld op zak hoefde te hebben.

Al bijna een jaar lang voerde ze elke zaterdagmorgen ditzelfde gesprekje met de kleine Aziatische vrouw achter de toonbank van EcoEnergy's eigen koffiebar, en toch deed de vrouw elke zaterdag weer alsof zowel de bestelling als Sabrina nieuw voor haar was. Geen van beiden noemde de ander bij de naam, ofschoon ze als werknemers een identiteitsplaatje droegen waarop hun naam in duidelijke letters vermeld stond, naast hun pasfoto. De een had haar plaatje aan een schouderband van haar schort met koffievlekken bevestigd, de ander aan de revers van haar witte laboratoriumjas. En dat bepaalde het verschil, dat zorgde voor de barrière tussen hen.

Sabrina was zich al snel bewust geworden van de sociale hiërarchie binnen deze onderneming. En als ze eerlijk was, moest ze bekennen dat het gebrek aan vertrouwelijkheid haar niet stoorde. Ze was erg gesteld op haar privacy en vond het zelfs prettig een bepaalde vorm van anonimiteit te handhaven. Dat was ze in Chicago zo gewend geweest, en ze had het daar als iets vanzelfsprekends beschouwd. De afstand hier verschilde niet veel van de afstand die ze als docent tot haar studenten had bewaard. Tenminste, zo zag zij het.

Aan de andere kant vond ze het wel een beetje strijdig met de filosofie die aan een bedrijf als EcoEnergy ten grondslag lag. Alhoewel het complex meer dan veertig hectare besloeg en in een volstrekt verlaten gebied lag, ademde het de sfeer van een kleine stad. Doordat er een fitnesscentrum en recreatie- en horecamogelijkheden waren, wekte het complex eerder de indruk van een resort dan van een bedrijfsterrein. Er waren zelfs een stomerij, een bankfiliaal en een kleine supermarkt waar alles te koop was, van pakken melk tot T-shirts van de Seminoles. Algemeen directeur Sidel ging er prat op dat zijn tweehonderdzevenenzestig werknemers één grote familie vormden.

Lansik had zijn eigen versie van dat promotiepraatje gehouden toen Sabrina op sollicitatiegesprek was gekomen. Werken in een hechte kleine gemeenschap was wel het laatste geweest wat ze had gewild. Ze had al moeten meemaken dat haar eigen familieleden vreemden voor haar waren geworden, dus ze had geen behoefte aan nog meer vreemden, die deden alsof ze familie waren.

Op zaterdagochtenden zou het moeilijker dan anders moeten zijn om de weinige werknemers die dan in het West Park waren – waar de laboratoria, de kantoren en het café gevestigd waren – niet wat beter te leren kennen. Zelfs de centrale functioneerde in het weekend met een minimale personele bezetting van een man of twintig, vijfentwintig.

Maar dan kwam ook de klassescheiding, de hiërarchie om de hoek kijken. Wie in een witte jas liep, onderscheidde zich en stond praktisch los van de rest van het bedrijf. De wetenschappers waren onbenaderbaar, werden gegroet met een eerbiedige knik, een beleefde groet, maar meer ook niet, alsof iedereen geloofde dat ze wel belangrijker dingen te doen hadden. Tenslotte dankte iedereen in de onderneming zijn baan aan het mysterieuze procedé van de wetenschappelijke staf.

Dus het enige wat Sabrina hoefde te doen, was haar witte jas aantrekken, en ze had de privacy en de anonimiteit waaraan ze behoefte had.

Meestal vond ze het heerlijk om op zaterdagochtend te werken. Ze genoot van de stilte, de gesloten deuren, het feit dat de telefoons niet rinkelden en het gezoem van de computers ontbrak.

Deze ochtend deed ze alle lichten in het laboratorium en haar kantoor aan.

De ochtendnevel had plaatsgemaakt voor dikke blauwpaarse wolken, dreigend gezwollen alsof ze elk moment konden openbarsten. Ze trokken met onweersgerommel langs de hemel en vormden als het ware een deksel waardoor de benauwde, vochtige hitte niet kon ontsnappen.

De deur van Lansiks kantoortje stond nog steeds open, zag ze – op een kier, net als de vorige dag. Toch klopte ze aan voordat ze naar binnen ging. Vaak waren zij tweeën de enigen die hier op zaterdag aan het werk waren. Vanzelfsprekend was hij er altijd eerder, aangezien hij hier sliep.

Uit nieuwsgierigheid deed ze zijn kast open. Op de bodem lag een enigszins sjofele plunjezak. Vreemd. Het kon natuurlijk zijn dat zijn vrouw en hij ineens weer bij elkaar waren, dat de noodzaak om hier te overnachten niet meer bestond, maar dan zou hij zijn persoonlijke bezittingen toch niet hebben laten liggen?

Ze keek over haar schouder, aarzelde en knielde toen naast de tas. Ze deed de grote rits open. Alles leek keurig in orde, netjes opgevouwen en weggestopt. In een van de kleinere zijvakken vond ze een portefeuille en autosleutels. Dat was pas echt bizar.

Ze liet de plunjezak voor wat die was en liep naar het enige raam in het kantoor. Zich zo lang mogelijk makend probeerde ze om de hoek van het gebouw te kijken. Het parkeerterrein voor de arbeiders van de centrale, vlak bij de rivier, bleef echter buiten haar gezichtsveld.

Toen ze op een avond met Lansik mee naar buiten was gelopen, was hij tot haar verrassing de tegenovergestelde richting uit gegaan. Bij het zien van haar verbazing had hij grijnzend uitgelegd dat zijn Crown Victoria meer indruk maakte tussen de Chevy's en de Fords bij de rivier dan op het parkeerterrein van het West Park, waar voornamelijk Mercedessen, BMW's en Lexussen stonden.

Ze liep terug naar de kast en haalde de autosleutels uit de plunjezak.

Er was duidelijk iets niet in orde.

Hoofdstuk 18

Washington DC

Als klein meisje had Natalie ervan gedroomd later een zwarte Emma Peel te zijn. Ze had trouw naar de populaire televisieserie De wrekers gekeken, en volgens haar moeder was ze zelfs in staat geweest het Britse accent redelijk goed na te bootsen.

Toen de kleine Natalie eenmaal een jonge vrouw was geworden, had het echter niet lang geduurd, of ze had beseft dat er bij de inlichtingendiensten van de overheid en bij het ministerie van Justitie geen plaats was voor vrouwen, laat staan voor zwarte.

Soms wenste ze dat haar moeder nog leefde, zodat ze zou kunnen zien hoever haar kleine meid het had geschopt.

Zo niet deze dag. Met amper een week te gaan tot de energieconferentie waren er nog altijd te veel onzekerheden.

Ze stond in haar kantoor uit het raam te kijken. Op zaterdag was het stil in het gebouw, en daar was ze blij om. Die rust gold echter niet voor de directe omgeving. Een ploeg wegwerkers was een eindje verderop met een pneumatische boor bezig een stuk uit het trottoir te trillen. Maar binnen zweeg de telefoon, en ze gaf beslist de voorkeur aan het lawaai van die boor boven de telefoontjes waarmee ze de hele week bestookt was.

Over haar schouder keek ze naar haar bureau, dat bedolven was onder notitieblaadjes, kaarten, schema's, dossiermappen en lijstjes met dingen die ze nog moest doen en die stuk voor stuk met de energietop te maken hadden. Op de rand van het bureau lagen exemplaren van de Washington Post en de Washington Times – opgevouwen, want ze had nog niet de moeite genomen om meer te lezen dan de koppen. Het ontbrak haar aan het geduld om zich door de kleingeestige tirades over de verwachtingen en verplichtingen van de energietop heen te werken.

De media hadden flinke druk uitgeoefend op de zittende president om zich te focussen op de Amerikaanse afhankelijkheid van buitenlandse olie. Wat ze niet beseften, wat ze niet wilden begrijpen, was dat het bij buitenlandse olie niet alleen om olie ging. Ook het voortzetten van jarenlange relaties speelde daarbij een rol. Het ging mede om diplomatie en het handhaven van invloed en vriendschapsbanden in een regio die terroristen voortbracht en aan hen onderdak verleende. Hoe was het mogelijk dat de mensen dat niet begrepen? Het leek haar zo simpel, maar zij was dan ook opgegroeid in een buurt waar ze zich als tiener dagelijks had moeten verdedigen tegen bullebakken.

De vorige president had het goed begrepen en zelfs een duidelijke grens getrokken met de woorden: 'Wie niet voor ons is, is tegen ons'. Ondanks de grappen over zijn 'cowboydiplomatie' was een dergelijke opstelling op dat moment absoluut noodzakelijk geweest. En ze had gewerkt.

Ze had zelfs zo goed gewerkt, dat de huidige president dacht het zich te kunnen veroorloven zich terug te trekken, de teugels te laten vieren en te doen alsof er werkelijk iets veranderd was. Alleen veranderen zulke situaties niet van de ene op de andere dag, net zomin als mensen.

Natalie en haar baas behoorden tot de groep die vreesde dat de houding van de huidige president alle goodwill kapot zou maken die was opgebouwd onder de landen die Amerika hadden gesteund. Hij zegde roekeloos contracten op en lapte eeuwenoude overeenkomsten aan zijn laars. Dat was verkeerd, en op de lange termijn zou zijn politiek het land alleen maar meer levens kosten.

Gelukkig zag haar baas dat ook in en had hij het lef er iets aan te doen. Het moeilijke – en oneerlijke – was alleen dat niemand ervan mocht weten, vooral niet nu een tegenstander als senator John Quincy Allen zo schaamteloos en luidruchtig lobbyde en reclame maakte voor zijn favoriete project, EcoEnergy.

Ze liep naar haar bureau, schoof het dossier over EcoEnergy opzij en sloeg haar vertrouwelijke dossier over Allen open. Tot nog toe had ze niets kunnen vinden. Hij wist zijn achilleshiel goed te verbergen. Maar als ze niets over William Sidel en EcoEnergy boven water kon halen, zou ze alles op alles zetten om Allens zwakke plek te vinden. Iedere politicus had er een. Sommige waren gewoon beter verstopt dan andere.

Allen afficheerde zich als voorvechter van de rechten van de gewone man en pleitbezorger voor de milieubeweging, maar zou naar zeggen ondertussen wel een landgoed – een resort bijna – op South Beach bezitten, waar hij zich na zijn pensionering wilde terugtrekken. Hij had het over de noodzaak dat er een eind kwam aan de Amerikaanse afhankelijkheid van buitenlandse olie, maar stemde tegelijkertijd tegen een voorstel om boringen te doen in het Arctic National Wildlife Refuge in Alaska. Hij werd een onafhankelijk politicus genoemd, een non-conformist, wanneer hij de zijde van de Republikeinen koos met hun amendement om het huwelijk uitsluitend toegankelijk te houden voor partners van verschillende seksen, en toch had Natalie zijn vrouw nog nooit gezien. Alleen in Washington DC kon je wegkomen met zulke tegenstrijdigheden.

Ze schudde haar hoofd. Ineens voelde ze de verantwoordelijkheid zwaar op haar schouders rusten. Ze had het idee dat de toekomst van het land zou worden beslist door iets wat zich verborgen hield in de stapels op haar bureau.

Het had een heel simpele zakelijke overeenkomst kunnen zijn – nee, móéten zijn – als Mr. Dwight Lansik niet op het laatste moment van gedachten veranderd was. Daardoor was ze gedwongen haar toevlucht te nemen tot plan B. Alsof ze nog niet genoeg aan haar hoofd had zonder ook nog betrokken te raken bij een soort geheime operatie!

De term 'geheime operatie' ontlokte haar een glimlach. Misschien was ze in zekere zin dan toch een moderne zwarte Emma Peel geworden.

Hoofdstuk 19

EcoEnergy

Sabrina deed een stap naar achteren zonder haar blik af te wenden van de stoffige witte Crown Victoria.

Boven haar hoofd rommelde het en dreven dikke zwarte wolken langzaam over. De lichten van het parkeerterrein sprongen knipperend aan toen de hemel donkerder werd. Er was geen zuchtje wind, niets wat verlichting kon bieden in de benauwde vochtigheid.

In het weekend ontbrak het gebulder van de vrachtwagens, het gesis van de hydraulische machines. Dan klonk alleen het verre gebrom van de centrale, met op de achtergrond het gekwaak van de kikkers in de rivier.

Het was haar nooit eerder opgevallen hoe dicht bij de rivier dit parkeerterrein lag.

Ze hield de afstandsbediening die aan de sleutelbos hing omhoog en drukte op een knopje. De Crown Victoria was van Lansik, dat wist ze zeker. Toch schrok ze bij het geluid van de ontgrendeling van de portieren.

Het was nog altijd mogelijk dat er een logische verklaring was voor zijn verdwijning. Misschien was er iets ergs gebeurd en was iemand hem komen halen. Als hij in allerijl was vertrokken, verklaarde dat waarom zijn auto en privéspullen nog hier waren. Bovendien, wat er ook was gebeurd, het ging haar niets aan.

Ze deed het bestuurdersportier open en keek achter de stoelen, zonder te weten waarnaar ze op zoek was. Ten slotte deed ze de kofferbak open, heel langzaam, bijna met tegenzin. Verwachtte ze nu echt daarin het geboeide lichaam van haar baas aan te treffen?

Tot haar opluchting bleek de kofferbak leeg. Ze slaakte een diepe zucht en besefte toen pas dat ze al die tijd haar adem had ingehouden.

Ze had eenvoudigweg te veel films gezien, besloot ze. En de onweerswolken boven haar hoofd hadden haar geïnspireerd tot dit soort maffiafantasieën. Haar baas had gewoon een dagje gespijbeld. Meer was er vast niet aan de hand.

Na de auto te hebben afgesloten liep ze terug naar het laboratorium. Het kon elk moment gaan regenen, en de ervaring had haar inmiddels geleerd dat onweer in Florida niet te vergelijken was met onweer in het Midwesten. Tot ze hier was komen wonen, had ze nooit geweten dat het zo hard en zo langdurig kon regenen. In gordijnen van water stortte de regen hier neer, van het ene op het andere moment, alsof ergens een reusachtige kraan was opengezet.

Ze wierp nog een blik achterom, op de auto. Daarbij ving ze tussen de bomen een glimp op van de snelstromende rivier.

Sidel had deze locatie speciaal uitgekozen vanwege de Apalachicola River. Het woud sloot het bedrijfsterrein aan drie kanten in, en aan de vierde kant vormde de rivier een natuurlijke grens. Zo werd het complex, dat midden in de verlatenheid was opgetrokken, als een fort beschermd door bossen en water. Sommigen hadden naar voren gebracht dat Sidel had gewild dat zijn bedrijf deel uitmaakte van de natuur waar hij zo van hield en die hij hoopte te redden. Anderen noemden hem paranoïde en beschuldigden hem ervan zijn bedrijf welbewust te isoleren en aan kritische blikken te onttrekken.

Toen het gerommel van het onweer dichterbij klonk, versnelde ze haar pas.

Een paar tellen later bleef ze abrupt staan. Misschien was het het weer of misschien haar intuïtie, die haar zei dat er iets niet klopte, maar ze draaide zich om en zette koers naar de centrale.

De deur die toegang gaf tot Reactor 5 zat op slot. Natuurlijk zat hij op slot; alle deuren zaten op slot.

De reactor was niet in gebruik. En toch, terwijl ze daar voor de deur stond, voelde ze de trilling.

Ze haalde haar sleutelkaart tevoorschijn. Slechts enkele werknemers hadden toegang tot alle gedeelten van de centrale; in elk geval alle wetenschappers en de meeste technici. Ze haalde de kaart door de gleuf, maar het lampje bleef rood knipperen. Schielijk keek ze over haar schouder. Zouden ze de toegang hebben beperkt? Ze probeerde het nog eens, ditmaal wat langzamer. Het lichtje begon groen te knipperen, en na een paar seconden hoorde ze een klik in het slot. Gauw trok ze de deur open, voordat het lichtje weer op rood zou springen.

Ze was nooit eerder in Reactor 5 geweest. Zoals O'Hearn haar de vorige middag had verteld, was de reactor nog niet in bedrijf. Hij was bedoeld voor toekomstig gebruik, voor een procedé waar ze nog niet klaar voor waren, een procedé dat ze zich nog niet konden veroorloven. Langzaam liep ze naar binnen, waarbij ze goed uitkeek waar ze haar voeten neerzette.

In het midden van de ruimte stond een reusachtige doorzichtige watertank van twee verdiepingen hoog. Stalen ladders klommen langs de zijkanten omhoog, en loopbruggen van stalen roosters liepen over de open bovenkant. Dit was de spoeltank, begreep ze. Reactor 3 had er net zo een, waarin het afvalwater van de te verwerken materie werd geloosd – vergelijkbaar met de laatste keer spoelen van een wasmachine. Alle voedingsstoffen en gekookte olie waren dan inmiddels afgescheiden en naar andere tanks gepompt. Het resterende water kwam terecht in de spoeltank, waar het nog een laatste keer werd schoongemaakt voordat het in de rivier werd geloosd.

Ze hoorde het rinkelende geluid in de reactor nu duidelijker. Er was geen twijfel over mogelijk dat er materiaal door de buizen boven haar hoofd werd gepompt. Dat was ook haar eerste gedachte geweest toen ze had gemeend te zien dat de klep openstond.

De sidderingen van de machines gingen door tot in de grond. Reusachtige ventilatoren draaiden en zoemden, maar evengoed was het bloedheet in de ruimte.

En ondanks alle geluiden, ondanks al het gerinkel en gesidder, was er in de spoeltank – de belangrijkste fase van het proces, de fase waarin de laatste onzuiverheden werden weggewerkt – geen enkele activiteit te bespeuren.

Hoofdstuk 20

EcoEnergy

Leon had de ziekte in dat die vent ervan uitging dat hij er nog wel een moord bij kon doen, als een soort twee halen, één betalen.

'Je bent toch al in Tallahassee, dus de reis hoef je niet meer te maken,' zei hij met die zelfingenomen stem die Leon zo op de zenuwen werkte.

Leon had gewerkt voor maffiabazen die een stuk minder arrogant waren dan deze klootzak. Hoe stelde die kerel zich dit voor? *Ach, nu je toch in de stad bent, kun je er misschien nog even een moord bij nemen?* Het was al erg genoeg dat hij was gezwicht voor de eis dat hij geen vuurwapen of mes mocht gebruiken. Godallemachtig! Alleen daarom al had hij dubbel tarief moeten rekenen. Beseften die klootzakken dan niet hoeveel creativiteit het vergde om iemand om te leggen en het op een ongeluk te laten lijken? Hij kon niet toveren, verdomme!

En alsof dat allemaal nog niet erg genoeg was, had hij terug gemoeten naar deze stinkende ingewandenfabriek. Hij kreeg de koude rillingen van deze plek. Wat ze hier deden, was gewoon pervers. En blijkbaar waren er meer mensen die er zo over dachten, want anders had hij niet terug hoeven komen.

Wat er ook aan de hand was, het was niet zijn taak om dat uit te vissen. Hij werd niet betaald om zich een mening te vormen of zijn oordeel te geven. De reden waarom deze ellendige kippenfabriek schoonmaak wilde houden onder het wittejassenpersoneel, was zijn zaak niet. Dat ze liever zijn diensten gebruikten dan simpelweg ontslagbriefjes uit te delen en hun werknemers met hun laatste salaris op straat te zetten, was alleen maar goed voor zijn portemonnee. Dus het zou stom zijn om daar vraagtekens bij te zetten.

Alleen, de houding van die klootzak beviel hem niet.

Bovendien werd hij nerveus van het weer. Godallemachtig, die wolken zagen eruit alsof ze leefden! Loodgrijze spookachtige donderkoppen die langs de hemel kropen en elk moment leken te kunnen openbarsten. Boze demonen met genoeg elektriciteit bij zich om de lucht tot in de wijde omtrek te doen oplichten. Zulke dingen waren nooit een goed voorteken. Niet dat hij bijgelovig was. Er was alleen te veel aan deze zaak wat hem niet aanstond.

Om te beginnen beviel het hem niet dat het doelwit een vrouw was. Niet dat hij niet eerder vrouwen had omgelegd, maar alle andere keren – nou ja, twee keer; vaker had hij het niet gedaan – waren dat sletterige bedriegsters geweest die hun maffiavriendjes belazerden. Deze vrouw was anders. Voor zover hij het kon beoordelen, leek ze in niets op zijn vorige doelwitten.

Nou ja, wat maakte het ook uit? Hij werd er goed voor betaald. En inderdaad, die klootzak had gelijk: hij was nu toch al hier. Sterker nog, hij had zijn papieren en zijn sleutelkaart al.

Toen hij haar de Crown Victoria had zien onderzoeken, had hij nog voordat ze de achterbak had opengedaan geweten dat het niet haar auto was. Ineens was het bij hem opgekomen dat die Crown Victoria weleens van zijn andere slachtoffer kon zijn geweest. En dat ze waarschijnlijk daarom moest verdwijnen.

Toch zonde. Want het was een lekker mokkel.

Hoofdstuk 21

EcoEnergy

Terug in het laboratorium, was Sabrina meteen achter de computer gaan zitten.

Bliksemflitsen schoten inmiddels in drieën langs de hemel, bijna direct gevolgd door dreunende donderslagen. Waarschijnlijk zou ze er verstandig aan doen de computer uit te zetten. Desondanks tikte ze haar wachtwoord voor de derde keer in.

En voor de derde keer werd haar de toegang geweigerd. De computer bleef, behalve om een wachtwoord, ook om een speciale code vragen, terwijl ze de dag daarvoor genoeg had gehad aan haar wachtwoord alleen.

Het enige wat ze wilde doen, was de diverse stappen van het procedé in Reactor 5 langs lopen. Ofschoon Lansik de enige was die daarin veranderingen kon aanbrengen, hadden alle andere wetenschappers – dus ook zij – de mogelijkheid om de voortgang te volgen. Dat had ze de vorige dag ook gedaan: ingelogd om het productieproces te controleren en de gegevens te registreren. Als ze toegang kon krijgen tot de procesdata van dit moment, zou ze de verplaatsing van de materie kunnen zien, de temperaturen en de capaciteit kunnen vaststellen en er op die manier achter kunnen komen wat het probleem was. Alleen eiste de computer nu ineens een speciale code om het systeem te kunnen controleren.

Ze leunde naar achteren en haalde haar vingers door haar natte haren, al zou ze die er liever uit trekken van frustratie.

EcoEnergy was geen kerncentrale, waar een fout in de beveiliging kon leiden tot een meltdown zoals in Tsjernobyl. Maar als haar vermoeden klopte, en als de reactor in bedrijf was gesteld zonder gebruikmaking van de spoeltank, bestond de mogelijkheid dat er giftige stoffen in de rivier werden geloosd.

Ze was doorweekt. Haar kleren plakten aan haar huid, en er vormde zich al een plasje onder haar stoel. Door de airconditioning in het laboratorium begon ze te rillen.

Ze had geen idee wat het betekende als er inderdaad Klasse 2-afval werd verwerkt. Het was uitgesloten dat zoiets gebeurde zonder medeweten van EcoLab. Ze zouden voortdurend monsters moeten nemen, combinaties moeten testen, vercooksingstemperaturen moeten bijstellen. Het was eenvoudigweg uitgesloten.

Bovendien zouden ze zoiets absoluut nooit doen zonder de spoeltank te gebruiken. Klasse 2-afval bestond uit ruim vijfentwintig soorten plastic, nylon, rubber, metalen, hout en glasfiber: allemaal materialen die niet konden worden hergebruikt. En dat was nog maar het topje van de ijsberg. In tegenstelling tot slachtafval kon het verwerken van dit soort afval een residu van bijvoorbeeld pcb's en dioxine opleveren, dat erg giftig kon zijn. Het waterstof in het water van de spoeltank zorgde voor stabilisatie en afbraak van de giftige stoffen. Het zou dus een ernstige vergissing zijn om de spoeltank over te slaan. Sterker nog, dat zou een fatale vergissing zijn.

En O'Hearn had gezegd dat ze nog geen Klasse 2-afval verwerkten.

O'Hearn. De vorige middag had ze hem verteld wat ze bij Reactor 5 gezien meende te hebben. Zou hij de inloggegevens soms hebben veranderd, bij wijze van veiligheidsmaatregel tot Lansik terug was? Maar waarom zou hij zoiets doen? Dat had alleen zin als er problemen waren, als bleek dat er fouten waren gemaakt waarvan hij niet wilde dat iemand anders er lucht van kreeg.

Met een stapel ruwe papieren handdoekjes uit het personeelstoilet begon ze haar gezicht en haar armen af te drogen.

Dit sloeg nergens op. Ze ging er altijd prat op logisch en evenwichtig te werk te gaan. Voor alles was een verklaring. Je moest er soms alleen even naar zoeken.

Een nieuwe reeks bliksemschichten deed de elektriciteit in het laboratorium haperen. De tl-buizen knipperden; het computerscherm ging op zwart, en het gezoem van de machines sputterde. Na de volgende donderslag heerste er opeens doodse stilte en waren alle lichten uit.

Ze bleef roerloos zitten en dwong zichzelf kalm te blijven, rustig adem te halen. Dit soort onweer was doodnormaal in Florida. Het zou niet lang duren en snel voorbijtrekken.

Schaduwen van boomtakken dansten op de muren van het vertrek. De regen beukte tegen de ramen.

Toen hoorde ze voetstappen, op de gang buiten het laboratorium.

Hoewel het halverwege de ochtend was, was het laboratorium in schemerlicht gehuld. De ramen die uitkeken op het parkeerterrein aan de achterkant leken wel fotolijsten met afbeeldingen van grillige dunne bliksemschichten en tot leven gekomen takken erin.

De stilte was echter nog het akeligst. Zonder het ratelen en zoemen en trillen van de machines klonken de voetstappen hol en luid op de betegelde vloer.

Onbeweeglijk zat ze daar, als verlamd voor het zwarte scherm van haar computer.

Ze zag een lichtbundel van het deurraam naar de vloer daaronder bewegen. Een zaklantaarn, zei ze tegen zichzelf, en ze kon weer ademhalen. Tegen de tijd dat de deur openging en een beveiligingsbeambte zijn geschoren hoofd naar binnen stak, kon ze bijna weer doen alsof er niets aan de hand was.

Het was duidelijk dat de man niet verdacht was geweest op haar aanwezigheid. Hij schrok, maar verhulde zijn uitroep gauw met een kuch en stapte voortvarend het laboratorium binnen alsof hij niet anders van plan was geweest. 'Alles in orde hier?' Hij scheen recht in haar gezicht.

Wat hij daarmee ook beoogde, ze vond het eerder ergerlijk dan intimiderend.

'Ja, hoor. Ik probeer gewoon wat werk gedaan te krijgen,' antwoordde ze.

'Het noodaggregaat zal zo wel aangaan,' zei hij met een lijzig, Zuidelijk accent. Hij liet de lichtbundel door het laboratorium gaan, over planken en hoeken, al was het hier – anders dan in de gang – licht genoeg om ook zonder zaklantaarn te kunnen zien.

Nu pas zag ze dat hij een pistool in zijn vrije hand hield – schietklaar, alsof hij verwachtte dat er vanuit een donkere hoek elk moment iemand op hem af kon springen. Ze probeerde zich te herinneren of de beveiligers van EcoEnergy vuurwapens droegen, maar behalve de mensen die haar papieren controleerden bij het hek, had ze nooit iemand van de bewaking ontmoet.

Ze keek hoe hij met het pistool omging. In het onregelmatige licht van de bliksem leek hij in slow motion te bewegen, als een figuur uit een computerspel, omhuld door een blauwe stralenkrans.

'Bent u de enige hier?' vroeg hij zonder achterom te kijken. Zijn blik was op de halfgeopende deur van Lansiks kantoor gericht.

Plotseling had zijn gespannen concentratie toch iets intimiderends. De stroom was uitgevallen door het onweer, meer niet, dus waarom deze huiszoeking?

'Doorgaans zijn we op zaterdagmorgen met meer,' antwoordde ze, omdat ze niet wilde toegeven dat alleen deze Robocop en zij hier waren.

Toen hij bij het kantoor van Lansik kwam, knipperde de verlichting een paar keer en ging weer aan. Met ritselende, reutelende geluidjes kwam het laboratorium weer tot leven, en de betovering werd doorbroken. Als een ontwaakte slaapwandelaar richtte de bewaker zich op en keek om zich heen alsof hij zijn omgeving voor het eerst zag. Zijn blik zocht de hare. Haar recht aankijkend, liet hij het pistool in de holster glijden en knipte de zaklantaarn uit. 'Alles weer onder controle.'

Onwillekeurig vroeg ze zich af of hij daarmee op het laboratorium doelde of op zichzelf.

Hoofdstuk 22

Washington DC

Jason stond over zijn bureau gebogen en staarde chagrijnig naar de opengeslagen dossiermappen naast zijn notitieblok, dat volgekrabbeld was met rommelige aantekeningen. Ten slotte keek hij op en draaide zich naar het dartbord aan de muur. Zonder een stap dichterbij te doen gooide hij snel achter elkaar twee pijltjes – tak, tak. Hij had blij moeten zijn, want beide worpen waren in de roos, maar de worpen waren slechts een poging tot ontspanning geweest. Het ging hem niet om het resultaat. Door zich te concentreren op een gooi kon hij beter denken. Dat hij een goed darter was, met een loepzuivere worp, deed hem niet veel.

Veel belangrijker was dat hij een manier moest zien te vinden om de leden van het Appropriations Committee zover te krijgen dat ze het contract van honderdveertig miljoen dollar aan EcoEnergy gunden. Ergens in al deze papieren moest de informatie te vinden zijn die daarvoor kon zorgen.

Jason zat inmiddels langs genoeg in DC om te weten dat niets zeker was. Daar had senator Allen hem niet aan hoeven herinneren. De subcommissie, waarvan senator Allen voorzitter was, had echter al ingestemd, dus de strijd was half gewonnen. Alleen bleek er nu in het Appropriations Committee zelf verzet te bestaan, en daar had Jason niet op gerekend. Blijkbaar dacht senator Allen zelfs dat dat verzet zo groot was, dat alles er weleens op zou kunnen stuklopen. Maar als Jason voor een ruime meerderheid kon zorgen, zouden een of twee tegenstanders geen probleem meer vormen.

Hij gooide nog een pijltje en wendde zich af, net op het moment dat het de roos raakte. Over zijn bureau gebogen bladerde hij een van de mappen door. Hoewel hij niet precies wist wat hij zocht, liet hij zijn blik over de tekst dwalen. Hij vertrouwde erop dat hij het zou herkennen zodra hij het zag.

Van huis uit mocht hij dan niet hebben geleerd welk bestek te gebruiken bij een formeel diner, en in het milieu waar hij uit voortkwam, mochten ze dan bepaald geen algemeen beschaafd Engels spreken, er was één ding dat hij heel goed had geleerd, en dat was waar hij moest zoeken naar belastende informatie over iemand die hem voor de voeten liep. En bovendien hoe hij zelfs met een klein beetje informatie grote schade kon aanrichten. Met andere woorden – of liever gezegd, in de woorden van zijn familie – hoe hij iemand eens flink kon naaien.

Hij had waardevolle lessen gekregen in hoe je je voordeel kon doen uit wrokgevoelens, hoe je vertrouwen kon winnen en mensen kon manipuleren, hoe je kon uitzoeken wat iemands zwakke plek was en – nog belangrijker – wat iemand het dierbaarst was. Stuk voor stuk lessen die hem hadden geleerd zich staande te houden in het politieke spel en in DC – en beter dan een universitaire opleiding dat had gekund.

Hij deed de papieren terug in de map en haalde een keurig geniet stapeltje uit een volgende. Het lievelingsproject van senator Sherman Davis, van Louisiana, was de herbouw van de medische centra die door de orkaan Katrina waren verwoest. Een nobel streven, maar Jason glimlachte bij het zien van de laatste bladzijde van het lijvige voorstel. Daar stond, helemaal onderaan, dat het grootste gebouw – een eersteklas medisch centrum dat de vergelijking met de Mayo Clinic met gemak kon doorstaan – het Sherman Davis Medical Center zou gaan heten. Typisch Washington DC, of althans het DC waarin Jason zich bewoog. Zelfs aan de grootmoedigste en ruimhartigste ondernemingen lag uiteindelijk trots of ouderwetse inhaligheid ten grondslag, en soms beide.

Sherman Davis was echter senator Allens minste zorg. In de taal van DC gezegd: Sherman en John Quincy stonden quitte waar het ging om diensten en wederdiensten. En met die status-quo waren ze allebei volmaakt tevreden. Nee, Sherman Davis zou geen problemen opleveren wanneer er over het contract werd gestemd.

Jason legde de stapel papieren neer en pakte een andere op. Senator Shirley Malone, van Indiana, scheen op het eerste gezicht ongevaarlijk. Ze was een lange elegante vrouw in maatkleding – bij voorkeur mantelpakjes – en met een onberispelijk kapsel. In niets leek ze op Jasons beeld van de huisvrouw uit het Midwesten die graag en veel rood vlees at, zich het liefst in lycra hulde en zich alleen maar in de politiek had gestort om de senaatsperiode van haar overleden echtgenoot uit te dienen. Nee, nu ze al meerdere malen op eigen kracht gekozen was, was ze iemand om rekening mee te houden.

Toen hij op zoek was gegaan naar de mogelijke tegenstanders, had hij aanvankelijk aan concurrentie gedacht. Het zou niet meer dan logisch zijn als sommige senatoren uit olieproducerende staten gingen dwarsliggen, dat ze wellicht zelfs ieder contract zouden boycotten en dus elk mogelijk succes dat EcoEnergy dreigde te boeken. Daarom had hij senator Max Holden, uit Texas, aan zijn 'probleemstapel' toegevoegd en senator Davis, uit Louisiana, terzijde gelegd. Nu hij de twee stapels scheidde, bedacht hij echter dat hij ook rekening moest houden met andere rivalen, zoals ethanol. Senator Shirley Malone, uit Indiana, waar veel mais werd verbouwd en ethanol werd geproduceerd, belandde direct op de probleemstapel.

Die stapel telde tot dusverre vijf senatoren. Vijf van de achtentwintig leden van het Appropriations Committee was geen slecht begin; daar kon hij wel wat mee.

Na een blik op zijn horloge stopte hij de probleemstapel in zijn leren attachékoffer. Voor informatie moest je niet in de gewijde gangen van het Congres zijn, wist hij, maar in Wally's Tavern. In dat café maakte hij de meeste kans als hij hoopte belastend materiaal te vinden.

Hij gooide een laatste pijltje, schoot zijn jasje aan en liep naar de deur zonder zelfs maar naar het resultaat van zijn laatste worp – weer in de roos – te kijken.

Hoofdstuk 23

Tallahassee, Florida

Sabrina zette de airconditioning in de auto uit, voor een paar minuten, totdat de voorruit weer zou beslaan.

Het regende niet meer. Het noodweer was voorbijgetrokken en had een fris gewassen blauwe hemel achtergelaten – een kort respijt na een lange periode van extreme hitte en vochtigheid. Het was een prachtige dag geworden, een zoals die in de reisgidsen over Florida werd beschreven, en toch kon Sabrina niet ophouden met rillen.

In het laboratorium had ze haar natte kleren verwisseld voor een kort sportbroekje, joggingschoenen en een wijdvallend T-shirt, die ze in haar kluisje bewaarde.

Een van de leukere secundaire arbeidsvoorwaarden bij EcoEnergy was dat je gebruik mocht maken van een ultramodern fitnesscentrum compleet met een overdekte atletiekbaan en een vijftigmeterbad. Sabrina had echter altijd het idee dat rennen op een binnenbaan een averechts effect had, aangezien je voortdurend dezelfde, rondgepompte lucht inademde.

Ofschoon de zon weer scheen, was ze nog steeds nerveus. Lansik werd vermist, dat wist ze nu zeker. En het had er alle schijn van dat er Klasse 2-afval werd verwerkt in Reactor 5 zonder dat iemand van het laboratorium daarvan wist. Misschien had Lansik daar goedkeuring voor gegeven, maar ze kon zich niet voorstellen dat hij dan de spoeltank zou overslaan. Alsof dat alles nog niet genoeg spanning had veroorzaakt, was het ook nog gaan onweren en was die Robocop van de beveiliging langsgekomen. Door de stress had ze zelfs niet meer aan haar vader gedacht.

Aangezien er in het weekend geen tankwagens reden, kon ze de tweebaansweg vol gaten en hobbels deze dag gelukkig makkelijk aan. Zodra de voorruit weer begon te beslaan, deed ze de raampjes open en ademde diep de frisse lucht, met de geur van pijnbomen en nat zand, in. Door de wolkbreuk was het niet meer zo benauwd; de drukkende hitte, die als een deken over je heen viel, was verdwenen.

Ze had er destijds voor gekozen in Chicago te studeren, hoewel haar moeder, die in Philadelphia was opgegroeid, had geopperd dat ze de Oostkust ook een kans moest geven. Feitelijk had ze de stad nooit verlaten, behalve een of twee keer per jaar om deel te nemen aan een congres. Daarbij had ze van de gaststeden echter niet veel meer gezien dan de luxueuze hotels waarin ze verbleef. Ze kon zich niet heugen wanneer ze voor het laatst op vakantie was geweest – een vakantie die niet om een congres, een workshop, een presentatie of een gastcollege heen was gepland. Maar dat vond ze ook helemaal niet erg.

In de voorbije tien jaar had ze zich vooral gericht op het verkrijgen van een vaste aanstelling. Daar had ze alles voor opzijgezet, inclusief – zouden sommigen zeggen – haar sociale leven. Zelfs Daniel beweerde dat ze hem soms behandelde alsof ze hem als een verplichting zag, als iets wat haar afleidde van waar het werkelijk om draaide. Hij vond het vreselijk op de tweede plaats te komen, na haar carrière, en af en toe zelfs op de derde plaats, na haar carrière en haar familie.

Het enige wat ze tot haar verdediging wist aan te voeren, was dat ze gewoon niet goed was in relaties. Mensen functioneerden doorgaans niet volgens de wetten van de logica; ze waren onvoorspelbaar en geneigd tot het maken van fouten. In haar werk was ze gewend om te gaan met formules en vergelijkingen – weliswaar een complexe materie, maar op te lossen met logisch denken en geduld.

Als ze eerlijk was, moest ze toegeven dat ze nooit, in geen van haar relaties, ook maar iets van de passie had gevoeld die ze bij haar ouders had gezien. Dus misschien wilde ze simpelweg geen genoegen nemen met minder. Misschien was dat de reden dat haar familie nog altijd voorrang had boven Daniel.

Toen ze had besloten dat ze dichter bij haar vader wilde zijn en dus uit Chicago weg moest, had ze dat zonder overleg met Daniel gedaan. Ze had hem gewoon met een voldongen feit geconfronteerd.

Hij had haar verzekerd dat het tussen hen niets zou veranderen.

Het hoofd van haar faculteit had ongeveer hetzelfde gereageerd en gezegd dat ze onbetaald verlof moest nemen, maar in geen geval haar baan moest opzeggen.

'Hoelang heb je nodig?' hadden beide mannen haar gevraagd, onafhankelijk van elkaar en allebei met oprechte bezorgdheid.

Een halfjaar. Langer dan een halfjaar zou ze niet nodig hebben. Een jaar op z'n hoogst.

De toestand van haar vader bleef echter onveranderd. Misschien was hij zelfs iets achteruitgegaan. En over een maand zou het jaar verstreken zijn. Dan zou ze om meer tijd moeten vragen bij het faculteitshoofd.

Ze wist al dat ze Daniel niet om meer tijd zou vragen. De vraag was alleen nog hoe ze het hem moest vertellen. Wat in eerste instantie een korte onderbreking van haar gedisciplineerde, ordelijke bestaan had geleken, was inmiddels in vele opzichten een toestand van permanente onzekerheid geworden.

Opeens moest ze aan haar broer, Eric, denken – ze naderde de Interstate 10 en zag Pensacola aangegeven staan. Hoe kwam het dat haar vader zich een bezoek van Eric verbeeldde? Was dat omdat hij zijn zoon zo graag wilde zien? Maar vanwaar dan al die details?

Sinds het ongeluk van hun moeder had ze Eric niet meer gezien, en voor zover ze wist, had haar vader hem ook niet meer gezien.

Vreemd, hoe één en dezelfde gebeurtenis mensen op zo veel verschillende manieren kon veranderen. De ene dag kibbelde je nog over of het kalkoen of varkensbout moest worden met de kerst, de volgende moest worden besloten of het zwaar verminkte lichaam van je moeder gecremeerd of begraven zou worden.

Het was een ongeluk geweest. Op de glibberige straten van Chicago was een auto in een slip geraakt en tegen de auto van hun moeder gebotst.

Toen haar vader had gebeld om te zeggen dat haar moeder een ongeluk had gehad, had Sabrina, die op haar werk was geweest, haastig pen en papier gepakt om op te schrijven in welke kamer, in welk ziekenhuis ze lag. Niets had haar kunnen voorbereiden op de volgende woorden van haar vader: 'Ze is overleden.'

Ze herinnerde zich nog dat haar hand met de pen boven het papier was blijven hangen. Haar ademhaling was gestokt. Alle geluiden om haar heen waren abrupt opgehouden. Het enige wat ze had gehoord, was het bonzen van haar hart. Ze had gewacht – een eeuwigheid, naar het scheen – tot de betekenis van de woorden tot haar zou doordringen, tot haar vader iets zou zeggen wat zijn laatste woorden zou uitwissen.

In plaats daarvan had ze hem horen snikken. Daarvóór had ze haar vader nog nooit horen huilen. Ze had meteen een brok in haar keel gekregen en was bang geweest te zullen stikken. Ze herinnerde zich nog dat ze had gesnakt naar adem, maar ze had niet gehuild, niet geschreeuwd, alleen maar wanhopig geprobeerd lucht in haar longen te zuigen.

Hoe was het mogelijk dat haar moeder er ineens niet meer was? Het kon raar lopen in het leven. De ene dag stond je de rode en witte kerststerren water te geven, de volgende zette je ze om de kist van je moeder.

Eric gaf hun vader de schuld. Hoe had hij haar met die sneeuw de deur uit kunnen laten gaan om een van haar beelden af te leveren? En dan ook nog helemaal alleen? Hij wist toch hoe afschuwelijk ze het vond om te rijden bij gladheid?

De ruzies waren belachelijk en pijnlijk geweest – een gebroken koppige vader en een boze zoon die met allerlei verwijten was gekomen. Geen van beiden had willen toegeven. Ten slotte was de een gevlucht en had de ander zich volledig naar binnen gekeerd. En Sabrina, dochter en zus, was alleen achtergebleven.

Toen ze de buitenwijken van Tallahassee bereikte, besloot ze dat ze wel een oppeppertje kon gebruiken na de nare dag die ze achter de rug had. Dus in plaats van rechtstreeks naar huis te rijden, zou ze zichzelf op een lunch trakteren. Aangezien de geleidelijke afbouw van haar cafeïneconsumptie deze dag toch al niet was gelukt, kon ze net zo goed zwichten voor een cheeseburger – een vette, maar goedkope vorm van therapie.

Hoofdstuk 24

Washington DC

Jason bestelde zijn tweede whiskey-cola. De eerste had hij wat al te snel achterovergeslagen. Met de tweede zou hij het wat rustiger aan doen, gewoon omdat hij alert wilde blijven. Hij wilde snel kunnen reageren en op zijn reflexen kunnen vertrouwen.

Hij zat aan het eind van de bar en draaide zijn kruk zo, dat hij de hele kroeg kon overzien. De verlichting was gedempt. De rook was vooral afkomstig van sigaren, en niet zozeer van sigaretten, en de wolken bleven boven enkele tafeltjes in een hoek hangen. Jason haatte die geur. Hij wist dat de lucht in zijn kleren en haren trok en dat hij bij thuiskomst naar rook zou stinken.

Zijn blik bleef op Zach rusten, een staflid van senator Max Holden, uit Texas. Zach was een lange, slanke, blonde, jonge man van goede komaf die de knappe gelaatstrekken van zijn voorouders had geërfd. Ooit had hij Jason tegen de muur gewerkt bij een partijtje basketbal voor een goed doel. En dat terwijl ze in hetzelfde team hadden gespeeld. De schoft had hem weggeduwd, zodat hij de bal kon inpikken. Zachs achternaam wist hij niet meer. Waarschijnlijk zoiets als Kennedy. Het deed er ook niet toe. In gedachten streepte hij Zach van de lijst en besloot geen energie in hem te steken. Zach had geen teamgeest. Het zou te veel inspanning kosten om iets uit hem los te krijgen. Bovendien, daar viel niets te halen. Toch?

Een koerier van het bedrijf waarvoor Jason vroeger had gewerkt – hij kende het gezicht, maar kon zich de naam niet herinneren – legde een hand op Zachs rug. Jason zag de hand naar beneden glijden, net iets te ver, duidelijk een toenaderingspoging. Onder normale omstandigheden was dat niet iets om veel belang aan te hechten. Een beetje flirten stelde in een stad als DC weinig voor. Alleen, de koerier was een man. Jason vroeg zich af wat senator Max Holden daarvan zou vinden. Per slot van rekening was Holden meer de potige cowboy uit het tijdperk-John Wayne dan het type van Brokeback Mountain.

Hij sloeg de informatie op voor nadere overweging. Op dit moment was hij meer geïnteresseerd in de brunette aan de andere kant van de kroeg, die in het middelpunt van de belangstelling stond, tussen een groepje ogenschijnlijke stafmedewerkers. Ze hadden hun glazen geheven en brachten een toost op haar uit. Jason wist vrij zeker dat hij de brunette met senator Shirley Malone samen had gezien. Als hij het zich goed herinnerde, had ze de senator bij de laatste zitting van het Congres met briefjes voorzien van informatie.

Hij nam een slok van zijn whiskey-cola – een grote tevreden slok. Werk aan de winkel! Hij kon heel charmant zijn als hij dat wilde. Weliswaar was het even geleden dat hij in dat opzicht actief was geweest, maar hij was het niet verleerd. En wie zouden hem beter aan informatie over senator Malone kunnen helpen – bijvoorbeeld over haar zwakke punten – dan haar eigen mensen? Het was te vergelijken met infiltreren in het vijandelijke kamp. Hij zou hun eens wat stroop om de mond smeren. Na een paar borrels werden ze ongetwijfeld loslippiger, en wie weet wat er dan allemaal kon gebeuren.

Hij kreeg pas in de gaten dat zijn belangstelling niet onopgemerkt was gebleven, toen iemand achter hem zei: 'Ja, dat is me er eentje, hè?'

Hij keek om, deels hopend dat de opmerking niet voor hem was bedoeld, dat hij niet was betrapt.

Helaas, dat geluk was hem niet gegund.

'Pardon?' zei hij, al wist hij dat het zinloos was zich van den domme te houden.

De lange aantrekkelijke vrouw liep om hem heen en ging met

een soepele beweging op de barkruk naast hem zitten, zonder zich er ook maar iets van aan te trekken dat haar rok omhoogschoof, waardoor een deel van haar welgevormde dijen zichtbaar werd. Evenmin leek het haar te storen dat hij dat zag, dat zijn aandacht niet langer uitging naar de brunette.

Hij hoopte maar dat zijn mond niet open was gevallen, want zo voelde het wel.

'Ze is vandaag jarig. Achtentwintig geworden.' De vrouw zette haar glas op de bar. Ze dronk wijn. 'Dat verdient wel een feestje. Trouwens, zij verdient ook een feestje. Bent u bevriend met Lindy?'

Waar bleef hij nu met al zijn charme? Hij kon zijn stem niet eens vinden. Maar in gedachten schreeuwde hij het uit: Het is niet te geloven! Kijk nou wie er naast me zit. Senator Shirley Malone!

Hoofdstuk 25

Tallahassee, Florida

Leon tekende de bon, trots op de vlotte krabbel die begon met een 'L' en dan uitvloeide in iets onleesbaars. Inmiddels hoefde hij er niet meer bij na te denken, ofschoon Leon niet zijn eigen naam was. 'Leon' was het pseudoniem dat hij zich had aangemeten toen hij jaren eerder had besloten voor zichzelf te beginnen. Hij had de naam uit een boek over kameleons gehaald.

Sterker nog, hij had ook zo'n beest gekocht, van een vent in Boca Raton die een winkel met exotische dieren had. Alhoewel, het was niet zozeer een winkel als wel het achterste gedeelte van een pakhuis. De eigenaar had allerlei soorten reptielen, in alle denkbare kleuren en maten. Leon was gefascineerd geweest door de kameleons, die voor zijn ogen van kleur veranderden: voor de helft groen waar ze op een blad zaten, terwijl de andere helft de bruine kleur behield van de bast van de boom. Wat zou het geweldig zijn als mensen dat konden!

Niet dat hij net zoveel moeite deed om zich te vermommen als vele van zijn collega's. Dat was niet nodig; hij had de beste vermomming die hij zich kon wensen.

De serveerster pakte het bonnetje terwijl ze hem nog eens koffie bijschonk. Er werd geen woord gesproken, amper een blik gewisseld. Als iemand haar later naar hem zou vragen, zou ze hem onmogelijk kunnen beschrijven. Ze zou zich hem zelfs amper herinneren. Dat was het mooie van een doodgewoon, onopvallend uiterlijk. Er was niemand die hem ooit opmerkte. Al zou hij willen, dan nog zou hij geen betere vermomming kunnen kopen. En die bedierf hij niet door het dragen van felle kleuren of al te modieuze kleding. Geen strepen, geen dessins, geen ontwerperslogo's. Hij droeg traditionele overhemden met korte mouwen, van het soort dat gemakkelijk mee te nemen was op reis, aangezien ze niet gestreken hoefden te worden. Hetzelfde gold voor zijn sportieve jasjes en broeken. Zelfs zijn zonnebril was niets bijzonders. Kortom, hij deed er alles aan om niet op te vallen.

Dus 'Leon' mocht dan van 'kameleon' komen, maar niet omdat het beest zich wist te vermommen door van kleur te veranderen. Volgens het boek dat hij had gekocht, betekende het woord 'kameleon' letterlijk aardleeuw. De leeuw was de koning van de jungle. Het leven was één grote jungle, en Leon zag zichzelf graag als een leeuw.

Hij nam een slok van de koffie nu die nog warm was. Vervolgens viste hij een paar maagzuurremmers uit zijn broekzak, tussen een kogel, een nagelknipper, drie dubbeltjes en een kwartje vandaan, en controleerde ze op pluis. Die vervloekte maag, dacht hij geërgerd terwijl hij de tabletten in zijn mond deed. De afgelopen twee jaar had hij de vreselijkste dingen overleefd – een jaap in zijn keel van een stanleymes, een pistoolschot in zijn schouder en zo veel gebroken botten, dat hij de tel was kwijtgeraakt – maar uiteindelijk zou zijn eigen maagzuur hem waarschijnlijk noodlottig worden.

Hij nam nog een slok koffie om de laatste stukjes van de tabletten weg te spoelen, wensend dat het bier was. Maar ja, dat kon je in dit soort waardeloze tenten niet krijgen. Het was dan ook niet zíjn keuze geweest om hier te gaan zitten; dat was nu eenmaal een van nadelen van het vak. En hij had zo'n donkerbruin vermoeden dat hij tijdens deze klus geen bar of nachtclub vanbinnen zou zien.

Anderzijds, eerder deze dag had ze hem verrast door bij een slijterij te stoppen voor een fles whiskey. Tenminste, dat meende hij gezien te hebben. Dus misschien was ze toch niet stijf als ze eruitzag.

Wellicht was ze gewoon zo verkrampt door dat vreemde onweer en die nog vreemdere beveiligingsman. Het was Leon nog steeds niet duidelijk wat daar nu de bedoeling van was geweest. Feit was dat hij zich in het duister verborgen had moeten houden en geen gebruik had kunnen maken van die perfecte gelegenheid. Als de stroom uitvalt, gebeuren er immers vaak rare ongelukken.

Hij zat in de verste hoek van de eettent, met zijn rug naar haar toe, maar dankzij de spiegelwand boven de frisdrankautomaat kon hij haar in de gaten houden. Voor zo'n tenger vrouwtje kon ze aardig wat verstouwen: een enorme cheeseburger, compleet met uienringen, overgoten met ketchup.

Dat was echter alweer even geleden. Inmiddels zat ze al een halfuur aan dezelfde kop koffie. Het was hem niet ontgaan dat ze de serveerster al drie keer had weggewuifd toen die wilde bijschenken. Ze leek volkomen op te gaan in de inhoud van een eenvoudige gele dossiermap.

Wat in die map zat, was waarschijnlijk de oorzaak waardoor ze in moeilijkheden was gekomen.

Hem kon het niet schelen wat erin zat. Het was niet zijn taak om uit te vogelen wat het probleem was. Zijn taak was heel eenvoudig: het probleem uit de weg ruimen.

Toen ze eindelijk opstond en naar buiten liep, liet hij de drie dubbeltjes en het kwartje op tafel achter als fooi, stopte de kogel en de nagelknipper weer in zijn zak en volgde haar naar het parkeerterrein.

Hoofdstuk 26

Washington DC

Jason bood haar nog een glas wijn aan, en dat vond ze goed. Een chardonnay van Kendall Jackson: niet goedkoop, maar ook niet pretentieus. Weer een stukje informatie dat hij kon opslaan in zijn mentale archief.

Zelf bestelde hij nog een whiskey-cola. Zijn tweede liet hij half opgedronken op de bar staan, toen ze aan een tafeltje in een hoek gingen zitten. Nu was het belangrijker dan ooit om zijn hoofd helder te houden.

Toen hij had toegegeven dat hij haar jarige staflid nog nooit had ontmoet, had senator Malone aangeboden hem aan haar voor te stellen. Tot zijn eigen verbazing was het hem gelukt haar aanbod charmant af te wimpelen, door te zeggen dat hij liever nog even met háár doorpraatte. Direct daarop had hij haar het glas wijn aangeboden.

Ze bracht hem uit zijn evenwicht. Hij had niet verwacht dat ze ja zou zeggen, en nu wist hij niet goed hoe hij zich moest opstellen. Hoewel ze duidelijk niet wist wie hij was, kon hij moeilijk doen alsof omgekeerd hetzelfde gold. Hij had haar immers dikwijls gezien in de gangen van het Congres. Als stafmedewerker was hij voor haar tot nog toe onzichtbaar geweest, maar dat zou na deze avond anders zijn.

Hij besloot open kaart te spelen. 'Jason Brill.' Glimlachend stak hij haar zijn hand toe, alsof een formele introductie op zijn plaats was. Hij hield haar hand echter lang genoeg vast om haar te laten merken dat hij het niet bij formaliteiten wilde laten.

'Ik ben –'

' – senator Shirley Malone,' maakte hij haar zin af. 'Republikeins senator van Indiana. Een republikeinse staat.'

'O, nu weet ik het weer. Je werkt voor John Quincy.'

Hij nam niet eens de moeite om zijn verbazing te verbergen.

'Je bent van de andere kant van het gangpad,' zei ze, maar ze glimlachte erbij. 'Dus ik moet je als de vijand beschouwen?' Ze trok een sierlijke wenkbrauw op en nipte van haar wijn.

'De vijand?' Hij deed alsof hij gekwetst was, boog zich zelfs iets naar achteren alsof hij een klap in zijn gezicht had gekregen. 'Nee, geen vijand. Laten we het houden op een bewonderaar.'

'Je méént het!'

Bij het horen van haar sarcastische toon vreesde hij dat hij het er wat al te dik op had gelegd.

Anderzijds, het was toch allemaal spel? Misschien moest hij het gewoon over zich laten komen en haar de regels laten bepalen. 'Ja, ik meen het,' zei hij dus. In gedachten nam hij alles door wat hij van haar wist. 'Ik vond dat u het uitstekend deed als voorzitter van het nationale rampenfonds, vorig jaar zomer. Objectief, eerlijk, terwijl uw eigen staat dat jaar toch door vijftien tornado's getroffen was.'

Over de rand van haar wijnglas keek ze hem aan.

Had hij het er opnieuw te dik opgelegd?

'Zestien,' zei ze, met weer een glimlach.

Hij voelde de adrenaline door zijn bloed stromen, alsof hij een volmaakte driepunter had gescoord. Dit ging hem beter af dan hij had verwacht.

Dat had hij aan zijn oom Louie te danken. Die had hem al op heel jonge leeftijd de kunst van het slijmen en slap ouwehoeren bijgebracht. 'Zeg maar tegen je tante dat ik heb gezegd dat ik haar beeldschoon vind met haar nieuwe kapsel' – met het overbrengen van zulke complimenten had Jason vaak een dollar kunnen verdienen. Oom Louie had zíjn beloning ongetwijfeld tussen de lakens gekregen.

Senator Malone leunde naar achteren, tegen de bank. Ze begon zichtbaar te ontspannen. En, belangrijker nog, hij merkte dat ze zich bij hem op haar gemak voelde. In het gedempte licht leek ze jonger, zachter en was ze eigenlijk gewoon knap om te zien.

Hij nipte van zijn whiskey-cola terwijl hij ondertussen nog meer informatie uit zijn geheugen trachtte op te diepen.

Probeer de achilleshiel van je vijand te vinden, maar probeer er ook achter te komen wat hem of haar het dierbaarst is, hield hij zich voor. Als je weet te ontdekken wat iemands passie is, heb je doorgaans ook zijn grootste zwarte plek te pakken. Of zoals oom Louie zou zeggen: 'Zelfs de grootste klootzak heeft wel iets waaraan hij verknocht is. Als je hem dat afpakt – of daar zelfs alleen maar mee dreigt – heb je hem binnen de kortste keren op zijn knieën, smekend en jankend om zijn moeder.'

Niet dat Jason senator Shirley Malone smekend op haar knieën wilde dwingen.

Alhoewel...

Jezus! Gauw verdrong hij de opwindende beelden die bij hem opkwamen. Het was te lang geleden. Veel te lang geleden.

Onverwachts, alsof ze zijn gedachten had gelezen, boog ze zich naar hem toe en vroeg: 'Wat moet zo'n intelligente knappe vent als jij bij John Quincy?'

Als hij het slim speelde, zou ze hem misschien in haar suite uitnodigen. Anders dan veel andere senatoren, die extravagante huizen of appartementen in de duurste buurten van DC kochten, huurde senator Malone een suite in het Mayflower Hotel. Het gerucht ging dat ze bij de roomservice altijd maar voor één persoon bestelde. Toch zat ze onmiskenbaar met hem te flirten, en flirten was hem altijd goed afgegaan. Het feit dat ze ouder was, veel meer klasse had dan hij en dat hij zijn hand met haar behoorlijk overspeelde, zou de uitdaging alleen maar groter moeten maken.

Alleen maakte haar aantrekkingskracht hem onzeker. Hij begreep zelf niet goed wat er met hem aan de hand was. Hij realiseerde zich dat hij haar aardig vond, en dat had hij niet verwacht, met als gevolg dat hij nu uit balans was. Het was niet eerlijk. Hij was op zoek geweest naar háár zwakke plek, en nu waren de rollen omgekeerd.

Na ongeveer een uur van wat hij in gedachten een 'verbaal voorspel' noemde, bood hij aan haar naar haar auto te brengen, al wist hij dat er een limousine met chauffeur klaarstond.

Hij keek toe terwijl ze instapte en stak zijn hand op toen ze, nog altijd glimlachend, naar hem wuifde.

Ofschoon het koel was voor de tijd van het jaar, besloot hij naar huis te lopen.

Misschien zou hij zich de volgende morgen wel voor zijn kop slaan, maar op dit moment leek het hem verstandiger om zijn aandacht toch maar op Zach, de homo van senator Max Holden, te richten, wilde hij de stemming van het Appropriations Committee beïnvloeden.

Hij had nog maar een klein eindje gelopen, toen hij zijn naam hoorde roepen. Hij draaide zich om en zag Lindy, de jarige brunette, naar hem toe komen rennen.

Hoofdstuk 27

Tallahassee, Florida

Sabrina keek echt uit naar haar filmavondje op zaterdag.

Ooit had ze ergens gelezen dat het grootste verschil tussen extraverte en introverte mensen de manier was waarop ze nieuwe energie opdeden. Extraverte mensen hadden daarvoor het gezelschap van anderen nodig, op wie ze hun ideeën konden loslaten en met wie ze hun gedachten en gevoelens konden delen. Introverte mensen, daarentegen, hadden behoefte aan tijd om alleen te zijn met hun gedachten, aan tijd voor zichzelf om op te laden zonder dat ze aan iemand iets hoefden uit te leggen of zelfs maar met iemand hoefden te praten. Dat laatste gold ook voor haar, wist ze, en daar had ze zich bij neergelegd. Het bleek echter niet mee te vallen om aan extraverte mensen uit te leggen dat ze genoot van haar bijtankavondjes. Ze had die tijd alleen echt nodig.

Dus deze zaterdag was ze alleen thuis met Alfred Hitchcock.

Ze had een van haar favoriete films gekozen: Rear Window, met James Stewart en Grace Kelly. Hoe vaak ze die ook al had gezien, ze zat nog altijd op het puntje van haar stoel van de spanning.

Als kind hadden Eric en zij in de zomervakantie altijd laat op mogen blijven om naar Hollywoodklassiekers te kijken. Jerry Lewis en Dean Martin waren Erics favorieten geweest. Hij was gek geweest op komedies, zelfs de romantische, vooral met Cary Grant – wat achteraf bezien niet zo vreemd was. Ze vermoedde dat hij zichzelf graag als een soort Cary Grant had gezien, met misschien een beetje James Bond erin.

Zelf hield ze meer van psychologische thrillers, klassiekers als Gaslight en Sorry, Wrong Number. En natuurlijk alles van Hitchcock. In de loop der jaren had ze een aardige videotheek opgebouwd.

Eric en zij hadden minstens één zaterdagavond per maand naar een van hun favorieten gekeken. Dan had zij een pizza laten komen – half vegetarisch, half Italiaanse worst met groene paprika – en Eric had telkens weer een ander duur merk bier meegebracht, om samen uit te proberen.

Deze avond nam ze genoegen met een diepvriespizza en een Bud Light.

Op avonden zoals deze besefte ze pas goed hoezeer ze haar broer – en haar oude leven – miste. Het cliché dat je pas waardeerde wat je had als het je was ontnomen, bleek maar al te waar.

Toen ze buiten een geluid meende te horen, zette ze de film op pauze, waardoor het beeld van James Stewart met zijn verrekijker en gebroken been stil kwam te staan. Hij begon net een vermoeden te krijgen dat de buurman zijn eigen vrouw had vermoord.

Ze luisterde, wachtte, nam langzaam een slok van haar bier. Misschien was haar verbeelding door de film op hol geslagen. Het was ook een rare dag geweest, met Lansiks verdwijning en daarna het noodweer en de stroomstoring. De film had een ontsnapping uit de werkelijkheid moeten zijn, in plaats van haar daaraan te herinneren. Wellicht zou deze avond een van Erics favorieten een verstandiger keus zijn geweest.

Ze zette de film helemaal af en liep naar de bar die de keuken van de woonkamer scheidde, om nog een stuk pizza te halen. Toen ze ernaar reikte, zag ze vanuit haar ooghoeken een schaduw buiten het keukenraam bewegen. Ze verstarde. Met ingehouden adem spitste ze haar oren. Het licht in de keuken was uit. Ze had gedacht dat ze genoeg zou hebben aan de televisie, maar het was nu wel erg donker in de kamer.

In het blauwe schijnsel blikte ze even naar de knop van de achterdeur. Ze had het nachtslot erop gedaan, dat wist ze zeker. Desondanks bleef ze gespannen luisteren en naar het keukenraam kijken.

Buiten klonk geritsel, maar de deurknop bewoog niet.

Met ingehouden adem keek ze om zich heen, op zoek naar een wapen. Vervolgens sloop ze langzaam om de bar en pakte in de keuken de gietijzeren koekenpan, die boven het fornuis hing.

Een schurend geluid tegen de buitenmuur maakte dat ze abrupt bleef staan, en ze dacht even dat ook haar hart stilstond. Toen klonk er een hoog gekrijs. Van schrik liet ze bijna de koekenpan vallen.

Pas toen het gekrijs werd gevolgd door een bons, besefte ze wat het was dat ze had gehoord: Lizzie. Ze slaakte een zucht van verlichting.

Toch liep ze naar de deur om even door het kijkgaatje te turen. Door het vervormende glas zag ze lege trottoirs en een straat die er verlaten bij lag. Tevredengesteld deed ze de deur open, net ver genoeg om naar buiten te kunnen kijken. Het verbaasde haar niet het puntje van Lizzies witte staart om de lagerstroemiahaag te zien verdwijnen.

Voordat ze de deur weer dichtdeed, liet ze haar blik over de plek onder haar keukenraam gaan. Daar was niets te zien. Echt helemaal niets: geen struik, geen bloempotten, geen vensterbank. Niets wat erop wees dat de schaduw die ze had gezien inderdaad van de kat kon zijn geweest.

Licht kon op talloze manieren worden gebroken, afhankelijk van de bron. Er waren dus allerlei oorzaken te bedenken voor hoe de schaduw van een kat op muizenjacht een meter boven de grond voor haar keukenraam had kunnen verschijnen.

Dat hield ze zich tenminste voor terwijl ze de deur sloot en het nachtslot er weer op deed.

Hoofdstuk 28

Zondag 11 juni,
Washington DC

Na een briefje te hebben achtergelaten ging Jason naar de lobby. Er zat nog niemand achter de balie. Het maakte hem niet uit, want hij hoefde geen afschrift van de rekening. Hij moest hier vooral zo snel mogelijk weg. Daarom liep hij haastig naar buiten, bang dat iemand hem zou herkennen.

Het Washington Grand was het eerste hotel dat bij hem was opgekomen – of, liever gezegd, het enige dat hij had kunnen bedenken – toen hij de vorige avond in de taxi had gezeten en Lindy haar tong in zijn oor had geduwd. Tot op dat moment was hij zelfs nog nooit in de lobby geweest. Wel had hij er diverse malen kamers gereserveerd op verzoek van senator Allen, wanneer die vrienden of collega's had die een luxe discrete locatie zochten om zaken te doen. Al wist Jason best dat het dan niet om zaken ging. Het was een soort code tussen de senator en hem. Misschien was dat de reden waarom het hotel bij hem was opgekomen zodra hij had bedacht dat hij een discrete plek nodig had.

Godallemachtig, hij had een briefje achtergelaten! Dat was wel het lulligste dat hij had kunnen doen. Maar hij móést hier gewoon weg.

Hij stak zijn hand op om een taxi aan te houden, ofschoon een wandeling in de vroege-ochtendlucht en de stilte hem goed zouden hebben gedaan – zeker met de mist die nu boven de stad hing. Om vier uur 's ochtends was er in Washington DC nog niemand buiten, behalve de daklozen dan. Zelfs wie de kost op straat verdiende, was inmiddels naar huis.

Het viel hem op dat de taxichauffeur hem via het achteruitkijkspiegeltje voortdurend in de gaten hield. Misschien was van zijn gezicht af te lezen wat een zakkenwasser hij was, bedacht Jason. Hij weerstond de drang om zich te verdedigen, om de chauffeur te vertellen dat zij het net zo goed had gewild, misschien zelfs nog wel meer dan hij. Tenslotte was het initiatief van haar uitgegaan. Jezus, ze had zich tegen hem aan gedrukt en midden op straat, pal voor de kroeg, haar handen over zijn lichaam laten gaan. En hij was al opgewonden geweest door zijn gesprek met senator Malone.

Een rilling liep over zijn rug toen hij zich herinnerde dat hij aldoor senator Malone voor zich had gezien terwijl Lindy boven op hem had gezeten. Dat had hem er overigens niet van weerhouden door te gaan. Integendeel, het had hem alleen maar nog meer opgewonden.

Allemachtig, hij was echt niet goed bij zijn hoofd! Resoluut verdrong hij het beeld van de senator, al was het maar omdat hij opnieuw opgewonden raakte.

Toen hij zijn ogen opsloeg, zag hij dat die verrekte taxichauffeur alweer naar hem zat te kijken. Alleen had hij deze keer het fatsoen zijn blik af te wenden toen hij werd betrapt.

Jason keek naar het identiteitsbewijs en prentte de naam van de chauffeur en het nummer van de taxi in zijn geheugen. Niet dat hij er iets aan zou hebben. Wat zou hij met die informatie kunnen bereiken? Hij kon die vent toch moeilijk aangeven alleen omdat die in de gaten had gehad dat hij, Jason, goed fout zat. Evenmin kon hij hem eenvoudigweg laten ontslaan, zoals senator Allen had gedaan met de bestuurder van de limousine.

Ineens drong de verschrikkelijke waarheid tot hem door: hij kon zelf worden ontslagen omdat hij seks had gehad met een staflid van een andere senator. Toen senator Allen hem in dienst had genomen, had hij er geen misverstand over laten bestaan dat hij 'intieme ontmoetingen' – zo noemde hij ze – tussen stafleden niet zou tolereren.

Jason leunde achterover, legde zijn hoofd tegen de rugleuning van de bank en sloot zijn ogen. Wat had hij gedaan?

De taxi kwam abrupt tot stilstand.

'Dat is dan zeven vijftig,' zei de chauffeur.

Jason gaf hem een briefje van tien. 'Laat de rest maar zitten.' Terwijl hij uitstapte, wierp hij nog een laatste blik op het identiteitsbewijs op de zonneklep, om zeker te weten dat hij de informatie goed had onthouden – gewoon voor het geval dat. Taxinummer 456390. Bestuurder: Abda Hassar.

Hoofdstuk 29

Washington Grand Hotel

Natalie wist dat het telefoontje een gunst was geweest. Ongeacht voor wie ze werkte, ze belden haar niet omdat ze daartoe verplicht waren. Dat betekende dat ze behoorlijk bij iemand in het krijt stond, en niet alleen bij Colin.

Colin deed de deur van de hotelsuite voor haar open – de presidentiële suite nog wel. Lieve hemel, wie de ellendeling ook was, hij had een ziek gevoel voor humor. Dit kon geen toeval zijn.

'Hoe wisten ze dat ze jou moesten bellen?' vroeg ze fluisterend, al schonk niemand hun aandacht.

'Ik was zijn IGVN.'

'Zijn wat?'

'In geval van nood,' zei hij op zakelijke toon. Bij het zien van haar niet-begrijpende blik verduidelijkte hij: 'Ik stond op zijn mobiele telefoon onder IGVN – in geval van nood. Hij had mijn nummer voorgeprogrammeerd.'

Ze schudde haar hoofd. Dus ze hadden gewoon geluk gehad. Dat beviel haar niet.

'Het is geen fijn gezicht.' Hij bleef voor haar staan, misschien omdat hij haar de kans wilde geven alsnog van gedachten te veranderen.

'Ik heb wel meer dingen gezien die verre van fijn waren,' zei ze.

'Of dacht je soms dat ik niks gewend ben?' Het zou moeilijk zijn zich nu nog terug te trekken zonder ondankbaar over te komen. Per slot van rekening had iemand zijn nek uitgestoken om Colin en haar in te seinen. 'Denk je dat ik opgegroeid ben in zo'n witte rijkeluisbuurt?' Hoewel ze wist dat Colin dwars door haar bravoure heen zou kijken, kon ze in elk geval proberen de rest van de aanwezigen te overtuigen.

Ze beende langs hem heen, vastberaden een onverschillige indruk te maken. Ze had de reputatie keihard te zijn, en dat moest vooral zo blijven.

Maar midden in de kamer bleef ze abrupt staan. Zoiets had ze nog nooit gezien. Ze dwong zichzelf naar de jonge man te kijken, vurig hopend dat ze haar ontbijt er niet uit zou gooien.

Ze had hem slechts één keer ontmoet, maar wist niet meer precies wanneer. Het enige wat haar nog bijstond, was dat het tijdens een diner op het ministerie van Buitenlandse Zaken was geweest, ter ere van het bezoek van een of andere hoogwaardigheidsbekleder. Dat herinnerde ze zich nog vanwege zijn smoking. Het was lang geleden dat ze een man had gezien die zich prettig leek te voelen in een smoking. Hij had hem gedragen alsof hij erin geboren was.

Zach Kensor had een zelfverzekerde, haast arrogante indruk gemaakt toen hij zich aan haar had voorgesteld, alsof hij van koninklijke komaf was. Met zijn uiterlijk – een lange blonde gebronsde adonis – had hij dat ook gemakkelijk kunnen zijn. Maar hij had ook moeiteloos kunnen doorgaan voor een Hollywoodster.

Misschien was dat de reden waarom zij had gedacht dat hij perfect geschikt zou zijn als koerier. Niemand zou hem ooit kunnen aanzien voor een simpele boodschapper. Althans, dat had ze gedacht.

Ze liet haar armen langs haar lichaam hangen en weerstond de neiging om haar handen voor haar gezicht, voor haar ogen te slaan.

Zoals hij daar lag, zag hij er niet uit als een koerier. Ook niet als een adonis, trouwens. Zijn polsen waren met stropdassen of zijden sjaals aan de stijlen van het bed gebonden. En alles, werkelijk alles zat onder het bloed: de muur, het hoofdeind, de lakens, zelfs het blad van de roomservice op het nachtkastje. Ze rook een zoete, maar tegelijkertijd ranzige lucht, als van bedorven fruit. Of die afkomstig was van het bloed of van de etensresten op het dienblad, wist ze niet. Het deed er ook niet toe. Ze zou zich er nooit meer toe kunnen brengen de roomservice te laten komen.

Het waren echter zijn ogen waarvan ze zeker wist dat die haar de rest van haar leven zouden blijven achtervolgen: blauwe knikkers, die haar aanstaarden vanuit een bloederig, gezwollen, ingeslagen gezicht.

'Een persoonlijke kwestie. Absoluut,' zei een van de rechercheurs bij het zien van haar ontsteltenis.

'Pardon?'

'Vanwege zijn gezicht.' Hij wees met zijn kin. 'Niemand maakt gehakt van een gezicht, tenzij er persoonlijke gevoelens in het spel zijn.'

Haar maag kwam alsnog in opstand, en ze zag zich genoodzaakt haar blik af te wenden.

'De moordenaar heeft alle vingerafdrukken verwijderd,' vertelde de rechercheur aan Colin.

'Ook die op de kaart van de roomservice?' Colin gebaarde naar de in leer gebonden menukaart, die op het bureau aan de andere kant van de kamer lag.

'Afgeveegd,' zei de rechercheur.

'Aan de binnenkant ook? Misschien heeft hij bij het openslaan afdrukken achtergelaten op de binnenkant. Zo te zien zijn de bladzijden gelamineerd. Soms vergeten ze in hun haast de binnenkant wanneer ze proberen hun sporen te verwijderen.'

Zonder iets te zeggen liep de rechercheur naar het bureau, wenkte iemand van de technische recherche en wees naar het menu.

Natalie keek op naar Colin, verrast door de ongeduldige klank in zijn stem. Het bracht haar van haar stuk frustratie op zijn anders altijd zo kalme gezicht te zien.

Hij verplaatste zijn gewicht naar zijn andere voet en duwde zijn handen diep in zijn broekzakken.

Nu pas zag ze dat hij tennisschoenen droeg en een T-shirt onder het jasje van zijn pak. Zijn lichaam straalde een soort rusteloze energie uit, en zijn blik schoot door de kamer, alsof hij er zeker van wilde zijn dat niets hem ontging.

'Ik heb het gedaan,' zei ze. 'Jij niet.' Daarmee bedoelde ze dat zij het was geweest die had besloten deze jonge man als koerier te gebruiken. Colin was alleen zijn contactpersoon geweest. 'Ik heb hem ingehuurd, niet jij,' voegde ze eraan toe, omdat hij niet reageerde.

Hij knikte, maar meed haar blik.

Daaruit leidde ze af dat hij zichzelf hoe dan ook de schuld gaf, wat zij ook zei.

'Wacht eens even,' zei ze. Ineens was de betekenis van zijn woorden tot haar doorgedrongen. 'Denken jullie dat de moordenaar en degene met wie hij iets bij de roomservice heeft besteld één en dezelfde persoon zijn?'

De rechercheur keek achterom alsof hij verwachtte dat Colin zou antwoorden.

'De deur is niet geforceerd,' zei Colin. 'Er zijn geen sporen van een worsteling. Dus ik vermoed inderdaad dat degene met wie hij gisteravond naar boven is gegaan, hem uiteindelijk met het mes van de roomservice te grazen heeft genomen. Zach moet volkomen overvallen zijn.'

Hoofdstuk 30

Washington DC

Abda werd geacht zijn passagier, die hij even na middernacht bij het Washington Grand Hotel had afgezet, later weer op te pikken. De man had hem opgedragen om halfvier bij de hoofdingang, aan de voorkant, te staan, maar was al een halfuur te laat geweest. Dus wat had Abda moeten doen toen een andere vent naar zijn taxi was gekomen?

Op dat uur van de ochtend stonden er verder geen taxi's te wachten. Natuurlijk had Abda kunnen zeggen dat zijn dienst erop zat, maar wat deed hij daar dan, om vier uur 's ochtends? En als hij had gezegd dat hij op iemand stond te wachten, zou die andere vent zijn blijven staan en had die zijn passagier uit het hotel zien komen. Dat had Abda niet zo'n goed idee geleken. En dus had hij besloten de nieuwe klant naar zijn bestemming te brengen en zo vlug mogelijk terug te rijden. Hij kon zijn passagier beter laten wachten, had hij gemeend, dan het risico nemen dat die werd gezien.

Toen het Washington Grand weer in zicht kwam, zag hij dat de hoofdingang werd geblokkeerd door politiewagens, compleet met zwaailicht. Een ambulance stond op de plek van de parkeerbediende. Hij had dus geen andere keus dan een straat verderop te parkeren en terug te lopen om zijn passagier op te halen. Hij kon moeilijk blijven rondrijden totdat die hem zag.

Er begonnen zich al wat mensen te verzamelen, op een afstand gehouden door geel afzetlint en agenten met oorverdovende fluitsignalen en erg weinig geduld.

Beleefd baande Abda zich een weg door de groep – een merkwaardige combinatie van daklozen en kerkgangers – die op de vroege ochtend voor het hotel bijeen waren gekomen. Hadden die mensen soms niets beters te doen?

Hij wenste dat hij dat ongeplande ritje niet had hoeven maken. Als zijn passagier gewoon op tijd was geweest, had zijn werk er inmiddels op gezeten en had hij nog een paar uurtjes broodnodige slaap kunnen pakken. Zo langzamerhand kreeg hij het idee dat het systeem van wederdiensten uit de hand begon te lopen. Als hij zich al moest verlagen tot zulke onzinnige en onbenullige opdrachten...

Hij werkte zich langs een stinkende oude vrouw in een lange rok en een smerig wit T-shirt met gele vlekken. Ze keek hem argwanend aan en trok haar uitpuilende zwarte vuilniszak dichter naar zich toe, alsof ze bang was dat hij hem zou afpakken. Zijn woede verdringend, liep hij door. Hij had er schoon genoeg van dat zelfs smerige zwervers hem als een crimineel behandelden alleen omdat zijn uiterlijk verried dat hij uit het Midden-Oosten kwam.

Hij herkende een van de portiers: een Pakistaan die Okmar heette en met wie hij al diverse malen een praatje had gemaakt wanneer hij op wisselende tijdstippen op zijn vaste passagier had staan wachten. Toen Okmar zijn kant uit keek, stak Abda zijn hand op.

Okmar knikte hem toe en kwam naar het afzetlint.

'Is er iemand onwel geworden?' vroeg Abda, hoewel hij wist dat dat dan een wel héél belangrijk iemand moest zijn. Anderzijds, dat was in Washington DC niet ongebruikelijk.

Okmar boog zich naar hem toe. 'Er is iemand vermoord,' zei hij op gedempte toon, bijna met fluisterstem.

Daar had Abda niet op gerekend. Gauw keek hij naar de verzamelde menigte en vervolgens naar de lobby, benieuwd of zijn passagier daar ergens was. Het zou kunnen dat hij vanwege alle politieactiviteit had besloten een andere uitgang te nemen.

'Enig idee wie die arme stakker was?' vroeg hij, alleen omdat hij aan Okmars gezicht zag dat die zijn verhaal kwijt wilde.

'Een jonge man. Hij zou voor een senator hebben gewerkt.'

Abda knikte en deed alsof het nieuws hem verraste, maar zo verrassend was het niet. In een stad als DC kwam je overal mensen tegen die voor een senator of een lid van het Congres werkte. 'Weet je ook hoe hij is vermoord?' vroeg hij, al interesseerde het hem niet echt.

Okmars ogen werden groot, en hij keek schielijk om zich heen. 'Daar zijn nog geen mededelingen over gedaan, maar ik hoorde een van de politiemensen zeggen dat het... Hoe noemde hij het ook alweer?' Ingespannen dacht Okmar na. Toen klaarde zijn gezicht op. 'Kinky, dat zei hij.' Hij keek Abda aan om te zien of die het woord kende.

Abda trok zijn wenkbrauwen op om hem duidelijk te maken dat hij het begreep.

Er werd hard gefloten.

Okmar, die meteen weer waakzaam was, haastte zich terug naar zijn post.

De hoteldeuren gingen open, en er werd een brancard naar buiten gereden.

Vanwaar Abda stond, had hij een perfect zicht op de achterkant van de ambulance, dus bleef hij waar hij was. Zijn passagier was waarschijnlijk toch al verdwenen zodra hij lucht had gekregen van de commotie. Het lichaam was niet in een zwarte lijkzak geborgen, zag hij, maar strak in een laken gewikkeld. Hij wist eigenlijk niet wat hij anders had verwacht. Misschien had hij te veel naar de Amerikaanse televisie gekeken.

Het onderstel van de brancard klapte in toen het ding de ambulance in werd geschoven. Op dat moment gleed de arm van de dode onder het laken vandaan.

De meeste toeschouwers hielden geschokt hun adem in, maar de echte aasgieren bogen zich over het afzetlint om alles nog beter te kunnen zien.

Abda wilde zich al afwenden, toen hij iets zag glinsteren om de pols van de dode. Een gouden armband. Een armband die hij herkende.

Misschien vergiste hij zich – dat was heel goed mogelijk – maar dit zou wel verklaren waarom zijn passagier, die nog nooit te laat was geweest, deze nacht op zich had laten wachten.

Hij had zo'n gevoel dat er voorlopig geen gunsten meer te verwachten waren. En hij besefte dat het tijd was om op te breken en naar Florida te gaan.

Hoofdstuk 31

Tallahassee, Florida

Het grootste deel van de zondagmiddag bracht Sabrina door met allerhande klusjes, inclusief een bezoekje aan haar vader in Chattahoochee. Zonder dat ze het had beseft, was hij blijkbaar onderdeel geworden van haar verplichtingen. Wanneer was dat gebeurd? Sinds wanneer was haar vader het zoveelste karwei geworden dat ze moest doen?

Onderweg haalde ze een cheeseburger met zoetzuur en uien, een portie frietjes en een chocoladeshake.

De dienstdoende verpleegster schudde slechts haar hoofd toen Sabrina met de zak, die ze alleen voor de vorm in haar tas had verstopt, binnenkwam. Er viel ook weinig te verstoppen; de friet en de uien waren in de hele hal en de gang te ruiken. In plaats van een standje kreeg Sabrina het verzoek om de volgende keer ook wat voor de verpleging mee te nemen.

'Oké, dat doe ik,' beloofde ze. Daarmee oogstte ze dankbare glimlachjes, terwijl er meestal niet meer dan een frons of een dreigende blik afkon.

Ze zou zich aan haar belofte houden. Als ze met een rondje cheeseburgers wat mededogen met haar vader kon kopen, was ze daar graag toe bereid.

Deze keer zat hij rustig in zijn stoel, met zijn armen op de leuningen, zijn hoofd op een schouder gezakt. Hoewel zijn ogen glazig stonden, ging zijn blik alle kanten op. Alleen niet nerveus en heftig, maar traag en met kleine rukjes, als beelden van een oude film.

Ze vond het afschuwelijk als ze hem zoveel medicatie gaven. Dan had ze nog liever dat rusteloze bewegen. Als hij dat deed, straalde hij in elk geval nog energie uit en voelde ze bij hem een wil tot leven – gekooid, gevangen, maar vechtend om zich te bevrijden. Zoals hij nu was, leek hij wel een zombie, een leeg omhulsel. Ze moest zich beheersen om hem niet bij de kraag van zijn overhemd te pakken en te roepen: 'Pap! Pap, ben je er nog?'

Ze ging voor hem zitten op de rand van een stoel, met de zak junkfood op schoot, en wachtte geduldig tot hij haar zou aankijken.

Zijn blik gleed wel over haar gezicht, maar bleef daar niet rusten, haperde zelfs geen moment.

Haar verwachtingen waren weer veel te hooggespannen geweest. Hoe kon ze denken dat alles weer in orde zou komen als ze maar een cheeseburger en frietjes voor hem meebracht?

Waarschijnlijk was dat omdat het vroeger bij haar wél had gewerkt. Vroeger, toen de rollen nog omgedraaid waren geweest. Hoe vaak had haar vader niet een karamelijsje of een cheeseburger voor haar gekocht om haar op te vrolijken wanneer ze in de put had gezeten? Zoals toen ze tweede was geworden bij de jaarlijkse wedstrijd voor jonge onderzoekers, terwijl ze allebei hadden geweten dat ze had moeten winnen. En die keer na een lichte aanrijding met haar auto. Telkens weer was hij er voor haar geweest, om haar erbovenop te helpen met iets lekkers, omdat hij nu eenmaal een man van weinig woorden was.

Ze pakte de cheeseburger uit en legde hem met de frietjes op het tafeltje tussen hen in. De milkshake zette ze ernaast. Vervolgens leunde ze achterover en wachtte af.

Toen ze hem twee uur later ten afscheid op zijn voorhoofd zoende, was het eten nog altijd onaangeroerd.

De zon begon al achter de hoge pijnbomen te verdwijnen.

Omdat haar richtinggevoel haar altijd in de steek liet zodra de zon onderging, hield ze haar aandacht ditmaal angstvallig bij de weg. Ze wilde niet weer haar afslag missen en op Highway 90 terechtkomen in plaats van op Interstate 10. Nee, als het om navigeren ging, stelde ze als wetenschapper weinig voor.

Op het asfalt van de tweebaansweg ontbrak de witte middenstreep. Bovendien waren verscheidene verkeersborden in het vorige seizoen omgewaaid door tropische stormen. Die schade was nog steeds niet hersteld.

De vorige keer was ze rechts afgeslagen waar ze links had moeten gaan en uiteindelijk bij Lake Seminole beland. Deze keer zou ze haar aandacht bij de weg houden en niet aan haar teleurstelling denken, nam ze zich plechtig voor.

Toen ze net naar Florida was verhuisd, had ze er nog op gerekend dat haar vader door haar nabijheid zichzelf zou terugvinden, dat ze hem met haar stem en met verhalen over gelukkiger tijden uit zijn depressie zou kunnen halen. Nu de weken zich aaneen hadden geregen tot maanden, werd het echter steeds moeilijker om optimistisch te blijven. Ze bleef volhouden, maar dat was vooral een kwestie van wilskracht. Want als ze eerlijk was, moest ze toegeven dat ze niet meer wist of ze nog hoop mocht koesteren.

Vlak na de dood van haar moeder had ze in een soort mist rondgelopen. Ze had troost gevonden in haar vaste routine. Haar voorspelbare, saaie leven – zoals Eric het ooit had genoemd – was uiteindelijk haar redding gebleken. Ze had als het ware op de automatische piloot gefunctioneerd, en dat was precies wat ze op dat moment nodig had gehad. Nadenken en analyseren was te pijnlijk geweest.

Haar vader had het veel zwaarder gehad. Op het moment dat zij drieën elkaar het hardst nodig hadden gehad, waren ze elkaar kwijtgeraakt.

Uiteindelijk was ze haar goede voornemen alsnog vergeten en met haar gedachten en haar blik van de weg af gedwaald. Daardoor zag ze de zwarte personenwagen pas toen die vlak achter haar reed. Door de getinte raampjes en in het zwakker wordende zonlicht zag de auto eruit als een op hol geslagen machine zonder bestuurder, als iets uit een boek van Stephen King.

Ze stuurde haar auto zo ver mogelijk naar de zijkant van de smalle tweebaansweg. Ofschoon er geen tegemoetkomend verkeer was, kon ze door de vele bochten niet ver vooruitkijken.

Toen ze vaart minderde, botste de andere wagen tegen haar bumper, waardoor ze naar voren schoot in haar veiligheidsgordel.

Wat bezielde die vent?

Ze slipte naar de kant van de weg en probeerde haar auto over de hoge rand van asfalt de zanderige berm in te sturen. Eerst met één rechterband, toen met beide.

Het zand bleek echter eerder modder, en haar auto begon te glijden.

Eindelijk haalde de zwarte auto haar in. Met een brullende motor kwam hij naast haar rijden.

Ze hield het stuur krampachtig vast en wierp een blik opzij, op de glanzend zwarte auto. Door het getinte glas kon ze nog steeds niet naar binnen kijken.

Net toen ze verwachtte dat hij haar zou passeren, kwam hij op haar af. Er klonk een schurend geluid, en het gekrijs van metaal op metaal.

Bij de tweede harde duw raakte ze de macht over de auto kwijt, hoe wanhopig ze ook aan het stuur trok. De banden verloren hun greep op het asfalt en de modder; de auto kantelde in de met regenwater gevulde greppel, en zij zag alleen nog water en daarboven de lucht.

Hoofdstuk 32

Sabrina wachtte tot de auto helemaal was opgehouden met schommelen en haar hoofd niet langer bonsde.

Haar koplampen schenen in een vreemde hoek omhoog en verlichtten de toppen van de pijnbomen. Door haar zijraampje zag ze alleen gras en water.

De airbag was niet opgeblazen, maar de gordel over haar schouder drukte haar tegen de rugleuning van haar stoel. Ze maakte de gesp los. Zodra ze de klik hoorde, zakte ze tegen het bestuurderportier, met een stekende pijn in haar schouder als gevolg.

De auto begon weer te schommelen.

Ze probeerde zo stil mogelijk te blijven liggen. Geconcentreerd luisterde ze of ze boven het getjirp van de cicades een auto kon horen. De bestuurder van de zwarte personenwagen moest toch zijn gestopt en gekeerd om te zien wat er was gebeurd.

Op de insecten die bij het vallen van de schemering actief werden na was het enige wat ze hoorde het gesis en gepruttel van haar eigen auto.

Ze maakte de inventaris op van haar hachelijke situatie. Misschien had de bestuurder van de andere auto in zijn haast niet gemerkt dat ze de greppel in was gedoken. Nee, het was ondenkbaar dat hij niets in de gaten had gehad. Ten slotte had zijn auto de hare geramd.

Ondanks de pijn in haar schouder – gekneusd, concludeerde ze, niet gebroken – reikte ze naar haar tas, waarvan de riem om het gaspedaal hing. Na een vergeefse poging om hem los te maken rekte ze zich nog verder uit om haar mobiele telefoon eruit te vissen.

Toen haar vingers zich eromheen sloten, rook ze de geur van benzine.

Tot op dat moment was ze kalm gebleven, maar nu sloeg de paniek toe. Ze kreeg het ijskoud, werd misselijk, en ineens besefte ze hoe snel de duisternis de laatste schaduwen opslokte. Vlak voor haar vertrek had ze de auto helemaal vol getankt. Ze moest zien dat ze uit de auto kwam, en snel ook!

Ze wurmde haar benen onder de stuurkolom vandaan. Zo te zien was de auto vast komen te zitten op de overblijfselen van een omheining. Die hadden voorkomen dat hij helemaal de greppel in was geschoten. Misschien moest ze ervoor zorgen dat dat alsnog gebeurde. Anderzijds, zou het regenwater kunnen voorkomen dat de auto in brand vloog? Waarschijnlijk niet.

Ze probeerde het portier aan haar kant open te maken. Zoals ze wel had verwacht, bleek dat onmogelijk; de autodeur drukte tegen de zanderige, met gras begroeide berm. Dus zou ze er aan de andere kant uit moeten klimmen.

Halverwege haar voorzichtige manoeuvre klonk er een gekreun van metaal. Ze verstarde, maar het was al te laat. Door de verandering in het evenwicht begon de auto te kantelen – heel langzaam, als in slow motion. Het gekrijs van het metaal overstemde zelfs de cicades.

Ditmaal wachtte ze niet tot het schommelen zou ophouden. Op handen en knieën kroop ze over het dak van de auto, dat nu de vloer was. Ze duwde tegen het passagiersportier en merkte tot haar opluchting dat het meegaf. Half kruipend, half vallend werkte ze zich uit de auto, in de modder en het natte gras. Ze gunde zich niet eens de tijd op om adem te komen. Hijgend kroop ze bij de auto vandaan, voortgedreven door het brandende gevoel in haar longen en de smaak van benzine in haar mond.

Pas toen ze bij de weg was, werkte ze zich overeind. Op dat moment realiseerde ze zich dat haar tas nog om het gaspedaal hing. In gedachten ging ze na wat erin zat: haar creditcard, haar rijbewijs, de sleutels van haar appartement.

Ze leek wel gek! Het enige wat nu telde, was dat ze zo snel mogelijk zo ver mogelijk bij de auto vandaan moest zien te komen.

Desondanks kwam ze pas in beweging toen ze merkte dat ze haar mobiele telefoon nog in haar hand hield – inmiddels onder het gras en de modder.

In de schemering rende ze over de weg. Ze keek niet achterom toen ze een vreemd gesis en een zwak gesputter hoorde, als van een enorme koekenpan met spek erin.

De explosie deed haar tegen de grond smakken. Gauw krabbelde ze overeind en kroop op handen en knieën naar het natte gras.

Brandende brokstukken tekenden zich af tegen de avondhemel.

Het komt allemaal goed, hield ze zich voor, in een zinloze poging om haar kalmte te hervinden. Haar handen beefden zo, dat ze er pas na drie pogingen in slaagde het alarmnummer in te toetsen.

Hoofdstuk 33

Washington DC

Jason had de hele dag geweigerd de telefoon op te nemen wanneer Lindy belde. Natuurlijk had hij ook kunnen zeggen dat hij op kantoor was, in de sportschool of op bezoek bij vrienden. Of hij had gewoon kunnen toegeven dat hij een hufter was.

Ze wist wel van volhouden, dat moest hij haar nageven. Tot drie keer toe had ze een bericht ingesproken, met het verzoek haar zo snel mogelijk terug te bellen. En dat terwijl hij de vorige avond helemaal niet de indruk had gekregen dat ze zo'n plakker was. Anderzijds, wat wist hij van haar? Hij kende haar nauwelijks.

Uiteraard had hij geweten dat hij spijt van die nacht zou krijgen. Alleen had hij niet gedacht dat het al zo snel zou zijn. Feitelijk had hij gehoopt dat hij de hele kwestie gauw uit zijn hoofd zou kunnen zetten.

Hij ijsbeerde door zijn eenkamerflat – bepaald geen geringe prestatie. In het appartement stond een slaapbank, een flatscreentelevisie en een kleine koelkast. Het bood uitzicht op een afvalcontainer.

Doorgaans vond hij het wel prima. Hij kwam er eigenlijk alleen om te slapen en zich om te kleden. Bovendien waren de voorzieningen hier voor hem minstens zo belangrijk als het appartement zelf. Op de begane grond van het gebouw bevonden zich een stomerij en een kleine delicatessenzaak, waar hij voor zijn ontbijt gewoonlijk een bagel, wat fruit en een energydrink haalde, en soms ook een paar sandwiches, als hij wist dat hij in zijn lunchpauze niet weg zou kunnen van kantoor. Pal voor de hoofdingang van het appartementencomplex was een kiosk, waardoor hij al voordat hij naar zijn werk ging, kennis kon nemen van alle krantenkoppen.

Hij kon natuurlijk de hele avond blijven ijsberen, maar uiteindelijk zou hij Lindy moeten bellen, want anders zou ze hem de volgende dag lastigvallen op het werk. Wat dat betrof maakte hij zich geen illusies: senator Allen zou hem op staande voet ontslaan als Lindy hem op kantoor met telefoontjes belaagde.

Godallemachtig, wat had hem bezield?

Hij klapte zijn mobiel open, liep de 'gemiste oproepen' langs en stopte bij de laatste keer dat ze had gebeld. Toen slaakte hij een diepe zucht, drukte op 'bellen' en wachtte terwijl het toestel haar nummer koos.

De telefoon ging drie keer over. Zou hij geluk hebben en haar voicemail krijgen?

'Hallo?'

'Lindy? Je spreekt met Jason.'

'O, goddank dat je belt.'

Hij kromp ineen en slikte moeizaam. Dat was niet bepaald de reactie waarop hij zat te wachten. Kalm blijven, hield hij zich voor. Je hoeft je niet te verontschuldigen. 'Ik heb het erg druk gehad,' zei hij. Voordat hij er erg in had, voegde hij eraan toe: 'Sorry dat ik je niet eerder heb teruggebeld.' Hij kon zijn tong wel afbijten!

'Zach is dood.'

'Wat zeg je?' Hij was zo druk met het bedenken van zijn volgende reactie, dat hij zeker wist dat hij haar verkeerd verstaan had.

'Hij is vermoord.'

'Wacht even. Waar heb je het over? Wie is er vermoord?'

'Zach Kensor. Die ken je vast wel. Hij was er gisteravond ook, bij Wally's.'

'Vermoord?'

'Ja, en dat is nog niet alles. Het is nog veel erger. Hij is vermoord in het Washington Grand. Het moet zijn gebeurd terwijl wij daar ook waren.'

Hij hield op met ijsberen en ging op de leuning van de slaapbank zitten. 'Was hij op het verkeerde moment op de verkeerde plaats of zo?'

'Nee. Hij had een kamer in het hotel. Ik wist dat hij met iemand had afgesproken om, eh...' Ze zweeg even en voegde er toen bijna fluisterend aan toe: 'Nou ja, je weet wel, net als wij.'

Opnieuw kromp hij ineen. De hele dag had hij gehoopt dat hij het gebeuren van de vorige avond gewoon uit zijn hoofd zou kunnen zetten en dat Lindy hetzelfde zou doen. Maar nu hij haar hoorde fluisteren alsof ze er spijt van had, merkte hij dat hij dat vervelend vond. In plaats van er een opmerking over te maken, probeerde hij zich echter te concentreren op wat ze had gezegd. Zach was vermoord. 'Heb je enig idee met wie hij had afgesproken?'

'Ja, dat denk ik wel. Dus ik vraag me af of ik misschien de politie moet bellen.' Plotseling klonk ze angstig, onzeker, als een klein meisje dat om toestemming vraagt. Heel anders dan de kordate, zelfverzekerde Lindy van de vorige avond. 'Ik... Ik weet niet precies met wíé hij had afgesproken,' voegde ze eraan toe met een stem die weer iets krachtiger klonk. 'Maar hij vertelde me gisteravond dat hij... Misschien zou ik mijn mond moeten houden, maar hij zei dat hij een verhouding had met een hooggeplaatst iemand. Ik denk een senator.'

Hoofdstuk 34

Tallahassee, Florida

Toen Sabrina aan de sheriff van Gadsden County vertelde wat er was gebeurd, zag ze aan zijn ogen dat hij haar niet geloofde.

Tot twee keer toe viel hij haar in de rede met de opmerking dat de tweebaansweg in erg slechte staat verkeerde, alsof hij haar een handreiking deed om op haar verhaal terug te komen. 'Ik zou het heel goed begrijpen als u de macht over het stuur hebt verloren, zeker bij het vallen van de avond. En zeker gezien het feit dat u de weg niet zo goed kent,' zei hij. Hij klonk als een vader die probeert zijn tienerdochter zover te krijgen dat ze hem de waarheid vertelt.

Sabrina bleef echter bij haar verhaal. Terwijl ze de modder van haar ellebogen veegde met de handdoek die hij haar had gegeven, beschreef ze de zwarte personenwagen zo zorgvuldig mogelijk. Maar toen de sheriff haar vroeg hoe de bestuurder eruit had gezien, klonk haar verklaring dat ze niets had kunnen zien vanwege de getinte raampjes ook haarzelf onwaarschijnlijk in de oren.

'Hm' was zijn enige commentaar, maar het klonk alsof hij eigenlijk wilde vragen: Uit welke film hebt u dit allemaal?

Uiteindelijk bracht hij haar persoonlijk thuis, terwijl het toch een hele rit was naar Tallahassee. Kennelijk nam hij aan dat ze in een shock verkeerde.

Nu hij bij het appartementencomplex weg reed, kon het haar niet langer schelen wat hij dacht. Het enige wat ze wilde, was deze avond vergeten. Ze wilde het hele gebeuren van zich af schrobben en spoelen, in een lekker warm bad.

Ze moest om het gebouw heen lopen naar de achterkant, waar ze een reservesleutel had liggen, onder een van de terracotta bloempotten. Ze hoopte tenminste dat Lizzie die niet ook had vernield.

Net toen ze in het duister naar de sleutel reikte, klonk tot haar verrassing Miss Sadies stem aan de andere kant van de haag. 'Kindje, je laat me schrikken! Ik dacht al dat er werd ingebroken,' mopperde ze goedmoedig.

Toen haar eenentachtigjarige buurvrouw om de hoek van de haag kwam, in haar lange badjas van felroze chenille, waardoor haar koffiebruine huid zo glad als zijde leek, oogde ze als een kwetsbaar oud vrouwtje.

Tot op dat moment had Sabrina zich niet gerealiseerd dat Miss Sadie aan de kleine kant was. Bij het zien van de honkbalknuppel in haar jichtige handen besefte Sabrina echter dat de oude dame toch niet zo kwetsbaar was. Ze zwaaide met het ding alsof ze niet anders deed.

Miss Sadie knipte het licht op het terras aan, wierp een blik op Sabrina en deed het licht weer uit.

Sabrina stond met de sleutel in haar hand, wachtend op de vragen die zouden komen. Ze was niet in de stemming om het hele verhaal nog eens te moeten vertellen.

De oude dame verraste haar echter. In plaats van met een spervuur aan vragen te komen wees ze naar Sabrina's bebloede en bemodderde knie, die door een scheur in haar spijkerbroek te zien was, en zei op bezorgde toon: 'Daar moet je ijs op doen. Ga maar even zitten.' En voordat Sabrina had kunnen protesteren, was ze al in haar eigen appartement verdwenen.

Sabrina sprak haar niet tegen. Dat wilde ze niet eens. Ze liet zich in een van Miss Sadies rieten stoelen vallen en ontleende troost aan de vertrouwde geur van lavendel en het geroep van de nachtvogels. Ze was vergeten hoe heerlijk het was als iemand voor je zorgde. Dat was een luxe waarvan je je pas bewust was wanneer je niemand meer had die dat deed.

Even later kwam Miss Sadie weer naar buiten met een voordeelzak diepvrieserwten, gewikkeld in een felgele handdoek waarop 'Home-Sweet-Home' was geborduurd. Ze had ook een blad bij zich met daarop een dampende mok en een bord eten. 'Hete grog,' zei ze terwijl ze de mok voor Sabrina neerzette. 'Volgens mijn eigen beproefde recept. Dat is goed tegen de zenuwen. Volgens mij ben je in een shock.' Daarop zette ze het bord voor Sabrina neer, met haar mooiste tafelzilver en een linnen servet. 'En hiervan kom je weer op krachten.'

Ofschoon Sabrina het gevoel had dat haar hele lichaam bont en blauw zag, legde ze het zelfgemaakte ijskompres op haar knie.

Miss Sadie kwam naast haar zitten en luisterde zonder iets te zeggen terwijl Sabrina haar verhaal deed.

Hoofdstuk 35

Maandag 12 juni,
Washington DC

Jason had de Washington Post en de Washington Times al doorgebladerd. Het enige wat hij over de moord op Zach had kunnen vinden, waren een paar alinea's onder aan pagina drie. Daarin werd het slachtoffer omschreven als een nog niet geïdentificeerde gast van het Washington Grand Hotel. Nu zapte hij de nieuwskanalen langs op de kleine draagbare televisie die hij in zijn kantoor had staan.

Hij was extra vroeg naar zijn werk gegaan en had zich min of meer opgesloten in zijn kantoor om koortsachtig op zoek te gaan naar nieuws over Zach. Hij had al drie energydrinks op om de rest van de dag wakker en alert te blijven. Tot dusverre had hij in de kranten echter niet méér kunnen vinden, en op de lokale zender werd al helemaal geen melding van de moord gemaakt in de nieuwsticker onder in beeld. Hij had meer verwacht in een stad waar verslaggevers zich gretig op dit soort gebeurtenissen stortten.

Maar hoewel hij de oorverdovende stilte merkwaardig vond, voelde hij zich tegelijkertijd haast opgelucht. Hij hoopte zelfs dat Lindy niet naar de politie was gestapt.

Weliswaar had hij bijna niets over Zach kunnen vinden, maar op de opiniepagina was hij wel een artikel tegengekomen over senator Allen en de op handen zijnde energieconferentie. Hij had al een stel kopieën gemaakt en belangrijke passages aangegeven met een accentueerstift – passages waarin zijn baas 'een progressief denker' werd genoemd, 'de man die ons van buitenlandse olie zal bevrijden' en een van de weinigen op Capitol Hill die 'zich oprecht betrokken toonden bij het milieu'.

Zulke artikelen beschouwde Jason als een persoonlijk succes na het maandenlang uitgeven van persberichten en het voortdurend herhalen van die belangrijke passages. Het was goed nieuws en precies de publiciteit die ze nodig hadden om ervoor te zorgen dat het Appropriations Committee het contract aan EcoEnergy zou gunnen. En het was vooral een opluchting dat het braakfiasco van de voorgaande vrijdag blijkbaar niet interessant genoeg was bevonden om ook ná het weekend nog aan te halen.

Een onverwacht, zij het zacht, klopje op zijn deur deed hem bijna uit zijn stoel springen van schrik.

'Binnen,' zei hij.

Even gebeurde er niets. Toen ging de deur op een kiertje open en stak senator Allen zijn hoofd om de hoek.

Dat kwam Jason een beetje vreemd voor.

Behalve natuurlijk als zijn baas iets kwam doen wat hem niet gemakkelijk afging – zoals hem, Jason, ontslaan. Had de senator soms al gehoord dat hij buiten het werk om contact met het vijandelijke kamp had gehad?

'Wat ben je vroeg,' merkte senator Allen op. 'Alles in orde?'

'Alles dik voor elkaar. Ik wilde gewoon een goed begin maken met de week.' Hij keek op zijn horloge, alsof hij niet precies wist hoe laat het was. Hij was altijd vroeg. Dat zou de senator kunnen weten als hij zelf ook eerder op kantoor kwam. 'Ik zou hetzelfde tegen u kunnen zeggen,' zei hij. Het was een formulering die de senator zelf graag bezigde. 'Alles in orde?'

'Reken maar.' Senator Allen deed de deur ver genoeg open om een hand naar hem op te steken. 'Ik heb besloten maar eens wat ouderwetse druk uit te oefenen in plaats van af te wachten en maar te zien wat er gebeurt.'

Jason was opgelucht, en tevreden. Klaarblijkelijk had de senator het stuk op de opiniepagina ook gezien. Positieve media-aandacht motiveerde hem meer dan wat Jason ook zei of deed. 'Dat lijkt me een geweldig idee,' zei hij. 'Wat wilt u dat ik doe?'

'Je moet met me mee gaan lunchen. Ik heb je nodig ter ondersteuning. Reserveer mijn vaste tafel bij Old Ebbitt's maar.'

Even vroeg Jason zich af of hij zijn baas moest vertellen dat hij de eerste paar dagen geen beroep op senator Holden hoefde te doen. Maar dan zou hij moeten uitleggen hoe het kwam dat hij al wist dat een van Holdens stafleden was vermoord.

'Komt voor elkaar,' zei hij, en daar liet hij het maar bij.

Hoofdstuk 36

Tallahassee, Florida

Tegen de tijd dat het maandag was, beschouwde Sabrina haar ongeluk eerder als een ergerlijk ongemak dan als een dramatische confrontatie met de dood. Haar schouder deed zeer, en haar knie zag eruit als een miniatuurschilderij van Jackson Pollock: spetters paars en blauw met strepen rood. Er waren twee zakken diepvrieserwten en een zak okra voor nodig geweest om de zwelling te doen afnemen en haar de nacht door te helpen. Voor het overige zat ze alleen nog met het probleem dat haar auto en haar portefeuille verbrand waren.

Ze belde het laboratorium om te zeggen dat ze wat later kwam. Bij het centrale nummer van het laboratorium werd niet opgenomen, waardoor ze automatisch werd doorgeschakeld naar Lansiks antwoordapparaat. Ze sprak een boodschap in, maar gezien het feit dat ze zijn plunjezak in de kast op zijn kantoor had aangetroffen en zijn auto op het parkeerterrein van EcoEnergy, verwachtte ze niet dat hij zijn berichten zou afluisteren.

Gelukkig had het autoverhuurbedrijf een kopie van haar rijbewijs in het archief. Dat was een van de voordelen die je had als vaste klant. Helaas bleek dat geen verschil te maken bij het kiezen van een auto: er werd een klein tweepersoonsmodel afgeleverd, terwijl ze uitdrukkelijk om een vierdeurs had gevraagd. Aan het ongeluk van haar moeder had ze een onberedeneerbare angst voor het rijden in kleine auto's overgehouden. De man van het verhuurbedrijf zei echter dat dit de enige mogelijkheid was als ze vóór de middag nog een auto wilde.

En dat was slechts een van haar problemen. Aangezien ze haar rijbewijs nog niet had laten overzetten van Illinois naar Florida, kon het plaatselijke Bureau Rijvaardigheidsbewijzen haar niet aan een vervangend exemplaar helpen.

'Het was niet mijn bedoeling lang in Florida te blijven,' probeerde Sabrina de persoon aan de andere kant van de lijn uit te leggen.

'In Illinois kunnen ze u ongetwijfeld aan een vervangend rijbewijs helpen.'

En dus belde ze het Bureau Rijvaardigheidsbewijzen voor Chicago en omstreken.

Uiteraard konden ze daar zorgen voor een vervangend exemplaar. Sabrina hoefde alleen maar een geboorteakte en een legitimatiebewijs te overleggen bij een van hun kantoren.

'Kan dat niet via internet of per post?' Op het moment dat ze het vroeg, besefte ze al dat het een belachelijke vraag was. Nog voordat de ambtenaar aan de andere kant van de lijn klaar was met zuchten en steunen van afschuw over zo veel domheid, probeerde ze haar vergissing dus goed te maken door te vragen: 'Is het dan mogelijk in Florida een nieuw rijbewijs aan te vragen? Ik woon hier inmiddels bijna een jaar.'

'Doorgaans kunt u door het overleggen van uw rijbewijs gewoon een nieuw aanvragen, conform de per staat verschillende regels en bepalingen.' Het klonk als een bandje, maar dan zonder de gebruikelijke vriendelijkheid. 'Maar in uw geval, nu u uw huidige rijbewijs niet kunt overleggen...' Hierop volgde een beschrijving van een langdurig proces waarbij verzoekschriften moesten worden ingediend en gecontroleerd – een proces, kortom, dat weken in beslag zou kunnen nemen.

Sabrina begon zo onderhand te denken dat ze waarschijnlijk sneller af was wanneer ze naar Chicago op en neer zou vliegen. Alleen, hoe moest ze dat doen zonder rijbewijs om zich te legitimeren en zonder creditcard?

Shit, aan die creditcard had ze nog niet eens gedacht! Ze had er maar een, en die gebruikte ze overal voor – ook om geld te pinnen.

Het creditcardbedrijf herstelde haar vertrouwen in de wereld van de technologie. Na ongeveer een halfuur waarin haar gegevens werden gecheckt en ze vragen moest beantwoorden – onder andere wat de meisjesnaam van haar moeder was – verzekerde de vertegenwoordiger van het bedrijf haar dat er binnen vierentwintig uur een nieuwe kaart naar haar onderweg zou zijn en per expresse op haar huisadres zou worden afgeleverd.

Aan het eind van de ochtend reed ze eindelijk het parkeerterrein van EcoEnergy op, dankbaar dat ze haar naamplaatje op haar witte jas had laten zitten en haar sleutelkaart in de zak – twee dingen die ze níét hoefde te vervangen. Ze toetste haar persoonlijke toegangscode in bij de wachtpost.

Voordat ze op zoek ging naar een plekje voor het conservenblik dat het autoverhuurbedrijf haar had geleverd, reed ze naar de achterkant van het terrein, het stuk dat het dichtst bij de rivier lag. Tot twee keer toe reed ze tussen de geparkeerde auto's door, maar ze wist zeker dat ze zich niet vergiste. De witte Crown Victoria van Lansik was verdwenen. Ze hoopte dat Lansik terug was en zijn auto eenvoudigweg ergens anders had neergezet.

Ze had het grootste deel van de ochtend gemist, maar haar collega's en zij werkten onafhankelijk van elkaar, dus verwachtte ze niet dat haar afwezigheid was opgemerkt. Tenslotte was het ook amper opgevallen dat hun baas er sinds donderdag niet was.

Toch keken haar collega's alle drie verrast op toen ze binnenkwam. Ze stonden in een groepje bij elkaar, alsof ze ergens op wachtten.

'Daar is ze!' zei Pasha op een toon die het midden hield tussen ongeduldig en opgelucht.

'Je had het in je boodschap over een ongeluk?' zei O'Hearn.

Anna kwam achter de tafel vandaan waar het drietal omheen stond. Ze zette haar handen op haar heupen en nam Sabrina van top tot teen op.

De gedachte schoot door Sabrina heen dat Anna op z'n minst

kon probéren haar teleurstelling te verbergen over het feit dat ze niets mankeerde.

Vreemd genoeg klonk Anna zelfs enigszins zelfingenomen toen ze zei: 'Hier is ze, Mr. Sidel.'

Sidel kwam uit het kantoor van Lansik, met zijn mobiele telefoon tegen zijn oor gedrukt. De anderen hadden verrast gekeken bij Sabrina's binnenkomst, maar hij keek alsof hij zijn ogen niet geloofde. Zijn blik kruiste de hare, en wat ze daarin las, ging verder dan verrassing. Het was pure verbijstering. Hij deed zijn telefoon uit zonder het gesprek af te ronden. Zijn jongensachtige blozende gezicht werd bleek.

Als ze niet beter had geweten, zou ze hebben gesteld dat Sidel haar aankeek alsof hij een spook zag.

Hoofdstuk 37

Washington DC

Natalie wenkte Colin, die aarzelde in de deuropening van haar kantoor. Ze verplaatste de telefoon naar haar rechterhand en drukte hem tegen haar andere oor.

Tot haar ergernis had ze deze ochtend nog niets gedaan kunnen krijgen. De telefoon stond roodgloeiend – allemaal zogenaamde 'spoedgevallen' of 'dringende zaken' die alleen zij werd verondersteld te kunnen afhandelen. Hoewel haar privésecretaresse alles regelde, wilde iedereen door Natalie zelf te woord worden gestaan. Haar baas was uiteraard voor niemand bereikbaar.

Colin ging bij het venster staan, leunend tegen de muur, en keek neer op de straat.

Ze sloeg hem gade terwijl ze luisterde naar de tirade van de man aan de andere kant van de lijn. Ze wist dat de map die Colin onder zijn arm hield, de reden was dat hij haar durfde te storen zonder afspraak. Op haar baas na was hij de enige die zomaar bij haar binnen kon stappen. Dit was echter pas de tweede keer dat hij van dat privilege gebruikmaakte, wat betekende dat hij geen goed nieuws had. Wat kon er nog meer misgaan, vroeg ze zich gefrustreerd af.

Toen de man aan de andere kant van de lijn even stilviel om adem te halen, maakte ze van de gelegenheid gebruik door te zeggen: 'We begrijpen dat u zich zorgen maakt. Heus, daar zijn we ons van bewust. Maar ik kan u verzekeren dat alles tot in de kleinste details wordt geregeld.'

'Akkoord. Meer vragen we ook niet.'

Na afscheid te hebben genomen hing ze op en slaakte een geërgerde zucht. 'Hoezo, paranoïde?' merkte ze op, meer tegen zichzelf dan tegen Colin.

Vragend trok hij een wenkbrauw op.

'De zoveelste oliesjeik die zich zorgen maakt over de beveiliging als hij hier aankomt met zijn privévliegtuig,' verduidelijkte ze.

'Ze zijn gewend een eigen landingsbaan te hebben.'

'Ze zijn gewend in alles hun zin te krijgen.' Ze zette haar handen op haar heupen. 'Als het mijn feestje was, had ik ze niet eens uitgenodigd.'

Dat leverde haar een glimlach op. Ze was tevreden, en klaar om ter zake te komen, ofschoon ze zich afvroeg of ze ook klaar was voor de inhoud van de map die hij onder zijn arm hield.

'Nu we het er toch over hebben, zijn we goed genoeg voorbereid op al die inkomende vluchten?' vroeg ze. Ze gebaarde naar een van de stoelen voor haar bureau. Ze vond het prettig om de enige te zijn die stond, want met haar amper één meter zestig en, – zoals ze het zelf noemde, weelderige figuur straalde ze maar weinig gezag uit.

'Mij is verteld dat de Tyndall Air Force Base er klaar voor is en de drukte moeiteloos aankan.' Hij ging zitten, sloeg zijn benen over elkaar en maakte het zich gemakkelijk – of deed in elk geval alsof.

Ze kende hem goed genoeg om de spanning die hij probeerde te maskeren, van zijn gezicht te kunnen lezen: de strakke lijnen rond zijn mond, het iets toeknijpen van zijn vermoeide ogen.

'Vanzelfsprekend heeft de Geheime Dienst de leiding over het antecedentenonderzoek van alle betrokkenen,' vervolgde hij. 'En over de limousines voor de vips en de te kiezen route. De Homeland Security heeft een eigen detachement, waaronder ook de kustwacht valt. Zij nemen de beveiliging op en rond het landgoed voor hun rekening.'

'Ik begrijp niet waarom die conferentie niet gewoon hier in DC kon worden gehouden.' Ze schudde haar hoofd. 'Ik hou niet van onbekend terrein en ik weet niets van de Golfkust in Florida.'

'Geloof het of niet, maar uit het oogpunt van beveiliging is een particulier landgoed aanzienlijk minder werk dan een grote stad. Toen Bush jr. zijn energietop in Crawford hield, lachte iedereen hem uit, maar ik heb nog nooit zo'n vlekkeloos verlopen topconferentie meegemaakt.'

'Was je er toen al?'

Hij knikte.

Misschien zouden ze er ooit aan toekomen verhalen over hun politieke verleden uit te wisselen.

'Dan zul je met deze top ook wel geen moeite hebben.' Ze pakte een uitpuilende envelop en zwaaide ermee. 'Ik wil dat jij daar mijn ogen en mijn oren bent.'

'Heb je zelf geen zin in een tripje naar de zon?'

'Schat, voor mijn haar is Florida een ramp.' Ze legde de envelop terug op haar bureau en sloeg haar armen over elkaar. 'Bovendien heb ik zo'n idee dat ik het hier druk genoeg ga krijgen met wat jij in die map hebt zitten.'

Hij slaakte een zucht, tikte met de map tegen zijn been en ging verzitten in zijn stoel. 'Dit is bepaald niet wat we hadden verwacht,' zei hij toen hij haar ten slotte de map overhandigde.

'Dat klinkt niet goed.' Ze zocht zijn blik, in een poging te peilen hoe ernstig 'dit' was. Na een korte aarzeling nam ze de map van hem aan. Ze sloeg hem abrupt open, zoals je een pleister in één ruk lostrekt.

In eerste instantie herkende ze het formulier niet. Het oogde als iets antieks, was slecht gedrukt en ingevuld met een blauwe balpen. Ze kon zelfs de indrukken van de pen in het papier zien. 'Keel doorgesneden' las ze, en 'meervoudige verwondingen'. Ineens drong tot haar door dat ze naar het proces-verbaal keek – het originele, geen kopie – van de moord op Zachary Kensor.

Aan het formulier was een uitdraai van een stel vingerafdrukken geniet. Dat document herkende ze; alle werknemers bij de landelijke overheid waren verplicht hun vingerafdrukken af te geven voor het archief van het ministerie van Justitie. Van de hare bestond exact zo'n zelfde document.

'Dus ze hebben vingerafdrukken gevonden op de plaats delict?'

vroeg ze. Ze slaagde er niet in haar blik los te maken van de plek waar stond vermeld om wiens vingerafdrukken het ging. Als ze met haar ogen durfde te knipperen, zou dit dan een akelige droom blijken te zijn? Het liefst zou ze gaan zitten, maar in plaats daarvan leunde ze tegen haar bureau.

'Aan de binnenkant van de map met de kaart voor de roomservice,' bevestigde hij. Hij klonk niet verheugd dat hij gelijk bleek te hebben gehad. 'Verder waren alle vingerafdrukken weggeveegd, maar de binnenkant van zo'n map is een plek die je gemakkelijk over het hoofd ziet.'

'En het is absoluut zeker dat er geen vergissing in het spel is?' Ze wist niet waarom ze dat vroeg; waarschijnlijk omdat ze zo graag wilde dat de politie het mis had. Nog voordat Colin had kunnen reageren, herstelde ze zich en voegde eraan toe: 'Ik bedoel eigenlijk: hoe betrouwbaar is de bron waarmee ze zijn vergeleken?' Maar ze wist het antwoord al.

'Ze zijn vergeleken met de afdrukken in het archief van het ministerie van Justitie.'

'Ik was al bang dat je dat zou zeggen.' Ze liep omzichtig om haar bureau heen en liet zich in haar leren stoel vallen, de map nog altijd stevig in haar handen. Toen haar blik die van Colin kruiste, zag ze dat hij hetzelfde dacht als zij: dat deze ontdekking zowel een vloek als een zeggen was. 'Hoelang zijn ze bereid dit onder de pet te houden?'

'Ik denk dat ik wel een dag of twee uitstel kan bedingen.'

De energietop zou over drie dagen beginnen.

'Achtenveertig uur,' zei ze. 'Meer heb ik niet nodig.'

Hoofdstuk 38

EcoEnergy

Sabrina had Sidel niet voor een nagelbijter gehouden. Wel het type om soms rouwrandjes te hebben, maar niet om zijn nagels tot op het leven af te knabbelen.

Ze betrapte zich erop dat ze naar zijn handen stond te staren, naar de reusachtige knokkels en de korte dikke vingers met daaraan twee ringen: een trouwring en een opzichtige pinkring. Hij gebruikte zijn handen als een verlengstuk van zijn woorden, benadrukte zijn uitspraken soms met een hamerend gebaar of rekte een zin door een weids gebaar met gespreide vingers.

Hij was naar het laboratorium gekomen om zijn wetenschappelijke staf te vertellen dat Lansik ontslag had genomen. 'Gewoon van het ene op het andere moment vertrokken, zonder kennisgeving, zonder uitleg.' Met zijn charmante lome Zuidelijke accent voegde hij eraan toe: 'Maar ik wil niet dat jullie je zorgen maken.'

Tijdens de rondleiding was het haar opgevallen dat hij dat accent gebruikte toen de investeerder uit Omaha vragen had gesteld over het energieverbruik van de centrale.

'Ik ben trots op het werk dat jullie hier doen en ik ben me er terdege van bewust dat ik met jullie een geweldig team heb,' vervolgde hij. 'Dat is dan ook de reden dat ik niet van plan ben iemand van buiten aan te trekken om Mr. Lansik te vervangen.'

Ze wierp een steelse blik op Pasha, die instemmend knikte.

Anna's glimlach had iets verbetens. Ze stond nog altijd met haar armen over elkaar geslagen.

Toen Sabrina's blik naar O'Hearn ging, zocht hij oogcontact en trok nauwelijks merkbaar zijn wenkbrauwen op, alsof hij wilde zeggen: Wat staat hij nou te kletsen?

'Ik hecht eraan dat jullie weten dat ik mijn beslissing niet overhaast zal nemen.' Sidel sloeg zijn handen ineen en vlocht zijn vingers door elkaar, net onder zijn beginnende buikje. 'Want jullie beschikken allemaal ruimschoots over de capaciteiten om aan dit team leiding te geven.' Daarop dwaalde hij af naar een van zijn anekdotes.

In gedachten ging Sabrina terug naar de voorgaande zaterdag. Toen had Lansiks auto nog op het parkeerterrein gestaan en had zijn plunjezak nog in de kast in zijn kantoor gelegen. Ze vroeg zich af wanneer hij zijn ontslag had ingediend. Hij had zich de hele vrijdag niet laten zien, en toch had Sidel daarvóór al geweten dat hij niet beschikbaar zou zijn om de rondleiding te doen. Misschien had hij donderdag zijn ontslag ingediend en had Sidel hem het weekend de tijd gegeven om zijn spullen weg te halen.

Dat leek haar echter onwaarschijnlijk. In de meeste bedrijven werd een leidinggevende die ontslag nam of op staande voet ontslagen werd, verzocht onmiddellijk zijn spullen te pakken. Niet zelden werd hij vervolgens door de beveiliging naar de uitgang van het bedrijf geëscorteerd. Hier zat een luchtje aan.

Ze wachtte tot Sidel uitgesproken was en het laboratorium verliet. Toen hij halverwege de gang was, haastte ze zich achter hem aan, zodat ze haar vragen niet hoefde te stellen waar de anderen bij waren. 'Mr. Sidel!' riep ze.

'Ms. Galloway, ik hoop niet dat u een voorkeursbehandeling verwacht omdat u me vrijdag uit de brand geholpen hebt?' Hij lachte geforceerd en keek de gang door.

Sabrina zag dat Anna zich haastig terugtrok in het laboratorium.

Ze wenste dat Sidel niet zo hard praatte. Tegelijkertijd wilde ze hem in het gezicht schreeuwen dat ze helemaal niet geïnteresseerd was in Lansiks baan.

Op gedempte toon zei ze: 'Er is me iets opgevallen tijdens de rondleiding.' Ze koos haar woorden met zorg. 'Ik had de indruk dat de klep van Reactor 5 openstond, misschien per ongeluk.'

Hij stopte zijn anders zo beweeglijke handen in zijn broekzakken. 'Nou, ik kan u met de hand op mijn hart verzekeren dat we nog niet zover zijn dat we Reactor 5 kunnen gebruiken.'

Ze wachtte af wat er nog meer zou komen, maar dat was het. Dat was zijn gehele verklaring. Bijna flapte ze eruit dat ze binnen was geweest en dat de reactor op volle kracht had lijken te werken, op de spoeltank na. Ze beheerste zich echter.

Sidel had zijn woorden net zo zorgvuldig gekozen als zij de hare. In plaats van uitsluitsel te geven over of de klep wel of niet openstond, had hij op dezelfde manier gereageerd als O'Hearn.

Ze besloot voet bij stuk te houden en het nog eens te proberen. Naar hem opkijkend zei ze: 'Het klonk alsof er iets door de reactor ging.'

'Ik weet niet wat u meent te hebben gehoord, Ms. Galloway. Daarbeneden is het lawaai zo verrekte oorverdovend, dat je haast niets kunt onderscheiden.'

Zou het kunnen dat hij het zo druk had met investeerders binnenhalen en met lobbyen bij leden van het Congres, dat hij geen flauw idee had of zijn centrale vier of vijf reactoren in gebruik had?

Ze wist zeker dat ze gerinkel in de leidingen had gehoord. Ze was bekend met de viscositeit en de relatieve dichtheid van zowel het basismateriaal als het eindproduct. Per slot van rekening had ze een sleutelrol vervuld bij het ontwerpen van de huidige formule waarmee de botten na weging werden gescheiden van de ingewanden en het bloed. De botten werden afgevoerd naar een tank om te worden verwerkt tot meststoffen, terwijl de ingewanden en het bloed naar de volgende reactor doorstroomden.

Als Sidel had gezegd dat er iets – wat dan ook – in Reactor 5 werd verwerkt, zou ze hem eerder hebben geloofd. Ze had gehoopt op een simpel rationeel antwoord. Door zijn ontwijkende gedrag voelde ze haar maag samentrekken.

Hij loog.

Blijkbaar was haar twijfel van haar gezicht af te lezen, want plotseling glimlachte hij. Zijn jongensachtige gezicht ontspande, en hij haalde zijn handen weer uit zijn zakken. 'Weet u wat, Ms. Galloway? Ik vraag Ernie Walker, de beheerder, om later op de dag met u naar Reactor 5 te gaan. Zullen we zeggen om vier uur? Dan kunt u samen controleren of alles in orde is. Want we kunnen het ons niet permitteren dat er nog meer dingen fout lopen.'

Hoofdstuk 39

Washington DC

Jason liep Old Ebbitt's Grill binnen en gaf zijn ogen even de gelegenheid om zich aan te passen aan het gedempte licht.

De secretaresse van de senator had hem gebeld met de mededeling dat senator Allen hem hier zou ontmoeten.

Hij had een krankzinnige ochtend achter de rug. Er was nog van alles te regelen voor het ontvangstdiner dat aan de energietop vooraf zou gaan.

Op de een of andere manier had hij een telefoontje van een producer bij ABC gemist, die een interview met de senator wilde in Good Morning America. Jason had op dat moment aan de telefoon gezeten met de cateraar in Florida, en zijn secretaresse had hem niet willen storen.

Nog altijd verbijsterd door de handelwijze van zijn secretaresse, schudde hij zijn hoofd. Hij vond het vreselijk iemand te moeten ontslaan, maar een gemiste kans bij Good Morning America was alle reden om haar de laan uit te sturen. Hoe dan ook, hij had haar strikte instructies gegeven over hoe en waar ze hem kon bereiken.

Terwijl hij de gastheer volgde, die hem naar het vaste tafeltje van de senator leidde, klapte hij zijn mobiele telefoon open om nogmaals te controleren of die wel aanstond.

Gezien de hectische situatie op kantoor had hij senator Allens secretaresse waarschijnlijk om meer informatie moeten vragen toen ze belde.

En of hij dat had moeten doen! Dan zou de moed hem niet in zijn glimmend gepoetste schoenen gezonken zijn nu hij senator Allen al aan zijn tafel zag zitten, met senator Shirley Malone en Lindy aan zijn zijde.

Misschien kwam het doordat hij net over een mogelijk ontslag van zijn secretaresse had lopen denken, maar zijn eerste gedachte was dat zowel Lindy als hij zou worden ontslagen. Natuurlijk lag het niet echt voor de hand dat zoiets hier, in een openbare gelegenheid, zou gebeuren, maar hij moest onwillekeurig denken aan zijn nichtje Renee, die tijdens het oefendiner voor haar bruiloft de aanwezige gasten had verteld dat Greg, haar verloofde, het weekend daarvoor met haar eerste bruidsmeisje de koffer in was gedoken.

Senator Allen keek opgelucht. 'Jason, mag ik je voorstellen aan senator Shirley Malone?'

Jason reikte over de tafel om haar de hand te schudden. Hij herinnerde zich dat hij de eerste keer ook al aangenaam getroffen was geweest door haar handdruk – niet slap of te zacht, maar ze kneep ook niet te hard.

'Ik heb niets dan goeds over u gehoord,' zei ze toen hun ogen elkaar ontmoetten.

Hij meende een veelbetekenende glimlach te zien, al ontkende noch bevestigde ze dat ze al met elkaar hadden kennisgemaakt.

Ze droeg een koperkleurig mantelpak dat de lichte accenten in haar haar op een schitterende manier accentueerde, en een sjaal van tinten bruin en oranje die perfect pasten bij haar ogen. Vriendelijke zachte ogen, vond hij. Ogen die niet konden liegen.

'En ik ben ervan overtuigd dat je Lindy Matthews, haar hoofd van de staf, al kent,' zei senator Allen.

Direct was Jason weer op zijn qui-vive, en zijn paranoia stak de kop weer op. Bedoelde senator Allen daarmee dat hij wist dat ze elkaar kenden, of ging hij er alleen maar van uit dat ze geen vreemden voor elkaar waren?

Jason probeerde Lindy te peilen. Ook zij zag er prachtig uit, maar haar slappe handje en het feit dat ze weigerde hem aan te kijken maakten dat hij zich afvroeg of ze uit de school had geklapt. En of hij misschien de enige was die zou worden ontslagen.

De senator bestelde een Chivas met ijs – nog een teken dat Jason extra waakzaam deed zijn. Want als de senator dronk, moest Jason altijd goed opletten wat zijn baas zei. Eén borrel tijdens de lunch zou echter geen probleem hoeven zijn.

Hij realiseerde zich echter dat de senator iets van plan was. En dat hij zich moed indronk.

En jawel, nog tijdens het voorgerecht wierp hij senator Malone de handschoen toe. 'Shirley, ik weet dat je opkomt voor de belangen van Indiana, net zoals ik dat doe voor de belangen van Florida.' Terwijl hij sprak, pakte hij een voor een alle onderdelen van zijn bestek op en verplaatste ze een halve centimeter.

Jason had het hem vaker zien doen, en het deed hem denken aan een schaker die zijn pionnen op een rij zette of een generaal die bezig was zijn frontlinie op te stellen.

'Toen het zuiden van Florida twee jaar achtereen werd getroffen door orkanen en er een aantal bruggen moest worden gerepareerd of vervangen, hebben we daarvoor een beroep kunnen doen op bouwbedrijven uit Indiana – toch bepaald niet naast de deur.'

Jason kon wel door de grond zakken. Dit zou niet zíjn openingszet zijn geweest. Misschien was het glas Chivas niet de eerste borrel van zijn baas.

Als Jasons geheugen hem niet in de steek liet, waren die bouwbedrijven pas gecontracteerd nadat senator Malone ermee had ingestemd voor een omstreden wapenwet te stemmen die senator Allen had ingediend. Ze had er niets voor teruggevraagd, maar hij herinnerde zich dat senator Allen de miljoenenopdracht aan de bedrijven uit Indiana als een soort 'garantie' had beschouwd.

Nee, dit was geen goed begin, besefte hij. Hij zag zich in die opvatting bevestigd toen er een blos op de wangen van senator Malone verscheen.

'Helaas hebben we in Indiana maar al te veel ervaring met herbouw na verwoestende tornado's,' zei ze op een toon waardoor hij weer rustig kon ademhalen. De dame kon voor zichzelf opkomen!

'Maar natuurlijk,' beaamde senator Allen alsof hij zojuist het bedankje had gekregen dat hij had verwacht. 'En als we het een beetje handig spelen, valt er voor onze beide staten meer dan genoeg te verdienen aan dit energiecontract van honderdveertig miljoen dollar.'

'Ethanol heeft zich als brandstof inmiddels bewezen,' bracht senator Malone naar voren op terwijl ze met muizenhapjes van haar salade at. 'Ik ben er nog niet van overtuigd dat van EcoEnergy hetzelfde kan worden gezegd.'

'Inderdaad, ethanol heeft zich bewezen.' Senator Allen knikte glimlachend. 'Maar alleen dankzij zeer aanzienlijke overheidssubsidies.'

Jason keek naar Lindy. Vanwaar hij zat, kon hij zien dat ze met de hand die in haar schoot lag haar linnen servet verfrommelde. Haar blik was op haar senator gevestigd.

Hij had zich vergist. Dit had niets te maken met hun wilde nacht samen. Om te beginnen zou senator Allen niet zo zelfverzekerd over een militair contract praten als hij wist dat zijn hoofd van de staf de naaste medewerkster van senator Malone had genomen.

Aan de andere kant... Misschien was dat juist de reden waarom hij zich zo zelfverzekerd opstelde.

'De beslissing ligt niet bij mij, John,' zei senator Malone.

'We bereiken er niets mee door in deze zaak tegenover elkaar te gaan staan.' Senator Allen verplaatste het zout en de peper een halve centimeter. Daarna keerde zijn hand terug naar zijn inmiddels lege whiskyglas. 'Als we dat doen, dan weet je wie er wint.' Hij dempte zijn stem en boog zich naar voren. 'Dan winnen die verrekte Arabieren.'

Jason ging verzitten en keek naar de restanten van zijn salade. Hij zou opgelucht moeten zijn omdat deze lunch niets met hem te maken had.

De ober bracht hun de hoofdgerechten, en ze leunden naar achteren in hun stoel.

Even respijt, dacht Jason. Hij meed de blik van Lindy en vooral die van senator Malone. Hij hoorde senator Allen zich lovend uitlaten tegenover de jonge ober, maar hield zijn ogen gericht op de ossenhaaspuntjes en gebakken aardappeltjes op zijn bord.

Het zag er allemaal heerlijk uit, maar hij had geen trek. Absoluut geen trek.

Hoofdstuk 40

Tallahassee, Florida

'Dat bestaat niet!' blafte Leon in de mobiele telefoon. Vervolgens sloeg hij ermee tegen de muur, alsof hij daardoor misschien een andere reactie zou krijgen. Hij moest eens ophouden dit soort opzichtige waardeloze ultradunne rotzooi te jatten.

Ten slotte drukte hij de telefoon weer tegen zijn oor, net op tijd om de stem aan de andere kant van de lijn te horen zeggen: '...vandaag. Zorg dat het in orde komt.'

Driftig klapte hij het toestel dicht. Het liefst had hij met zijn vuist dwars door de muur geslagen.

Hij keek het restaurant rond, op zoek naar een serveerster.

Het was niet te geloven, verdomme! Hij haalde een pakje papieren zakdoeken tevoorschijn en trok er met zijn korte stompe vingers onbeholpen een uit om het zweet van zijn bovenlip te vegen. Met een tweede zakdoekje bette hij zijn voorhoofd, en via zijn inhammen kwam hij uiteindelijk op zijn achterhoofd terecht.

Jezus Christus! Hoe was het mogelijk dat ze eruit had weten te komen? Hij had haar auto een enorme duw gegeven waardoor ze in de greppel langs de weg was beland. En even later had hij de vuurbal gezien. Het was gewoon ondenkbaar dat ze dat had overleefd.

Misschien had hij in de buurt moeten blijven, maar toen hij had gezien hoe ze met haar auto de greppel in dook, was hij ervan overtuigd geweest dat ze er met geen mogelijkheid uit zou kunnen komen.

Het zat hem verdomme ook niet mee, zeg. En het was allemaal begonnen toen Casino Rudy in een psychiatrische inrichting was beland, in plaats van twee meter onder de grond. Leon hoopte met deze klus goed te verdienen voordat die recente misser bekend zou worden.

Om eerlijk te zijn had hij zich de vorige dag buitengewoon ongemakkelijk gevoeld toen hij in de gaten had gekregen waar Galloway naartoe ging, al had hij natuurlijk best geweten dat het niets met Casino Rudy te maken had. Maar het was wel verdraaid toevallig geweest dat ze naar Chattahoochee ging om de een of andere oude kerel op te zoeken. Leon had flink de zenuwen gekregen van dat gekkenhuis.

Daarom had hij ook zo'n haast gehad om van haar af te komen. Hij had er schoon genoeg van om 'ongelukken' te moeten verzinnen. Alleen, als je haast had, maakte je fouten. En toen was tot overmaat van ramp gebleken dat haar vader in hetzelfde gekkenhuis zat als Casino Rudy. Het was dus niet zo vreemd dat hij even niet helder meer had kunnen denken. Maar in zijn haast was hij jammer genoeg niet zorgvuldig genoeg te werk gegaan – net als toen bij Casino Rudy.

Tenminste, dat hield hij zich voor. Liever dat dan geloven wat die getikte waarzegster hem had verteld, namelijk dat hij verdoemd was. Wie geloofde er tegenwoordig nog in zulke dingen? Hij in elk geval niet.

Dat wil zeggen, hij hád er nooit in geloofd.

Inmiddels was het ongeveer een maand geleden dat hij een of andere stommeling uit New Jersey was gevolgd, een accountant die dacht dat hij zijn werkgever ongestraft tweehonderdduizend dollar lichter kon maken. Hij was de man gevolgd naar Coney Island, de perfecte locatie als je iemand wilde omleggen. Net toen hij had besloten die klootzak tijdens het vuurwerk een kogel door de kop te jagen, had die aangepapt met een vrouw en haar dochtertje. En Leon weigerde een vent neer te knallen als er een klein kind naast liep.

Om de tijd te doden had hij een biertje gehaald en was naar een van de freakshows gaan kijken. Jammer genoeg waren die niet te vergelijken met wat hij vroeger als kind had gezien – zoals JoJo, de jongen met de hondenkop. Tegenwoordig waren het alleen nog maar getatoeëerde excentriekelingen en degenslikkers. Nou, hij had messen in wel spannender lichaamsdelen zien gaan!

Net toen hij op het punt had gestaan om maar weer te vertrekken, had een waarzegster – een zigeunerin met gitzwarte ogen en een weelderig decolleté – hem gewenkt. Ze had gebaard met haar wijsvinger alsof ze het touw binnenhaalde waaraan hij vastzat. Daardoor aangemoedigd, had hij haar een oneerbaar voorstel gedaan. Hoe had hij moeten weten dat waarzegsters daar pisnijdig van werden? Niet dat het haar ervan had weerhouden zijn geld aan te nemen – een briefje van twintig. Vervolgens had ze in zijn hand gespuugd en verklaard dat er een 'vloek van een dode voorouder' op hem rustte.

Die avond had hij erom gelachen, maar nu begon hij 'm toch te knijpen.

Na de rekening te hebben betaald verliet hij het restaurant. Hij had niet eens een stuk limoen-roomtaart – een specialiteit van Florida – genomen, terwijl hij dat wel van plan was geweest.

Aan de overkant van de straat was een parkeergarage van drie verdiepingen. Als hij nog een poosje hier moest blijven, zou hij een andere auto nodig hebben. Hij was van plan geweest de zwarte personenwagen bij de luchthaven achter te laten en dan naar huis te vliegen – na twee uur vanmiddag, wanneer het geld elektronisch naar zijn bankrekening was overgemaakt.

Nog nooit in de tien jaar die hij nu voor zichzelf werkte, had hij met zo veel tegenslag te kampen gehad. Misschien moest hij voorlopig maar een poosje uit dat ellendige Florida weg blijven. Vloek of geen vloek, een mens moest zijn geluk niet al te veel op de proef stellen. Hij had moeten weten dat hij geen drie moorden in dezelfde regio zou kunnen plegen zonder dat er iets misging.

Anderzijds, hij had er wel rekening mee gehouden dat ze niet allemaal zo gemakkelijk zouden gaan als een vent in een tank met kippeningewanden duwen.

Hoofdstuk 41

EcoEnergy

Sabrina sloot zich op in haar kantoor.

O'Hearn was verdwenen; Pasha was terug naar zijn dossiers en reageerbuisjes, en Anna had haar dodelijke blikken toegeworpen en zelfs iets gemompeld wat klonk als: 'Ik weet heus wel waar je op uit bent.'

Als reactie had Sabrina slechts haar hoofd geschud. Sidel probeerde welbewust zijn medewerkers tegen elkaar op te zetten, misschien opdat ze geen vragen meer zouden stellen.

Zijn ontwijkende reactie had haar wantrouwen gewekt. Er was iets aan de hand, en ze had het gevoel dat Lansiks ontslag daar op de een of andere manier mee te maken had.

Op de computer voerde ze haar toegangscode in. Anders dan zaterdag kreeg ze ditmaal onmiddellijk toegang tot het netwerk. Misschien was het noodweer die avond verantwoordelijk geweest voor het probleem. Het maakte ook niet uit. Waar het om ging, was dat ze het systeem nu weer kon nalopen.

Ze zette het programma aan waarmee ze het proces kon volgen, van de leidingen naar de tanks, naar de filters, naar de drukregelaar. Het basismateriaal werd door het systeem gepompt, kleppen gingen open en dicht.

Lansiks ontwerp was buitengewoon ingenieus. Met behulp van

deze software kon hij het hele proces controleren en hoefde hij alleen maar een paar toetsen in te drukken als bijvoorbeeld de verhittingstemperatuur moest worden bijgesteld. Maar waar zijn toegangscode hem in staat stelde veranderingen in het procedé aan te brengen, kon Sabrina met de hare slechts het proces volgen.

Op het beeldscherm waren diverse secties te zien, afhankelijk van de fase waarin het proces op dat moment verkeerde. Al kon Sabrina niet daadwerkelijk in de leidingen of de tanks kijken, eventuele blokkades werden weergegeven als groene vlekken op een radarscherm. Het basismateriaal was zichtbaar als een rode stroom, waardoor ze het van de ene reactor naar de andere kon volgen en naar de plek waar de druk af werd gelaten. Ze kon zelfs zien hoe de olie werd gescheiden en naar een aparte tank werd gestuurd.

De materie die onder druk bleef, ging naar een andere tank, waar het werd vermengd met de vermorzelde botjes en verwerkt tot mestproducten.

Tot slot was er het resterende water. Dat werd naar een spoeltank geleid, waarin het nog een laatste keer werd gezuiverd en op kamertemperatuur werd gebracht, waarna het via een buis in de rivier werd geloosd.

Dus zonder van haar stoel af te komen kon Sabrina via de computer het gehele proces volgen.

Het enige wat haar op dat moment interesseerde, was Reactor 5. Ze riep het ene scherm na het andere op en controleerde alle fases van het hele proces tot tweemaal toe. Uiteindelijk moest ze het opgeven. Ze leunde naar achteren in haar stoel en streek het haar uit haar gezicht. Het lukte haar niet toegang te krijgen tot Reactor 5, wat logisch was als die inderdaad niet werd gebruikt.

Misschien zocht ze er veel te veel achter. Mogelijk was er een gewoon vergissing gemaakt, die inmiddels allang was hersteld. En als de vergissing was hersteld, wat maakte het dan uit of iemand wel of niet bereid was dat toe te geven? Bovendien zou ze straks de beheerder van de centrale spreken. Dan zou ze precies te horen krijgen wat er aan de hand was.

Ze wilde het programma al afsluiten, toen iets haar aandacht trok. Ze klikte terug door de diverse schermen tot ze had gevonden wat ze zocht: een gloeiende groene massa in een van de leidingen. Ze werkte het menu af en klikte dubbel op de locatie om te zien waar de blokkade precies zat. Na enkele seconden verschenen de woorden FASE: LOZEN. LOCATIE: LAATSTE LEIDING op het beeldscherm.

Ze bekeek het scherm nog eens goed. Er moest sprake zijn van een fout. De laatste leiding, die van de spoeltank naar de achterkant van het gebouw liep, bevatte alleen water.

Ze drukte een paar toetsen in en zoomde in. Uiteindelijk kon ze precies zien waar het probleem zich bevond. De buis liep langs de rand van het achterste parkeerterrein. De bocht die groen oplichtte, was de laatste vóór de rivier. Als haar vermoeden juist was, bevond die zich tussen de bomen, op zo'n drie meter van de rand van het parkeerterrein.

Lansik had filters aangebracht in de meeste hoeken en bochten van de pijpleiding, zodat materiaal dat eventueel voor verstopping zorgde, gemakkelijker konden worden verwijderd. Maar aangezien door deze buis alleen water stroomde, had hij hier wellicht van het plaatsen van filters afgezien.

Ze keek op haar horloge. Ze had nog even de tijd voor haar afspraak met Ernie Walker. Dus misschien moest ze een kleine omweg maken.

Hoofdstuk 42

Washington DC

Jason begon ongedurig te worden. Hij wilde de limousine uit, zijn benen strekken. Sinds hun vertrek van Old Ebbitt's reden ze al minstens een uur door de stad, misschien zelfs wel anderhalf uur.

Hij wist precies waarom de senator niet naar kantoor terug wilde. Hoewel zijn baas zich tijdens de lunch tot één Chivas had beperkt, had hij er in de limousine nog twee nodig gehad om zichzelf ervan te overtuigen dat hij de voor EcoEnergy cruciale stem van senator Malone had binnengehaald.

'In het ergste geval zullen we moeten delen,' zei senator Allen voor de derde keer. 'Maar dat doe ik liever met Malone en haar ethanol dan met die bloedzuigers uit het Midden-Oosten.'

Jasons mobiele telefoon ging, en hij haalde hem snel uit zijn zak, dankbaar voor de onderbreking. Voordat de senator had kunnen protesteren, drukte hij op 'opnemen'. 'Met Jason Brill.'

'Mr. Brill, u spreekt met Lester Rosenthal van Good Morning America.'

Het telefoontje verraste hem. Hij had niet meer durven hopen dat hij nog iets van Good Morning America zou horen.

'Mr. Rosenthal, wat kan ik voor u doen?' Ook dat was een tactiek die hij van de senator had geleerd. Zelfs als je iets heel graag wilde, moest je dat nooit laten merken. Je moest de andere partij altijd de indruk geven dat jij hún een gunst bewees.

'Robin Roberts heeft senator Allen in 2005 ontmoet aan de Golfkust, direct na Katrina. Hij was een van de weinige senatoren die zich meteen in het gebied liet zien, al was het bij hem thuis, in Florida, toen ook een bende. Daarmee heeft hij indruk gemaakt.'

Jason moest glimlachen. Hij knikte naar de senator, die tegenover hem zat, om hem duidelijk te maken dat hij goed nieuws had, dat hij kon ontspannen.

Dat bezoek aan de Golfkust was Jasons idee geweest. Toen hij door had gekregen dat Katrina alle aandacht van de media zou krijgen, had hij zijn baas ervan overtuigd dat die er goed aan zou doen om als een van de eerste senatoren poolshoogte te gaan nemen. Bij elke gelegenheid had Jason benadrukt dat de ervaring van de senator met de nasleep van orkanen én zijn positie in het Appropriations Committee het hem onmogelijk maakten níét te komen en níét de helpende hand te bieden.

En dat terwijl Jason in werkelijkheid alle zeilen had moeten bijzetten om zijn baas zover te krijgen. Hij had hem moeten beloven dat het bezoek hooguit één dag zou duren en dat hij zich niet in de buurt van New Orleans hoefde te wagen.

In plaats daarvan had Jason gekozen voor Pass Christian in Mississippi – welbewust, want hij was erachter gekomen dat Robin Roberts, van Good Morning America, uit die staat kwam. Hetzelfde gold voor Shepard Smith, van Fox News. Ook van hem had Jason grote verwachtingen gehad.

Zijn moeite was beloond: de media-aandacht had zijn vruchten afgeworpen, en gedurende een paar maanden – niet langer, want het was tenslotte DC – was senator Allen als een held beschouwd. Hij had van de belastingbetalers min of meer carte blanche gekregen om alles door het Appropriations Committee te loodsen wat hem noodzakelijk leek.

'Daar ben ik blij om,' zei Jason. 'Senator Allen doet wat hij kan om een positieve bijdrage te leveren.'

Opnieuw keek hij naar zijn baas, die uit het raampje van de limousine zat te staren. Zijn gezicht zag ongezond bleek – behalve zijn neus, die behoorlijk rood was. De wallen onder zijn ogen waren vandaag duidelijker zichtbaar dan anders. Hij had het jasje van zijn pak uitgetrokken. Zijn broek, die door zijn kenmerkende rode bretels omhoog werd gehouden, zat wel erg wijd.

Het was Jason niet eerder opgevallen dat zijn baas was afgevallen. De senator was een kleine pezige man met een nerveuze energie die Jason bij voorkeur 'gedrevenheid' noemde. Ofschoon hij af en toe wat te veel dronk, zorgde hij goed voor zichzelf. Desalniettemin zag hij er op dit moment belabberd uit, moest Jason erkennen.

'We zouden graag een interview met hem willen vóór de energietop,' zei Rosenthal. 'Brandstof uit kippenorganen is een fascinerend onderwerp. Werkelijk fascinerend.'

Jason kon zich niet langer beheersen en grijnsde breed. Dit was geweldig nieuws, precies wat ze nodig hadden.

Senator Allen, die zijn blijdschap opmerkte, zette zijn glas weg en boog zich verwachtingsvol naar hem toe, met zijn ellebogen op zijn knieën. Op zijn gezicht lag een gretige uitdrukking.

'We kunnen zorgen voor een satellietverbinding tijdens de uitzending van donderdag, met senator Allen in Washington en Mr. Sidel in Tallahassee. Ik bel u morgen met de details. Denkt u dat u daarmee uit de voeten kunt?'

'Klinkt prima.' Hij probeerde de glimlach op zijn gezicht te houden. Waarom moest Sidel er verdorie bij? 'Ik zie uit naar uw telefoontje.' Hij klapte zijn telefoon dicht.

Vragend keek senator Allen hem aan.

'Geweldig nieuws,' zei Jason. Hij vroeg zich af hoe hij het positief kon brengen. 'Good Morning America vindt het hele concept van thermolyse fascinerend.'

Senator Allen begon al te glimlachen, maar toen voegde Jason eraan toe: 'Ze willen u en Sidel samen interviewen.'

De senator liet zich achterovervallen. 'Allemachtig! Daar zitten we echt op te wachten.'

Hoofdstuk 43

Tallahassee, Florida

Leon kon tenminste niet zeggen dat zijn werk saai was.

Hij had meer dan genoeg rotbaantjes had, onder andere als bouwvakker, een hele zomer lang in Arizona. Allemachtig, als je wilde weten hoe het er in de hel aan toe ging, moest je naar Tucson in Arizona. Vijfenveertig graden, zonder ook maar enige schaduw. En dan beweerden ze nog dat het een 'droge warmte' was, alsof dat minder erg was. Hij herinnerde zich maar al te goed hoe hij zich had gevoeld na twee, drie uur werken in die zinderende hitte. Hij had durven zweren dat hij zijn eigen huid kon ruiken, die verschroeide en van zijn botten krulde, krokant en wel. Onder dat soort omstandigheden kon een mens toch niet werken?

Dus nee, hij mocht tegenwoordig niet klagen. Hij reisde eersteklas, verbleef in luxe hotels. Inmiddels had hij een aandelenportefeuille waarvoor een rijke stinkerd op Wall Street zich niet zou hoeven generen. Bovendien bezat hij flink wat onroerend goed. Hij vond het een prettige gedachte land te hebben.

Net zoals hij het prettig vond om uit te breiden, nieuwe dingen te proberen, verder te komen. Hij was gaan lezen – detectives en thrillers, en dan vooral over seriemoordenaars. Die lui waren echt hartstikke gestoord. Daarnaast las hij Hiaasen en Evanovich, omdat hij daar onbedaarlijk om kon lachen. Verder probeerde hij over te schakelen op ale en verdiepte hij zich in wijn. En ongeveer een jaar terug was hij zelfs met schaken begonnen, al had hij aanvankelijk alleen maar toegekeken bij de oude mannen die speelden in het hoekcafé vlak bij zijn kleine huisje in Wallingford, Connecticut.

Dat huis was overigens niet zijn enige. Hij had er verscheidene, verspreid over het hele land, stuk voor stuk in kleine eenvoudige stadjes als Wilmington in North Carolina, Terre Haute in Indiana, McCook in Nebraska, en Paducah in Kentucky. De meeste verhuurde hij, doorgaans aan oude dametjes met een stel katten. Die waren betrouwbaar en vertrokken niet plotseling met de noorderzon en met een huurachterstand. Hij had er nooit een op straat hoeven te zetten. Nog niet. Nee, oude dametjes met katten waren de degelijkste huurders die je kon krijgen.

Dus het was geen slecht leven, helemaal niet. En hij had het een eind geschopt. Zijn eerste loon had hij verdiend op zijn vijftiende, met het repareren en vervangen van daken. Er was niets erger dan in de zomerhitte op een heet asfaltdak moeten zitten. Vergeleken daarmee had hij het nu heel goed. Deze baan, dit soort werk, verschafte hem niet alleen luxe, maar ook tijd. Nee, in feite had hij niets te klagen, al werd hij op dit moment getroffen door een reeks ongelukkige incidenten. Dat klonk beter dan pech, vond hij, laat staan een vloek.

Hij hield even stil bij de bewakerspost. Nog voordat hij zijn persoonlijke code had ingetoetst, stak een van de mannen zijn hand al naar hem op. Ze kenden hem intussen. Eigenlijk wist hij niet of hij dat wel prettig vond, ook al geloofden ze dat hij een hoge pief was op de afdeling beveiliging.

Na de bewakers te hebben toegeknikt reed hij door.

De SUV waarin hij reed, beviel hem wel. Jammer dat hij deze machtige terreinwagen, compleet met V8-motor, de vorige dag nog niet had gehad, want dan zou hij nu in het vliegtuig naar huis hebben gezeten, met het geld veilig op zijn bankrekening. Hij stopte de eenogige teddybeer van de vorige eigenaar terug onder de stoel en probeerde niet te denken aan hoe het had kunnen gaan – hoe het had móéten gaan – als hij de auto van die geleerde dame een betere duw had gegeven. Van dat soort gedachten kreeg hij toch alleen maar het zuur.

Hij vond het niet prettig om weer hier te zijn. Het bracht ongeluk om terug te keren naar de plek van het misdrijf, dat wist iedereen. Anderzijds, de eerste keer dat hij hier was geweest, was alles goed gegaan. Bovendien waren ditmaal alle voorbereidingen al voor hem getroffen. Alles was tot in de puntjes geregeld, was hem verzekerd.

Ja hoor, natuurlijk. Als dat inderdaad zo was, als alles al was geregeld, waarom deden ze het dan verdomme niet zelf?

Hij zette de auto helemaal op de achterste parkeerplaats, zo ver mogelijk weg van de bedrijvigheid op het bedrijfsterrein. Vervolgens haalde hij de plattegrond tevoorschijn die ze hem hadden toegestuurd. Het bedrijf was verdomme een stad op zichzelf! Er waren veel te veel loopbruggen en deuren waarvoor je een sleutelkaart nodig had. Maar schijnbaar hadden ze hem een soort loper gegeven, want hij had overal naar binnen gekund. Tot nog toe.

Hij draaide de plattegrond om en probeerde uit te vogelen welk deel van de verwerkingscentrale hij vanhier zag. Ze hadden hem de plattegrond al weken voordat hij naar Florida was afgereisd toegezonden, en hij had het ding destijds uitvoerig en herhaalde malen bestudeerd. De vlekken getuigden van de omstandigheden waaronder hij dat had gedaan. Hij herkende zelfs de pittige mosterd van een volkoren broodje pastrami bij Vinny's Deli.

Dat was het eerste wat hij ging doen zodra hij thuis was: bij Vinny langs gaan om de hele groep weer te zien.

Jezus, sinds hij hier was, had hij nog geen fatsoenlijk broodje weten te scoren! Hij had altijd begrepen dat het in Florida stikte van de gepensioneerde New Yorkers, maar blijkbaar was er niet een op het idee gekomen om een fatsoenlijke broodjeszaak mee te nemen.

De mosterdvlek bedekte de deur van de ruimte waar hij moest zijn. Met een stompe nagel peuterde hij de droge klodder weg. Ja, daar had je hem: de deur naar Reactor 5.

Toen hij uit de SUV stapte, viel zijn blik op een witte buis die langs de rand van het parkeerterrein liep. De pijp was ongeveer vijftien centimeter in doorsnee en liep van de zijkant van het gebouw helemaal langs de parkeerplaats, waarna hij tussen de bomen verdween. Volgens de kaart kwam hij uit in de rivier, om daarin het laatste spoelwater te lozen.

Terwijl Leon tussen de rijen auto's door liep, keek hij telkens opnieuw naar de leiding. Onwillekeurig vroeg hij zich af hoeveel van de vent die hij in de tank met kippeningewanden had geduwd, uiteindelijk via die buis in de rivier terechtgekomen was.

Hoofdstuk 44

EcoEnergy

De hitte en de vochtigheid waren in volle hevigheid teruggekeerd, alsof het tijdelijke respijt van het weekend gecompenseerd moest worden. Sabrina's linnen bloes plakte aan haar lichaam zodra ze het laboratorium met zijn airconditioning verliet. Ofschoon ze eigenlijk altijd haar witte jas droeg, was ze blij dat ze die nu in het laboratorium had achtergelaten. Ze had haar sleutelkaart uit de zak gehaald, samen met de sleutels van haar huurauto, want misschien zou een snelle rit naar het parkeerterrein aan de achterzijde minder de aandacht trekken. Terwijl ze het zweet van haar voorhoofd wiste en het vochtige haar uit haar gezicht streek, wenste ze dat ze inderdaad de auto had genomen.

Ze meed het trottoir langs de centrale, waar de laatste tankwagens van deze dag sissend en rommelend stonden te laden of te lossen. In plaats daarvan nam ze het pad over de fraaie binnenplaats tussen het enorme complex van loopbruggen en de met golfplaat beklede gebouwen die onderdak boden aan de kantoren en de daadwerkelijke centrale. De binnenplaats was ingericht met banken, stenen paadjes en een bloeiende tuin met een vernuftig irrigatiesysteem – Sidels poging om zijn visie van het bedrijfsterrein als een kleine gemeenschap te vervolmaken.

Ze had zag er echter nooit werknemers lunchen of gezellig bij elkaar zitten, zoals Sidel zich dat ongetwijfeld had voorgesteld. Waarschijnlijk kwam dat doordat de binnenplaats toch te dicht bij de lawaaierige centrale lag, die bovendien op extreem hete dagen een doordringende stank verspreidde: een combinatie van biodieselwalmen en gebakken lever.

Lansik had haar verteld dat EcoEnergy het laatste jaar voor een miljoen dollar aan apparatuur had geïnstalleerd om de stank aan te pakken, nadat diverse ex-werknemers hadden gedreigd een aanklacht in te brengen. De klachten hadden Lansik duidelijk geïrriteerd, want hoewel de stank vies was, vormde die geen enkel gevaar voor de gezondheid. 'Als ik wist dat er risico's aan verbonden waren, zou ik onmiddellijk maatregelen nemen,' had hij gezegd, oprecht beledigd.

In de loop der tijd was het gehele procedé – en daarmee de centrale – als het ware een verlengstuk van hemzelf geworden. Dat gebeurde wel vaker. Het was een risico van het vak, dat Sabrina herkende, aangezien haar vader net zo had gereageerd als hij weer iets had uitgevonden.

Het gaf haar des te meer reden om te geloven dat Lansik een fout nooit onopgemerkt voorbij zou hebben laten gaan. Evenmin kon ze voorstellen dat hij ontslag zou nemen en zou vertrekken zonder zijn team te spreken. De visie van EcoEnergy was net zozeer die van Lansik als van Sidel, wist ze.

Mogelijk was dat wel wat haar vooral zo stoorde. Als er een verschil van mening tussen de twee mannen was ontstaan, verwachtte ze heus niet dat Sidel hen in vertrouwen zou nemen, maar het leek haar ook niet juist dat hij zo nonchalant deed over Lansiks vertrek.

Bij het verlaten van de binnenplaats was het meteen gedaan met de schaduw. Niemand waagde zich op dit uur, tegen het eind van de werkdag, buiten in de hitte. Zo te zien had ze het hele parkeerterrein voor zich alleen. Zelfs de beveiligingsmensen gaven kennelijk de voorkeur aan hun wachtposten, waar airconditioning was.

Ze volgde de leiding langs de betonnen rand van het terrein. Aan het eind daarvan verdween de buis in hoog struikgewas en een dicht pijnbos.

Misschien was het belachelijk wat ze deed. En om eerlijk te zijn wist ze zelf niet goed wat ze verwachtte of hoever ze wilde gaan. Haar armen en haar gezicht waren nat van het zweet, dat in stroompjes over haar rug liep. Ze keek naar haar platte schoenen, haar zwarte broek, haar witlinnen bloes. Het zou geen ramp zijn als ze haar kleren bedierf, maar in gedachten hoorde ze haar moeder mopperen omdat ze zich zo weinig om haar uiterlijk bekommerde. Er waren echter belangrijker dingen, vond Sabrina, zoals proberen erachter te komen hoe een leiding die schoon water afvoerde, verstopt kon zijn geraakt.

Desondanks bleef de gedachte aan haar moeder haar achtervolgen. De laatste tijd dacht ze heel vaak aan haar moeder, ongetwijfeld als gevolg van de hallucinaties van haar vader en van haar eigen auto-ongeluk – geen van beide aangename aanleidingen. De herinnering aan de preek die haar moeder geregeld over haar kleding had gehouden, betekende feitelijk een welkome afwisseling.

Zelfs als ze zou willen, zou ze er nooit zo extravagant en flamboyant uit kunnen zien als haar moeder. Om te beginnen had ze niet haar moeders fluweelzachte donkere haar, donkerbruine ogen en gebronsde teint, waarmee lindegroen met roze zo mooi combineerde. Eric had het uiterlijk van hun moeder én haar charme geërfd. Sabrina leek op haar vader, met haar lichte huid, blauwe ogen en haarkleur die het midden hield tussen blond en bruin. De manier waarop ze haar haar droeg – los, recht afgeknipt, zonder enig beleid of model – zou haar moeder zuchtend haar hoofd hebben doen schudden.

Ooit had ze Sabrina bijna tegengehouden toen die had willen gaan joggen met haar haar in een paardenstaart en een honkbalpet op haar hoofd. 'Zo kun je de straat niet op!' had ze uitgeroepen op de haar kenmerkende theatrale manier. Dat was haar moeder ten voeten uit; die had alles met overgave gedaan.

Sabrina miste haar zo erg, dat het fysiek pijn deed. Als eerbetoon aan haar bukte ze om haar broekspijpen op te rollen. Weliswaar wist ze niet zeker of ze daarmee de broek zou sparen, maar haar moeder zou het hebben gewaardeerd dat ze de moeite nam.

Met haar leren flatjes zou het helaas niet meer goed komen, besefte ze toen ze al na een paar stappen door het struikgewas wegzakte in de drassige bodem.

Geconcentreerd volgde ze de leiding en zocht de plek waar die in een hoek van negentig graden afboog naar de rivier. Het was geen gemakkelijke zoektocht. De buis was overwoekerd door gras en kruipplanten, waardoor slechts hier en daar een stuk wit te zien was.

Ze keek op haar horloge. Het duurde langer dan ze had verwacht. Dat betekende dat ze te laat zou zijn bij Reactor 5, voor haar afspraak met Ernie Walker.

Eindelijk hoorde ze een gorgelend geluid. Nog voordat ze de bocht in de leiding ontdekte, zag ze de poel water waar de verstopte elleboog lekte. Het was alsof er een knoop in haar maag werd gelegd, want het lekwater was donker oranje in plaats van helder.

Ze verwijderde kruipplanten, afgewaaide takken en dennennaalden tot ze de modderige elleboog volledig had blootgelegd. Het kon haar niet meer schelen of haar broekspijpen smerig werden. Zonder nog acht te slaan op de modder op haar handen begon ze te trekken en te sjorren aan de ontluchtingsklep. Die zat muurvast, maar hoewel ze een nagel brak, gaf ze niet op.

Uiteindelijk zwaaide de metalen klep open. Toen er een straal water met grote kracht uit de leiding spoot, sprong ze naar achteren, maar het was al te laat. De voorkant van haar witte bloes was van het ene op andere moment roestbruin geworden.

Na het water van haar gezicht te hebben geveegd boog ze zich over de buis om die te inspecteren. Tot haar opluchting had het openen van de klep de blokkade opgeheven; nu stroomde er helder water uit de pijp.

Ze zette de muis van haar hand tegen de klep en drukte uit alle macht tegen de kracht van het water in. Haar vingers beefden toen ze er eindelijk in slaagde de klep weer vast te zetten.

Bij het zien van de smurrie die de leiding had doen verstoppen, stokte haar adem. Met een tak begon ze te prikken in wat eruitzag als onverwerkt basismateriaal met hier en daar glinsterende stukjes metaal erin.

Sidel had het mis. Dit zag eruit als Klasse 2-afval.

Ze tastte in haar broekzakken. Het enige wat ze vond, was het plastic zakje waarin de boterhammen voor haar lunch hadden gezeten. Met behulp van de tak schepte ze een monster van de smurrie in het zakje.

Ze stopte even toen ze een metalen schijfje, ongeveer zo groot als een kwartje, ontdekte. Als ze Sidel dat liet zien, zou hij niet langer kunnen ontkennen dat er Klasse 2-afval werd verwerkt.

Ze deed het schijfje eveneens in het zakje, veegde haar handen af aan het gras en haastte zich terug naar het parkeerterrein. Ze zag er verschrikkelijk uit en was al te laat voor haar afspraak.

Hoofdstuk 45

Leon keek omhoog naar de loopbrug. Hierbeneden, onder de enorme pijpen en kleppen, was het lawaai oorverdovend. Overal hoorde hij gesis en gerinkel terwijl de machines boven zijn hoofd in- en uitgeschakeld werden. Het klonk alsof er water met grote kracht door het doolhof van bochtige witte pijpen werd gespoten – sommige zo dun als zijn arm, andere groot genoeg om hem in zijn geheel op te slokken. Zonder uitzondering kwamen ze door de wanden naar binnen. En de meeste – vooral de grotere – waren verbonden met de reusachtige tank in het midden van de ruimte.

Deze tank was anders dan die in de openlucht: hier geen drijvende kippenkoppen. Daar had Leon het goed van op zijn zenuwen gekregen. Al die deinende kippenkoppen met wijd opengesperde ogen, die toekeken hoe hij die arme sloeber tussen ze in gooide.

Misschien zou het hem niet zoveel hebben gedaan als die ellendige waarzegster niet had gezegd dat er een vloek op hem rustte. Daardoor keek hij voortdurend over zijn schouder, rook hij overal onraad, zag hij spoken – iets waar hij daarvoor nooit last van had gehad.

Het leek hier wel een sauna. Hij voelde de damp en de hitte gewoon van de pijpen af slaan. Tijdens het wachten had hij al een heel pakje papieren zakdoekjes verbruikt. Inmiddels gutste het zweet langs zijn rug en van onder zijn oksels langs de rest zijn lichaam. Zijn overhemd plakte aan zijn lijf, zijn voorhoofd droop.

Hij hield zich voor dat hij deze keer niet overhaast te werk mocht gaan. Daardoor had hij het al twee keer verknald. Dus bleef hij op zijn post, hield haar in de gaten, boven hem op de loopbrug, en wachtte rustig af tot ze zou blijven staan.

Op de een of andere manier zag ze er anders uit, al kon hij niet precies zeggen wat het verschil was.

Vóór haar komst had hij de ruimte aan een grondige inspectie onderworpen. Er was hier verder niemand, zelfs niet in de gangen die om de bovenste verdieping heen liepen. Hij hoefde dus niet bang te zijn dat ze zouden worden gestoord. Voor zover hij wist, waren er maar twee deuren die toegang boden tot de reactor: de deur achter hem, die uitkwam op het parkeerterrein, en de deur op de tweede verdieping, waardoor zij was binnengekomen. Dat was ook de deur die de loopbrug verbond met een netwerk van gangen naar de rest van de centrale.

Met haar handen in de zakken van haar witte jas liep ze de loopbrug op en neer. Af en toe haalde ze één hand eruit om op haar horloge te kijken. En telkens weer keek ze naar de deur, alsof ze iemand verwachtte.

Opnieuw veegde hij het zweet uit zijn ogen.

Ze leek nerveuzer, rustelozer, ongeduldig, alsof ze wenste dat het – wat het ook was – achter de rug was. Nou, dan ben je niet de enige, dame, dacht hij glimlachend.

Hij begon de metalen ladder langs de achterwand te beklimmen. Bij zijn verkenning had hij ontdekt dat hij van deze ladder een meter omlaag kon springen, op een platform dat verbonden was met een uiteinde van de loopbrug. Op die manier zou ze hem niet zien aankomen. En hij hoefde niet zachtjes te doen, want met al dat gesis en gerinkel zou ze hem ook niet horen naderen.

Hij had een ijzeren pijp van ruim een halve meter lang bij zich. Die had hij de vorige keer ook gebruikt. Het ding lag prettig in de hand – precies de amulet die hij nodig had.

Niet dat hij bijgelovig was. Het liefst had hij gewoon een kaliber .22 gebruikt, in plaats van het ene na het andere 'ongeluk' in scène te moeten zetten. Hij was nu eenmaal beter met een blaffer. Eén schot in het achterhoofd, en de kogel deed zijn vernietigende werk door in de schedel heen en weer te stuiteren. Met een .22 waren missers zo goed als uitgesloten.

Hoewel hij nog altijd zweette als een paard en het dreunen en rinkelen van de buizen in zijn hoofd galmde, beklom hij de ladder met gemak. Nadat hij op het platform was gesprongen, bleef hij gehurkt zitten, half verborgen achter een trillende metalen kist. Die metalen kist deed de loopbrug al zo hevig trillen, dat Leons gewicht geen verschil maakte.

Ze liep van hem weg zonder om te kijken.

Tot zover ging alles goed.

Hij hield zijn adem in en verstevigde zijn greep op de pijp. Het verbaasde hem hoe gemakkelijk het allemaal ging. Net als de vorige keer hadden ze zijn prooi regelrecht in zijn armen gedreven.

Maar hij had zich de rit naar dat gekkenhuis kunnen besparen als hij die zaterdag al met haar had afgerekend. Helaas had die vervloekte bewaker toen roet in het eten gegooid. En vervolgens was hijzelf behoorlijk geflipt door Casino Rudy. Wie had ooit kunnen denken dat een doelwit bij wie hij het had verknald, in het gekkenhuis zou zitten dat zijn volgende slachtoffer op zondagmiddagen bezocht?

Hij richtte zich tot zijn volle lengte op en liep naar haar toe, met zijn blik strak op haar rug gericht. Heel langzaam, als een dier dat zijn prooi besluipt. Gestaag en geconcentreerd, klaar om aan te vallen. Als ze zich omdraaide, zou hij naar voren stormen en haar al hebben neergemaaid voordat ze zelfs maar de kans had gehad om te reageren.

Ze haalde haar vingers door haar haar en was zich duidelijk niet bewust van zijn aanwezigheid.

Bijna wilde hij haar roepen, om haar te laten weten wat haar te wachten stond. Hij hield zich echter voor dat ze zijn eerste aanslag had overleefd, dat hij haar al een tweede kans had gegeven, dat hij op dit moment in een vliegtuig naar huis had kunnen zitten. Het werd hoog tijd dat hij het een poosje rustig aan kon doen.

Hij zwaaide de pijp van rechts naar links en trof haar vol op de zijkant van haar hoofd. Ondanks het lawaai van de machines meende hij een gekraak te horen. De klap was zo hard, dat ze over de reling van de loopbrug sloeg. Met haar gezicht naar beneden viel ze in de tank. In haar witte jas zag ze eruit als een vogel met een gebroken vleugel.

Gespannen keek hij toe, benieuwd of ze nog bewoog.

Ze lag roerloos. Eindelijk was het raak. Het water kleurde zich rood door het bloed uit haar hoofdwond.

Hij haalde diep adem, zoog zijn longen vol hete, bedompte lucht en draaide zich om om te vertrekken.

Op dat moment begon boven zijn hoofd een rood licht te knipperen, en meteen daarop werden de machines overstemd door een gillende sirene. Verdomme, blijkbaar was het alarm geactiveerd!

Later kon hij zich niet herinneren hoe hij de ladder af was gekomen, al zou zijn linkerknie daar nog lang de sporen van dragen. Haastig verliet hij de ruimte via dezelfde deur als waardoor hij was binnengekomen. Eenmaal op het parkeerterrein moest hij zichzelf dwingen om te lopen, in plaats van het op een rennen te zetten.

Hoofdstuk 46

Sabrina zette het op een rennen, maar telkens wanneer ze over haar schouder keek, dreigde ze over haar eigen benen te struikelen.

Was het mogelijk dat hij haar niet had gezien? Ze had het uitgeschreeuwd toen Anna's lichaam in de tank was gevallen. Dat moest hij hebben gehoord. Alhoewel, wellicht had het lawaai van de pompen en de motoren haar kreet overstemd doordat ze onder de loopbrug had gestaan.

Ze nam een scherpe bocht, het gebouw om, en botste tegen de golfplaat. Even bleef ze staan om op adem te komen, en te luisteren. Vrachtwagens sisten en jankten, een airconditioning zoemde. De sirene was buiten nauwelijks te horen. Dat was ook niet nodig, want op de monitoren in alle bewakingsposten lichtten nu codes op die onder meer de locatie aangaven.

Misschien zouden de beveiligers niet eens haast maken, bedacht ze. Per slot van rekening was Reactor 5 officieel niet in bedrijf. En de code op de monitoren gaf geen onrechtmatige toegang aan.

Ze wist precies wat het alarm had geactiveerd. Lansik had in alle spoeltanks sensoren geïnstalleerd, zodat er een alarm zou afgaan als er een overmaats object in het water terechtkwam. Anna's lichaam was onmiskenbaar een overmaats object en had dus het alarm in werking gezet.

Sabrina werkte zich tussen het gebouw en een nogal schriele haag lagerstroemia door. Haar hart bonsde tegen haar ribben. Ze was amper nog tot denken in staat, doordat ook in haar hoofd alarmbellen rinkelden.

Waarom was Anna daar geweest? Had ze soms gedacht iets te bereiken door zich te bemoeien met háár afspraak met Ernie Walker? Eén ding was zeker: Anna kon niet het doelwit zijn geweest. En de man die Sabrina had gezien, was niet Ernie Walker, de beheerder van de centrale.

Ze vroeg zich af wat ze nu moest doen, waar ze heen moest. Als de man zijn vergissing inzag, als hij haar had horen schreeuwen of haar had gezien, zou hij dan naar het laboratorium komen, naar haar kantoor? Moest ze naar een van de bewakingsposten gaan? En zouden ze haar geloven? Wat moest ze hun vertellen? Ze wist zelf niet eens precies wat er was gebeurd.

Ze liep langs de zijkant van het gebouw tot ze de tankwagens als dekking kon gebruiken. Een van de chauffeurs gebaarde dat ze in de weg liep. Ondanks de dieselwalmen in haar pijnlijke longen ontleende ze een zekere troost aan de georganiseerde chaos.

Tijdens het lopen bleef ze over haar schouder kijken, want ze realiseerde zich dat ze het door het lawaai niet in de gaten zou hebben als ze werd gevolgd. Aan de andere kant, hij zou haar hier, in alle openheid, vast niet aanvallen.

Het liefst zou ze het opnieuw op een rennen zetten, maar in plaats daarvan versnelde ze haar pas alleen maar en liep onder de loopbruggen door, achter tanks langs.

Twee mannen met helmen op stonden te worstelen met de hefboom van een afsluitklep. Ze keken op toen ze langskwam.

Aandachtig bestudeerde ze hun gezichten. Zou ze de man die Anna had vermoord, herkennen?

Pas op dat moment besefte ze hoe ze eruitzag, met haar bloes aan haar huid gekleefd en roestbruin gevlekt, haar schoenen en broekspijpen onder de modder.

Ze bleef zo ver mogelijk bij de kantoorgebouwen vandaan en liep met een grote omweg naar het parkeerterrein. Onderweg omklemde ze met haar vingers krampachtig de autosleutels in haar broekzak. Haar hoofd bonsde op het ritme van haar hartslag, die ze ook het tempo van haar stappen liet bepalen. Op die manier hoopte ze te voorkomen dat ze in paniek raakte en het alsnog op een lopen zette. Ze moest zien dat ze het parkeerterrein bereikte, en de huurauto die ze daar had neergezet. Verder dan dat wilde ze nog niet denken.

Wat voor kleur had die huurauto ook alweer? Waarom kon ze zich dat niet meer herinneren?

Voordat de paniek haar kon meesleuren, viel haar blik op het plaatsje in de hoek waar ze altijd parkeerde. Goddank dat ze zo'n gewoontemens was! Nu hoefde ze alleen nog maar in te stappen, de motor te starten en te maken dat ze hier weg kwam.

Hoofdstuk 47

Washington DC

Natalie schonk zichzelf een tweede glas wijn in. Ze moest rustig drinken en de drank niet met grote slokken achteroverslaan, zoals ze met haar eerste glas had gedaan. Ongetwijfeld zou haar baas er begrip voor hebben, maar ze kende haar grenzen. Ze zou wachten tot na hun telefoontje voordat ze een derde glas nam.

Nadat ze had gecontroleerd of haar mobiele telefoon aanstond, legde ze het toestel opzij en liet zich op de bank vallen.

Meteen bij thuiskomst had ze haar schoenen uitgeschopt en haar panty afgestroopt. De spanning in haar schouders wilde echter van geen wijken weten, net zomin als de kramp in haar maag, hoe vastbesloten ze ook was beide onder controle te krijgen.

Ze was in geen maanden zo vroeg thuis geweest van haar werk en dankte de hemel voor de uitzonderlijke rust die hier heerste. Haar zoons kampeerden samen met haar ex ergens bij een afgelegen meer in Michigan. De bedoeling was dat ze er drie weken zouden blijven. Ze gaf haar jongens drie dagen, misschien vier. Dan zouden ze smeken om een computergame en een internetverbinding.

En toch, hoe heerlijk de rust ook was, ze miste hen – alle drie.

Ron had aangeboden de jongens mee te nemen nadat zij hem had verteld dat ze waarschijnlijk met haar baas mee zou moeten naar Florida, vanwege de energietop. 'Ga lekker naar Florida en plak er nog een paar daagjes vakantie aan vast. Je neemt nooit eens tijd voor jezelf,' had hij gezegd. 'De jongens en ik hebben het er nu al ruim twee jaar over dat we een keer willen gaan vissen met mijn vader. Dus dat gaan we gewoon doen.'

Als hij dat soort dingen zei, vroeg ze zich af waarom ze ooit van hem was gescheiden – temeer daar ze wist wat een offer hij bracht door drie weken in de wildernis te gaan zitten, hoeveel hij ook van zijn jongens hield.

En wat ze ook tegen iedereen zei, het idee om naar Florida te gaan en misschien een paar vrije dagen aan het strand door te brengen, had haar erg aangetrokken. Het Reid Estate klonk als een paradijselijk oord: ruim zes hectare langs de Golf van Mexico met een privéstrand van spierwit zand.

Gezien de recente ontwikkelingen zou ze echter in Washington DC moeten blijven.

Haar baas had de dood van Zach Kensor 'ongelukkig' genoemd, een geval van 'bijkomende schade'. 'Soms eist het grote belang zware offers en ernstige verliezen,' had hij gezegd. Nog zo'n kreet. Ze kende alle frasen.

Met diezelfde formuleringen had zij geprobeerd Colin gerust te stellen. Maar zijn schuldgevoel was er niet minder door geworden, en het hare evenmin.

Zijn reactie had haar verrast. Hij was op meer plaatsen delict geweest en had meer gevallen van bijkomende schade gezien dan zij op de televisie. Tot voor kort had hij volgehouden dat schuldgevoel een zinloze emotie was.

Uiteraard dateerde dat schuldgevoel van vóór de ontdekking wiens vingerafdrukken het waren die op het menu van de roomservice waren aangetroffen.

Hoe dan ook, het deed er niet echt toe. Ze zaten goed in de problemen, en het was aan haar om met een oplossing te komen. Daarvoor had ze precies achtenveertig uur de tijd.

Ze schrok toen haar mobiele telefoon ging en kwam zo abrupt overeind, dat ze merlot op haar witte tapijt morste. Met een gedempte verwensing greep ze de telefoon. Ze ging nog verder rechtop zitten en ordende snel haar gedachten. Vervolgens drukte ze op 'opnemen'. 'Natalie,' zei ze, omdat ze wist dat haar baas meteen wilde weten wie hij sprak.

'Ik heb een enorme vis gevangen! Echt, dat geloof je gewoon niet!'

Het duurde even voordat tot haar doordrong wie ze aan de lijn had. Ze liet zich met een zucht achtover in de kussens van de bank vallen. 'Ach, mijn kleine schat heeft een vis gevangen?' Ze grijnsde toen hij kreunde. Hij vond het afschuwelijk als ze hem haar 'kleine schat' noemde. Maar dat was hij nu eenmaal, en dat zou hij altijd blijven.

Misschien kwam het door de wijn dat ze tranen in haar ogen kreeg terwijl ze luisterde naar Tyrells hengelbelevenissen. Bij het horen van de opwinding in zijn stem glimlachte ze.

Onwillekeurig moest ze aan de moeder van Zach Kensor denken. Ze beet op haar onderlip.

En ineens stond haar besluit vast. Haar baas zou het goedkeuren, daarvan was ze overtuigd. Ja, ze wist precies wat ze de komende achtenveertig uur zou doen. Wat ze móést doen.

Hoofdstuk 48

EcoEnergy

William Sidel was bijna ontsnapt voor een laat partijtje golf toen Van Dorn, zijn hoofd beveiliging, belde. Hij kwam ernstig in de verleiding om zijn secretaresse te laten zeggen dat hij al weg was, ware het niet dat hij juist hiervoor op kantoor was gebleven – gretig, nieuwsgierig. Dus hij nam het gesprek aan en gebaarde naar zijn secretaresse dat ze naar huis kon. Het was al over vijven.

'Hé, Van.' William had die bijnaam bedacht omdat hij Van Dorns voornaam telkens vergat.

'Er is een ongeluk gebeurd. Iemand van het personeel is in een van de tanks gevallen.'

Dat waardeerde hij zo in Van Dorn: die draaide er niet omheen en kwam altijd meteen ter zake. Aangezien hij alleen was in zijn kantoor, veroorloofde hij zich een glimlach. Hij legde echter nadrukkelijk een bezorgde klank in zijn stem toen hij vroeg: 'Hoe bedoel je? Wat voor een ongeluk?'

Eindelijk zou Ms. Galloway hem geen last meer bezorgen. Zo vlak voor de stemming en met de energietop in het vooruitzicht konden ze geen enkel risico nemen.

'Ik heb meteen het bureau van de sheriff gebeld,' zei Van Dorn.

Williams glimlach verdween, zijn greep op de telefoon verstrakte. 'Ik geloof dat ik het niet helemaal begrijp,' zei hij, al zou hij het liefst uitschreeuwen: Wát heb je gedaan, verdomme? 'Je zei toch dat het een ongeluk was?'

'Dat zijn de regels, en daar hou ik me aan.'

'Oké, je hebt gelijk.' Hij besloot de klootzak over een week te ontslaan. 'Zeg, ik heb nu een afspraak,' zei hij, blij dat zijn golfclubs al in zijn BMW lagen. 'Dus ik vertrouw erop dat jij alles afhandelt. Zorg ervoor dat ik morgenochtend je rapport op mijn bureau heb.'

'Komt voor elkaar, *sir*.'

Direct nadat hij had opgehangen, ging zijn telefoon opnieuw. Hij wilde al weglopen, maar zag dat het zijn directe lijn was. 'Sidel.'

'We zitten met een probleem.'

'Ik heb het net gehoord. Van Dorn zal de sheriff te woord staan. Híj heeft hem gebeld, dus dan moet híj het verder ook maar opknappen.'

'Ik vrees dat het probleem groter is. Veel groter.'

'Wat? Waar heb je het over?' Hij ging voor een van zijn glazen wanden staan en tuurde naar beneden, alsof hij daar kon zien wat er aan de hand was.

'Het is de verkeerde.'

'Hoe kan dat nou?'

'Copello was jaloers op Galloway. Misschien hoopte ze haar een slag voor te zijn of in elk geval duidelijkheid te krijgen over wat er aan de hand was.'

'Ik dacht dat wetenschappers werden geacht geen last te hebben van jaloezie,' zei hij hatelijk.

Het bleef stil aan de andere kant.

'Trouwens, ik dacht ook dat het allemaal zo simpel was,' voegde hij eraan toe. 'En hoe zit het dan met Galloway? Was ze er wel?'

'Ja. Haar sleutelkaart is gebruikt om de reactor binnen te komen. Dat hebben we kunnen nagaan. Net zoals we weten dat ze het gebouw via de achterdeur heeft verlaten. De deur die rechtstreeks naar buiten leidt.'

William had een hekel aan stiltes in een gesprek, maar in dit geval moest hij zijn mond houden en de stilte in zijn voordeel gebruiken.

'Ik zorg dat het alsnog in orde komt,' zei de ander uiteindelijk.

'Nee,' zei hij. 'Jij hebt je kans gehad. Nu doen we het op mijn manier.' Na die woorden smeet hij de hoorn op de haak en trok driftig een la van zijn bureau open.

Daar lag, onder een geopende zak muntsnoepjes, zijn kleine zwarte boekje. Dat was zijn persoonlijke verzekeringspolis, waarop hij geregeld bijdragen stortte, maar waarvan hij alleen bij hoge uitzondering gebruikmaakte. De bladzijden waren vol geschreven met geheime telefoonnummers en gecodeerde namen. Alleen hij wist van wie ze waren.

Hij vond het nummer dat hij zocht onder LCS.

'Hallo?'

'Lyle, je spreekt met William Sidel.'

'Mr. Sidel, wat kan ik voor u doen?'

'Er is een stel hulpsheriffs van jou onderweg hierheen.'

'Ik heb het gehoord. Het klinkt als een afschuwelijk ongeval.'

'Was het dat maar, Lyle. Maar ik ben bang dat je de State Patrol zult moeten waarschuwen. Een van mijn wetenschappers heeft haar collega om zeep geholpen.'

Hoofdstuk 49

Tallahassee, Florida

Ze moest volkomen op haar instinct tot zelfbehoud hebben gefunctioneerd. Dat was de enige verklaring die Sabrina kon geven waarom ze zich niets herinnerde van de rit van EcoEnergy naar huis.

Ze zette de huurauto in de garage, en eenmaal binnen deed ze alle deuren op slot en trok alle jaloezieën en gordijnen dicht.

Terwijl ze van kamer naar kamer liep, overwoog ze een aantal keren de telefoon te pakken, maar wie moest ze bellen? Het laboratorium? De politie? Daniel? Haar vader?

Telkens weer zag ze Anna in de spoeltank vallen. Ze kon het beeld maar niet uit haar hoofd zetten. Anna's armen zwaaiden steeds iets verder uit, en haar witte jas bolde op en dreef op het water als een parachute die te laat was opengegaan. Arme Anna.

Ze móést het aan iemand kwijt. Uiteindelijk nam ze de hoorn van de haak. Door de paniek was ze echter zo verkrampt, dat ze moest gaan zitten. Het voelde alsof ze een hartaanval ging krijgen. Waarschijnlijk verkeerde ze gewoon in een shock. Ze probeerde zich te concentreren op haar ademhaling, maar het feit haar adem met horten en stoten kwam, vergrootte haar paniek alleen maar. Nog nooit in haar leven had ze zoiets ervaren. De pijn – een doffe pijn – wilde eenvoudigweg niet weggaan.

Ze liet zich van de stoel op de grond glijden, sloeg haar armen om haar knieën en sloot haar ogen.

Uit ervaring wist ze dat er momenten zijn die je nooit zou vergeten, momenten die je leven voorgoed veranderden, momenten die jou voorgoed veranderden.

Het auto-ongeluk van haar moeder was zo'n moment geweest. Ze had nooit gedacht dat iets zo verschrikkelijk veel pijn kon doen. Nog dagen later had ze het gevoel gehad alsof er een stoomwals over haar heen was gereden. Het was zo erg geweest, dat zelfs uit bed komen fysieke pijn had opgeleverd. Na de pijn was er een soort gevoelloosheid ingetreden – niet veel beter, maar gemakkelijker te negeren.

Deze pijn, deze paniek voelde alsof het pas het begin was van iets, en dat maakte hem haast nog ondraaglijker.

Ze wist niet hoelang ze daar zat, starend naar de muur, zich concentrerend op haar ademhaling. Het was inmiddels gaan schemeren, maar de timers hadden de lampen nog niet aan doen gaan.

Opeens werd er op het raam geklopt.

Ze schoot overeind als was het een pistoolschot geweest. Doodsbang, kroop ze weg in een hoek tussen de stoel en de muur.

Hoe had hij haar zo snel weten te vinden? Deze keer zou er geen alarm afgaan, deze keer zou ze niet kunnen ontsnappen. Ze keek radeloos om zich heen, op zoek naar een wapen, maar alles was wazig. Ze herkende haar eigen kamer nauwelijks nog.

Toen hoorde ze het opnieuw. Het was geen kloppen, maar eerder een zacht tikken. En weer op een raam, niet op een deur – alsof hij haar treiterde in haar eigen huis. Alleen was dit niet haar huis. Dat was in Chicago. Deze woning was maar tijdelijk.

'Sabrina, kindje,' hoorde ze fluisteren, en nogmaals klonk er een zacht tikje.

Even meende ze dat ze aan wanen leed, dat ze dingen hoorde die er niet waren. Was dat de stem van haar moeder geweest? Was ze dan zo ver heen? Had ze haar verstand verloren, net als haar vader? Zat dat soms in de familie?

'Kindje, ben je daar?'

Het was Miss Sadie. Sabrina zag dat het silhouet van haar buurvrouw zich aftekende tegen het venster in de terrasdeur, dat het laatste zonlicht haar schaduw op de verticale jaloezieën wierp.

Steun zoekend bij de muur kwam ze overeind. Ze voelde zich een beetje wiebelig, alsof ze een paar glazen wijn ophad. Dat kwam doordat ze in een shock was, herhaalde ze tegen zichzelf. Grappig dat ze dat wel besefte, maar dat ze zichzelf toch niet onder controle wist te krijgen. Nog steeds voelde ze die pijnlijke knoop in haar borstkas, die tegen haar longen leek te drukken.

Het liefst zou ze tegen Miss Sadie zeggen dat ze weg moest gaan, dat haar hete grog in dit geval niet zou helpen, dat ze heel wat meer nodig had dan een paar zakken diepvrieserwten. Dit was geen kneuzing die met een paar dagen over zou zijn.

Desondanks haastte ze zich naar het terras, zo opgelucht was ze dat ze iemand had om haar hart bij te luchten. Zonder eerst de jaloezieën open te doen rukte ze de deur open. De hete vochtige avondlucht viel als een deken over haar heen.

Voordat ze iets had kunnen zeggen, greep Miss Sadie haar pols vast en zei: 'Hoogste tijd om Lizzie en mij een bezoekje te brengen.' Ze trok Sabrina mee aan haar arm.

Sabrina had de neiging in lachen uit te barsten. 'Een bezoekje?' Zelfs haar stem verried dat ze op de rand van hysterie verkeerde.

'Kom maar mee,' drong Miss Sadie aan.

Haar stem klonk even kalm en rustgevend als altijd, maar toen Sabrina de oude dame in de ogen keek, besefte ze dat Miss Sadie al wist wat er was gebeurd. Net zoals ze dat de vorige avond had geweten.

Hoofdstuk 50

Washington DC

Lindy belde vlak voordat Jason zijn kantoor verliet. Ze wilde afspreken, want ze moesten praten, zei ze.

Hij stelde Wally's voor, want daar ging immers iedereen naartoe. Als ze daar samen gezien werden, konden ze altijd nog zeggen dat ze elkaar toevallig tegen het lijf gelopen waren.

Bij het zien van de enthousiaste glimlach waarmee ze hem bij zijn binnenkomst begroette, kon hij zich wel voor zijn kop slaan. Straks dacht ze nog dat hij het romantisch had bedoeld! Dat hij expres had afgesproken op de plek waar ze elkaar voor het eerst hadden ontmoet.

En dat was nog niet het ergste. Ze had uitgerekend het tafeltje gekozen waaraan hij met senator Malone dat opwindende verbale voorspel had beleefd. Hij geneerde zich bijna toen de herinnering daaraan hem lichamelijk meer opwond dan de herinnering aan seks met Lindy.

Hij nam plaats op de bank tegenover haar. De reusachtige margarita die voor haar op tafel stond, was al half op, zag hij.

Nog voordat hij goed en wel zat, zei ze: 'Nou, zeg! Krijg ik niet eens een klein kusje, zelfs niet op mijn wang?'

Verbouwereerd staarde hij haar aan. Het was niet eens bij hem opgekomen haar te zoenen. Hij vond zulke blijken van affectie altijd iets bezitterigs hebben. Het was maar één nacht, wilde hij al zeggen.

Maar net toen hij aanstalten maakte om zich te verdedigen, glimlachte ze en zei: 'Het was maar een grapje. Rustig maar.'

Hoewel hij probeerde haar glimlach te beantwoorden, zag hij er de humor eerlijk gezegd niet van in. Ze gaf hem het gevoel dat hij ontboden was, en dat beviel hem helemaal niet.

Beseften vrouwen wel hoeveel macht ze hadden over kerels zoals hij, vroeg hij zich af. Kerels die zich aan je verplicht voelden als je hun iets van grote waarde schonk, zoals seks? Of vertrouwen?

Volgens oom Louie waren er drie dingen waar een man niet buiten kon: hij moest iemand hebben die hem vertrouwde, hij moest trots kunnen zijn op zichzelf, en hij moest seks hebben.

'Ik heb een zware dag achter de rug,' verzuchtte hij bij wijze van uitleg.

'Die lunch was niet echt een pretje, hè?'

Hij schudde zijn hoofd, maar zei verder niets. Hij had geleerd zorgvuldig te zijn in wat hij zei over zijn werk, zelfs bij wijze van grapje. Er waren te veel aasgieren die van elke uitspraak misbruik maakten – of die desnoods totaal uit zijn verband rukte – door er een schandaal van te maken. Hij had het vermoeden dat Lindy daar niet half zo nauwgezet in was als hij.

Zich naar hem toe buigend vertrouwde ze hem toe: 'Ik heb het behoorlijk moeilijk met wat er met Zach is gebeurd.'

Het viel hem op dat ze het woord 'moord' niet in de mond nam. Kennelijk was dat háár manier om zorgvuldig te zijn, concludeerde hij.

'We kunnen niets doen,' zei hij.

'Dat zeg je elke keer.' Het klonk als een verwijt.

Hij herinnerde zich niet dat hij dat al vaker had gezegd, of misschien hooguit één keer. Als dit was waar ze het met hem over wilde hebben, had hij geen idee wat hij moest zeggen. Bijna wenste hij dat ze in plaats daarvan moeilijk ging doen over hun nacht samen.

'Ik moet de politie vertellen wat ik weet,' fluisterde ze.

Zoals ze vanonder haar lange wimpers naar hem opkeek, deed ze hem aan een klein meisje denken.

'Waarom denk je daar mijn toestemming voor nodig te hebben?'

'Omdat we allebei in dat hotel waren.'

Hij wilde haar vragen wat dat te maken had met wat zij wist over Zach, maar op dat moment verscheen er een kelner aan hun tafeltje.

'Wat mag het zijn?' vroeg de man.

Lindy leunde achterover tegen de bank, met pruilende volle lippen, waardoor ze nog meer op een klein meisje leek.

'Een whiskey-cola,' zei Jason. Hij keek de kelner na toen die wegliep om zijn bestelling te gaan halen. Vervolgens liet hij zijn blik door de kroeg dwalen, op zoek naar een excuus om nog even aan Lindy en haar doordringende blik te ontsnappen.

Net als de avond daarvoor was er een groepje dat iets te vieren had, een aantal tafels verderop – compleet met ballonnen en het flitslicht van fotocamera's. Op de een of andere manier bezorgde de aanblik hem een leeg gevoel.

Tegelijkertijd realiseerde hij zich dat hij niet klaar was voor een vriendin die niet echt zijn vriendin leek te willen zijn. Een meisje – nee, een vrouw die hij amper kende, maar met wie hij voor altijd verbonden zou blijven.

Uiteindelijk keerde hij zich weer naar Lindy. Hij haalde zijn portefeuille tevoorschijn en legde een briefje van tien op tafel. 'Doe maar wat jij denkt dat goed is.' Daarna stond hij op en vertrok. Zijn optreden was een stuk nonchalanter en minder gespannen dan de eerste keer dat ze hem had genaaid.

Hoofdstuk 51

Tallahassee, Florida

Sabrina was nog nooit bij Miss Sadie binnen geweest. Ofschoon de indeling van het appartement dezelfde was als bij haar, was de inrichting heel anders: kleurrijke Afghaanse tapijten, elegante donkere antieke meubels, ingelijste olieverfschilderijen – originele zeegezichten; sommige met vissersboten, andere met alleen de oceaan – en kleine houtskooltekeningen van ballerina's. En overal stonden exotische voorwerpen, van kleine glazen beestjes tot koperen Indiase olifantenbellen en keramieken gemberpotten; van in leer gebonden boeken tot handgemaakte Afrikaanse maskers. Alles had zijn eigen plekje, keurig, verzorgd, geordend.

Gefascineerd en als betoverd keek Sabrina om zich heen. Even was ze afgeleid van haar eigen narigheid en zich vooral bewust van een gevoel van veiligheid. Een vals gevoel van veiligheid, besefte ze wel, maar voor het eerst in uren kon ze weer vrijuit ademhalen.

Miss Sadie loodste haar naar de keuken zonder ook maar één moment te blijven staan of langzamer te gaan lopen en nog altijd met haar vingers om Sabrina's pols geklemd. In de keuken duwde ze Sabrina op een stoel aan een kleine tafel, die nog gedekt was voor het avondeten.

Lizzie keek op van haar hoekje bij de achterdeur en ging vervolgens verder met haar eigen avondeten, alsof Sabrina's aanwezigheid een dagelijks terugkerend fenomeen was waarover ze zich niet druk kon maken.

'We kijken elke avond onder het eten naar het journaal van zes uur,' zei Miss Sadie met een gebaar naar de kleine televisie onder de hangende glazenkast. Ze schonk een glas water in uit een kan op het aanrecht en zette dat voor Sabrina neer.

Sabrina luisterde maar met een half oor en nam een slok water, alleen omdat Miss Sadie aangaf dat ze iets moest drinken. De pijn in haar borst was een beetje minder geworden. Hetzelfde gold voor het bonzen in haar hoofd. Nu deed de uitputting zich echter gelden, waardoor het al moeite kostte om het glas naar haar mond te brengen.

Plotseling haastte Miss Sadie zich de keuken door, pakte haar leesbril en drukte net zo lang op een van de knopjes van de televisie tot de monotone stem van de nieuwslezer van de lokale zender door de keuken klonk. 'Let op!' Miss Sadie gesticuleerde alsof ze een presentatrice van een spelprogramma was, die de kandidaat liet zien wat hij allemaal had gewonnen.

Geschrokken ging Sabrina rechtop zitten. Ze moest zich vastgrijpen aan de tafel toen ze op het televisiescherm een foto van zichzelf zag. De foto was drie jaar oud en afkomstig uit een wetenschappelijk blad waarin ze een artikel had gepubliceerd. Doordat ze zo geschokt was, hoorde ze nauwelijks wat de nieuwslezer zei. Alleen zijn laatste woorden drongen tot haar door: '...zien haar momenteel als een verdachte in deze moordzaak.'

Haar blik kruiste die van Miss Sadie. 'Denken ze dat ík het heb gedaan?' Dat ging haar bevattingsvermogen te boven. Ze moest het verkeerd begrepen hebben.

Haar buurvrouw vroeg niet om een verklaring. Ze zette de televisie zachter en kwam in de stoel tegenover haar zitten. 'We moeten zien dat we je hier weg krijgen, kindje,' zei ze terwijl ze Sabrina's handen in de hare nam. 'En we moeten voortmaken.'

Hoofdstuk 52

Tallahassee Regional Airport

Leon had een tafeltje in de hoek van het luchthavencafé gekozen, vanwaar hij het plaatselijke nieuws kon zien op de televisie. Hoewel zijn vliegtuig pas over drie uur zou vertrekken, was hij allang blij dat hij nog een ticket naar huis had kunnen bemachtigen.

Hij bestelde een cheeseburger met extra uien en frietjes, en toen de serveerster het eten kwam brengen, vroeg hij ook nog om een stuk limoen-roomtaart. Het was ondenkbaar dat hij Florida zou verlaten zonder die te hebben gegeten, temeer daar zijn laatste maaltijd zo ruw was onderbroken.

Hij pakte de longneck Samuel Adams en nam een slok. De beslagen pul die de serveerster erbij had gegeven, had hij opzij geschoven. Ze had het ding gepresenteerd alsof het iets heel bijzonders was, en dat kon hij haar niet kwalijk nemen. Die jonge meiden van tegenwoordig wisten niet hoe verwijfd het was om bier uit een glas te drinken. Hoe kon het ook anders, als ze uitgingen met mietjes die 'breezers' dronken?

Tevreden keek hij naar zijn maaltijd. De frietjes zagen eruit alsof ze huisgemaakt waren. Hij bestrooide ze rijkelijk met zout en was zo royaal met de ketchup, dat de patat er bijna in verzoop. Voordat hij een frietje of een hap van de cheeseburger nam, sneed hij een groot stuk limoen-roomtaart af. Hoewel hij weleens betere had geproefd, was deze bepaald niet slecht.

Jarenlang had hij zijn best gedaan om zich los te maken van zijn Zuidelijke wortels, maar niet wat het eten betrof. O, hij vond alles lekker, van de hotdogs uit Chicago tot de broodjes in New York – wie hield daar nou niet van? – maar eenmaal in het Zuiden duurde het niet lang, of hij begon te snakken naar gezouten pinda's, naar maispap met kaas, naar zoete ijsthee en naar vers maisbrood, nog warm uit de pan. Aangezien dit voorlopig zijn laatste trip naar het Zuiden was, zou hij deze maaltijd dus alle eer aandoen.

Hij nam een flinke hap en kon door het kauwen de televisie nog amper horen. Opeens zag hij echter 'laatste nieuws' onder in het beeld verschijnen, gevolgd door foto's van de centrale in Tallahassee. Hij hield op met kauwen – zijn mond nog halfvol – en probeerde te verstaan wat er werd gezegd. Ze hadden het over een ongeluk. Stelletje sukkels, dacht hij, en hij ging door met eten.

Dat verrekte alarm had hem bijna een hartstilstand bezorgd. Het had niet veel gescheeld, of ze hadden daar twéé 'ongelukken' gehad. Hij was nog steeds pisnijdig omdat niemand hem voor dat alarm had gewaarschuwd.

Hij nam nog een hap en veegde met de rug van zijn hand de ketchup van zijn mond.

Net toen hij een grote slok bier nam om het eten weg te spoelen, verscheen de foto van het slachtoffer op het beeldscherm. 'Sabrina Galloway' stond eronder. Alleen werd ze niet als slachtoffer aangeduid. Bijna verslikte hij zich.

'...gezocht voor ondervraging in verband met de dood van haar collega. Met het bekendmaken van de naam van de collega wacht de politie tot de familie is ingelicht. Uit betrouwbare bron heeft News Watch 7 vernomen dat het slachtoffer is aangetroffen in een laboratoriumjas met het naamplaatje van Sabrina Galloway erop. Er is geen nadere toelichting gegeven over de mogelijke toedracht van het ongeluk. Nogmaals, de politie heeft laten weten dat ze Ms. Galloway vooralsnog als een verdachte beschouwt. Iedereen die inlichtingen kan verschaffen over haar verblijfplaats, wordt dan ook verzocht contact op te nemen met de politie, via het nummer onder in beeld.'

Tegen de tijd dat de nieuwslezer begon uit te leggen waar Eco-Energy gevestigd was en waarmee het bedrijf zich bezighield, had Leon zijn half opgegeten maaltijd al van zich af geschoven en zijn maagzuurremmers tevoorschijn gehaald.

Hoofdstuk 53

Tallahassee, Florida

'Ik heb het zien gebeuren,' zei Sabrina. 'Als ik het de politie uitleg, begrijpen ze meteen dat er sprake is van een misverstand. Dat weet ik zeker.'

Miss Sadie knikte. Terwijl Sabrina haar verhaal deed, was zij druk bezig met de restanten van het avondeten opruimen, de tafel afnemen, de borden wassen en eten inpakken.

'Ik wist al dat ik de politie zou moeten bellen,' voegde Sabrina eraan toe. Maar om de een of andere reden voelde die optie niet goed.

Nu pas zag ze de kleine koelbox op het aanrecht, waar Miss Sadie telkens dingen in deed zonder ook maar een moment te blijven stilstaan.

'Als je het mij vraagt, zou de politie je een getuige moeten noemen in plaats van een verdachte,' merkte Miss Sadie op.

Sinds Sabrina van wal was gestoken over wat er in Reactor 5 was gebeurd, had haar buurvrouw nog geen moment stilgezeten.

Sabrina zelf was nog altijd uitgeput, maar de effecten van de shock werden geleidelijk aan wat minder.

Nu kwam Miss Sadie met vragen, al had geen daarvan betrekking op Sabrina's verhaal of haar betrokkenheid bij wat er was gebeurd.

'Heb je iemand bij wie je een paar dagen kunt onderduiken? Het liefst zo ver mogelijk hiervandaan?' De stem van de oude dame klonk zacht als altijd, kalm en sussend, alsof ze niet net een ooggetuigenverslag van een moord had aangehoord.

Aarzelend antwoordde Sabrina: 'Ik, eh... Ik heb vrienden in Chicago.'

Miss Sadie schudde haar hoofd. 'Dat is de éérste plek waar ze je gaan zoeken.' Ze zette de benodigdheden voor sandwiches op het aanrecht: mayonaise, brood, ham en een pot augurken.

Ofschoon Sabrina dat vreemd voorkwam – tenslotte had Miss Sadie net het avondeten weggeruimd – zei ze er niets van. Kijkend naar de weloverwogen bewegingen van Miss Sadie, bedacht ze dat haar manier van besmeren en beleggen van boterhammen veel weg had van het maken van een kunstwerk.

'Uiteindelijk vindt de politie me toch wel, waar ik ook naartoe ga,' zei ze.

'Ik heb het niet over de polítie.' Over de rand van haar bril keek Miss Sadie haar aan. Voor het eerst vielen haar handen even stil, midden in het besmeren van de boterhammen met mayonaise.

Miss Sadie had gelijk, realiseerde Sabrina zich. Tot op dat moment had ze er niet eens bij stilgestaan, maar er zat behalve de politie nóg iemand achter haar aan. Iemand die haar dood wilde hebben.

Ze probeerde zich de moordenaar voor de geest te halen. Van beneden af had ze zijn gezicht niet kunnen zien. Hij had een eenvoudige marineblauwe broek en een wit overhemd met korte mouwen aangehad, waardoor hij nauwelijks was opgevallen tussen de witte buizen, de staalblauwe apparatuur en de metalen roosters.

'Hoe zit het met je broer? Kun je daar misschien terecht?' vroeg Miss Sadie.

Haar stem bracht Sabrina onmiddellijk terug in het heden. Ze probeerde zich te herinneren wat ze Miss Sadie over Eric had verteld. Of ze haar wel iets had verteld.

'Volgens mijn vader woont hij tegenwoordig in Pensacola Beach,' zei ze, 'maar ik vraag me af of dat echt zo is. Ik weet niet beter, of hij zit ergens in het noordoosten, in New York of Connecticut.'

Miss Sadie hield haar hoofd iets schuin, een niet-begrijpende blik in haar ogen. In plaats van vragen te stellen wachtte ze echter rustig af tot Sabrina verder zou spreken.

Sabrina leunde met haar hoofd tegen de rugleuning en sloot haar ogen. Omdat ze te moe was om het hele verhaal te doen, beperkte ze zich tot het hoogstnoodzakelijke. 'Eric heeft sinds de begrafenis van mijn moeder geen contact meer gehad met mijn vader en mij. Ik denk dat mijn vader hem zo erg mist, dat hij hem zo graag wil zien, dat hij zichzelf heeft wijsgemaakt dat Eric bij hem langs is geweest.'

Toen ze haar ogen weer opendeed, zag ze dat Miss Sadie haar nog altijd aandachtig stond op te nemen. Misschien probeert ze te bedenken wat ze in 's hemelsnaam met me aan moet, dacht Sabrina.

'Ik heb geleerd dat er geen rook is zonder vuur. In elke leugen schuilt een grote dosis waarheid,' zei de oude dame uiteindelijk. 'Mogelijk geldt dat ook voor waanvoorstellingen.' Ze wikkelde de sandwiches in vetvrij papier, deed ze in een plastic zak en legde die in de koelbox. Daarna stopte ze een paar blikjes kattenvoer in een bruine papieren zak die naast de koelbox op het aanrecht stond en die Sabrina nu pas opmerkte. Het volgende moment stond ze alweer bij de koelkast en haalde een plastic doos uit het vriesvak.

Sabrina had geen flauw idee wat ze nog meer nodig kon hebben.

Uit de doos haalde Miss Sadie een pakketje en begon het aluminiumfolie eraf te wikkelen. Bij het zien van de inhoud zette Sabrina grote ogen op. Het pakketje bevatte een stapel bankbiljetten van misschien wel tien centimeter dik. Miss Sadie hanteerde het als een spel kaarten, telde een stapel biljetten van twintig en vijftig af en wikkelde de rest weer in het folie, waarna ze het pakketje teruglegde in de plastic doos – op het etiket op het deksel stond 'varkenskarbonades' geschreven, zag Sabrina – en de doos weer in de vriezer wegborg.

In reactie op Sabrina's verraste gezicht zei Miss Sadie: 'Mijn laatste werkgever is altijd heel goed voor me geweest. Toen ze overleed...' Eerbiedig boog ze haar hoofd. 'God hebbe Miss Emilies ziel.' Ze keek Sabrina weer aan. 'Bij haar overlijden heeft ze een derde van haar vermogen aan mij nagelaten. Als een verstandige vrouw heb ik het geld goed geïnvesteerd, maar ik heb gewoon niet genoeg vertrouwen in de bank om álles door een ander te laten beheren. Dit is mijn eigen voorraadje voor onvoorziene omstandigheden. Mijn eigen kluisje met spaargeld.' Ze klopte op de deur van de koelkast. En even kalm en rustig als altijd voegde ze eraan toe: 'Ik denk dat we in de auto moeten stappen en eens naar Pensacola Beach moeten rijden.'

Hoofdstuk 54

Tallahassee Regional Airport

Abda was er als eerste.

Ofschoon de twee anderen niet met hem mee reisden, had hij zich gekleed volgens de gedetailleerde instructies van Qasim. Nu hij door de menigte toeristen en zakenreizigers liep, was hij zijn jonge vriend dankbaar voor diens gevoel voor de westerse cultuur. Niemand merkte hem op. Terwijl hijzelf het gevoel had dat hij voor schut liep in cargoshorts, sandalen en wat Qasim een 'hawaïhemd' noemde en met een leren attachékoffer, bleek hij tot zijn verbazing moeiteloos in de massa op te gaan.

En hoezeer het hem ook tegenstond het toe te geven, Qasim had zelfs gelijk gehad over de gouden ringen. Qasim had erop gestaan dat ze alle drie een eenvoudige trouwring kochten en die ook droegen. 'Getrouwde mannen, mannen die het hoofd zijn van een gezin, worden anders bekeken, met minder wantrouwen,' aldus Qasim. 'Als ze denken dat we een vrouw en kinderen hebben, worden we anders behandeld. Dan lijkt het minder waarschijnlijk dat we zoiets extreems zouden doen als onszelf opblazen omdat er in het hiernamaals maagden op ons wachten.'

Abda vond het afschuwelijk te worden vergeleken met wat hij beschouwde als religieuze fanatici die niets wisten van nationale trots en die weinig gaven om een hoger doel, maar wie het alleen ging om hun eigen zelfzuchtige verlangens. Voor zulke vergelijkingen had hij niets dan minachting.

Het had hem echter niet verrast dat Qasim ook in dat opzicht gelijk bleek te hebben. Bij zijn vertrek op het Reagan National Airport had Abda de man van de beveiliging erop betrapt dat die naar zijn trouwring keek en hem vervolgens gebaarde door te lopen, zonder hem eerst apart te nemen voor een grondige controle. Het waren maar kleine dingen, en toch wist Abda dat die stuk voor stuk het verschil konden betekenen tussen slagen en falen.

Hij kocht een broodje en iets te drinken en ging in het vliegveldrestaurant aan het raam zitten. Na een blik op zijn horloge haalde hij zijn laptop tevoorschijn.

Qasim, die uit Dallas kwam, zou over niet al te lange tijd landen. Khaled vloog vanuit Baltimore en zou pas over een uur arriveren. Zoals afgesproken, zou Abda op hen wachten. Drie mannen uit het Midden-Oosten die samen reisden, dat trok alleen maar de aandacht en wekte wantrouwen. Drie mannen uit het Midden-Oosten die samen lunchten in een luchthavenrestaurant, dat was al aanzienlijk minder interessant.

Hij zette de computer aan en stak de kleine geheugenstick erin die hij in een van de vele zakken van zijn shorts bewaarde. Als de beveiliging zijn computer in beslag had genomen, zou hij in elk geval zijn bestanden nog hebben gehad. Zodra de computer was ingeschakeld, zocht hij toegang tot de directory CatServ.

Een week eerder had de blonde jonge man een envelop op de achterbank van zijn taxi achtergelaten, met daarin drie ogenschijnlijk simpele naamspeldjes. Maar ze waren goud waard. De badges waren voor drie werknemers van JVC's Emerald Coast Catering. Er stonden geen foto's op. Dat hoefde ook niet, want op elke badge was een barcode aangebracht in een speciale inkt die volgens Khaled ook voor overheidsdocumenten werd gebruikt en die vervalsing nagenoeg onmogelijk maakte. Die barcode betekende dat de bewuste werknemer al volledig gescreend was.

Hij liep de directory door tot hij vond wat hij zocht: een webpagina die hij van de site van JVC's Emerald Coast Catering had gedownload. Het enige wat hij wilde weten, was wat voor een uniform het personeel droeg. De drie vrijbiljetten voor het receptiebanket dat aan de energietop voorafging, had hij al. Nu moest hij er alleen nog achter zien te komen hoe ze geacht werden zich te kleden.

Hoofdstuk 55

De reusachtige legergroene auto deed Sabrina denken aan een tank, al noemde Miss Sadie de kleur bosgroen.

Sabrina had de oude dame nog nooit zien autorijden. Sterker nog, ze had haar eigenlijk nooit iets anders zien doen dan een beetje rondscharrelen op haar terras. Ze had zelfs geen idee gehad van het bestaan van de auto, die veilig opgeborgen had gestaan onder een dekkleed in de garage.

Volgens Sabrina zouden ze geluk hebben als hetzij de politie, hetzij de man die haar probeerde te vermoorden er langer dan een uur over deed om te achterhalen waar ze woonde. Daarom had ze vliegensvlug wat spullen bij elkaar gezocht, die Miss Sadie vervolgens in de enorme, diepe kofferbak had gedaan.

De achterbank van de auto was ook al groot. Miss Sadie had haar Afghaanse kleden erop uitgespreid en er drie vuilniszakken vol truien en dekens op gezet. Mochten ze worden aangehouden, dan kon Sabrina zich verstoppen onder de kleden, had Miss Sadie uitgelegd. De politie zou dan vast denken dat ze zakken met oude kleren vervoerde.

En al die tijd was de stem van de oude dame onveranderlijk kalm gebleven, waardoor het was alsof ze de auto pakten voor een zomervakantie in plaats van voor een overhaaste ontsnapping. Het leek wel of ze ervaring had met het om de tuin leiden van de politie.

Lizzie deelde de voorbank met Miss Sadie en de koelbox. Te oordelen naar de manier waarop de reusachtige witte kat het zich gemakkelijk maakte – ze liet zich op de bijrijdersstoel neerploffen en krulde zich op – concludeerde Sabrina dat het tweetal samen al menig reis had gemaakt.

De oude dame kon nauwelijks over het stuur heen kijken, ook niet met de kussens die ze had neergelegd – een voor haarzelf en een voor de kat.

Hoewel de raampjes openstonden, was het ontzettend benauwd in de auto. Er was geen airconditioning, geen radio, maar de stoelen zagen er onberispelijk uit en roken als nieuw, en de motor sloeg onmiddellijk aan.

'De man van Miss Emilie heeft hem in 1947 spiksplinternieuw voor haar gekocht, ook al reed ze niet graag,' vertelde Miss Sadie haar zonder achterom te kijken. Ze hield beide handen aan het stuur en sprak met stemverheffing om zich verstaanbaar te maken boven de rijwind en het geluid van de motor. 'Ik was tweeëntwintig toen ik voor Miss Emilie ging werken. Jaren later, kort na het begin van de Koreaanse Oorlog, raakte het gevechtsvliegtuig van haar man vermist. Daarna heeft ze nooit meer in deze auto gereden, maar ze wilde er ook geen afstand van doen. Ze heeft mij laten beloven dat ik hem niet zou verkopen.'

Hun blikken kruisten elkaar in het achteruitkijkspiegeltje.

'Ik heb goed voor Miss Emilie en haar meisjes gezorgd. Drie prachtige meisjes, inmiddels allemaal ontwikkelde, succesvolle vrouwen. Ze komen nog weleens langs, maar het is wel minder geworden nu hun moeder er niet meer is. Ja, ik heb veertig jaar goed voor Miss Emilie gezorgd, en zij op haar beurt goed voor mij.'

Nooit eerder had Sabrina de oude dame zo veel over het verleden horen praten. Ze had ook nooit gevraagd hoe ze in haar onderhoud voorzag. Ze wist dat Miss Sadie niet getrouwd was geweest en dat ze geen kinderen had. Nu besefte Sabrina hoe dat kwam: Miss Sadie had altijd voor een ander gezin gezorgd. Toch kon Sabrina geen spijt in Miss Sadies ogen ontdekken. Het was duidelijk dat de oude dame haar baan als meer dan werk alleen had gezien. Dat Miss

Emilie niet alleen haar werkgeefster was geweest, maar ook haar familie.

Misschien was dat wat hen, Miss Sadie en Sabrina, bij elkaar had gebracht. Ze waren beiden vrouwen die op zoek waren naar iets wat de familie kon vervangen die ze zo misten. Dat verklaarde ook waarom Miss Sadie onmiskenbaar gewend was om de leiding te nemen en te zorgen.

Sabrina had Pensacola al op de borden langs de Interstate 10 aangegeven zien staan, maar blijkbaar was Miss Sadie niet van plan de snelweg te nemen. Sabrina herkende niets van de omgeving. Niet dat ze dat had verwacht.

Nu ze de stad steeds verder achter zich lieten, riep de duisternis van het platteland opnieuw paniek bij haar op – paniek en schuldgevoel omdat ze Miss Sadie hierin had betrokken. Ze wist nog altijd niet goed voor wie of wat ze op de vlucht was. Sterker nog, ze was er nog niet eens van overtuigd of vluchten wel de juiste oplossing was.

Ze merkte dat Miss Sadie opeens gas terugnam. Een eind vóór hen zag ze blauwe en rode lampen knipperen, net toen Miss Sadie haar raampje begon dicht te draaien. Zelfs Lizzie verliet haar comfortabele plekje en sprong boven op de koelbox, die tussen haar vrouwtje en haar in stond. Ze zwiepte met haar staart.

'Wat is er aan de hand? Een wegversperring?' vroeg Sabrina. Haar eerste gedachte was dat de politie al het verkeer aanhield, in haar zoektocht naar háár.

'Nee, dat geloof ik niet,' fluisterde Miss Sadie op een toon die Sabrina de indruk gaf dat ze alleen maar probeerde haar gerust te stellen.

Ofschoon er een politieman op de weg stond, was de rij auto's zo lang, dat Sabrina zich afvroeg of ze niet gewoon rechtsomkeert konden maken. Hoe zwaar zou de politie dat opnemen? Zouden ze een wagen achter hen aan sturen? Als ze dat deden, zou ze Miss Sadie moeilijk kunnen vragen het gaspedaal diep in te trappen om aan de politie te ontkomen. De oude dame had het er al moeilijk genoeg mee om boven de minimumsnelheid te blijven.

Terwijl ze stapvoets rijdend dichterbij kwamen, zag Sabrina dat ze zich had vergist. Er waren twee auto's op elkaar gebotst. Een derde was gekanteld en in de greppel beland. Er was dus helemaal geen sprake van een wegversperring, van een politie-onderzoek.

Toch voelde Sabrina geen opluchting toen Miss Sadie de aanwijzingen van de agent opvolgde en langs de blokkade reed. Integendeel. Ze werd opnieuw overspoeld door paniek bij de herinnering aan haar eigen auto-ongeluk, de vorige avond. Want ineens besefte ze dat dat helemaal geen ongeluk was geweest.

Hoofdstuk 56

Tallahassee, Florida

Al ging hij ervan uit dat het tijdverspilling zou zijn, toch reed Leon naar Galloways appartement. Maar niet voordat hij het hele vliegveld had verkend, half en half in de verwachting haar daar tegen te komen. Zodra hij de politie het luchthavengebouw binnen had zien komen, had hij zich uit de voeten gemaakt.

Toen hij nog maar enkele straten van het flatgebouw verwijderd was, werd zijn aandacht getrokken door een Studebaker uit 1947 die een kruising overstak. Heel even overwoog hij de auto te volgen, puur uit nieuwsgierigheid, want het was een schitterend bakbeest.

Aangezien voor Galloways complex twee auto's van de State Patrol geparkeerd stonden, reed hij door naar de oprit van het enige huis dat niet baadde in het licht.

In Galloways voortuin waren de lichtbundels van zaklantaarns te zien. Die lui zouden in elk geval niet hun nek breken over de een of andere rotkat, zoals hem laatst was overkomen, bedacht Leon. Hij had de indruk dat er drie politiemensen in de tuin liepen. Ze maakten geen aanstalten om de deur te forceren. Waarschijnlijk hadden ze onvoldoende bewijsmateriaal voor een arrestatiebevel.

Maar waar was Galloway? En wat was er verdomme misgegaan? Waarom was zij het niet geweest op die vervloekte loopbrug?

De State Patrol had hem niet opgemerkt, en dus reed hij rustig de oprit weer af en begon aan de terugweg naar het centrum van Tallahassee.

Een paar straten verderop stopte hij op het parkeerterrein van een gemakswinkel. Hij was zo pisnijdig geweest op het vliegveld, dat hij op het terrein voor langparkeren stom genoeg een goedkope Taurus had gestolen met nog geen halve tank benzine. Na te hebben getankt betaalde hij met een creditcard die de sukkel van een eigenaar in het handschoenenkastje had laten liggen.

Ineens realiseerde hij zich dat hij iets wist wat de State Patrol waarschijnlijk niet wist – tenminste, nóg niet. Als íémand enig idee had waar Galloway uithing, dan was het haar vader. De oude baas mocht dan misschien getikt zijn, maar Leon dacht dat hij hem wel zover kon krijgen dat die hem vertelde wat hij wilde weten.

De volgende ochtend zou hij direct naar Chattahoochee rijden. Nu ging hij eerst op zoek naar een goed hotel, bestelde iets bij de roomservice en keek misschien wel een filmpje op een betaalzender. Het was immers zonde om geen gebruik te maken van een goede creditcard.

Hoofdstuk 57

Onderweg naar Pensacola Beach

Uitputting en het gestage brommen van de motor van de Studebaker maakten het Sabrina bijna onmogelijk haar ogen open te houden.

Miss Sadie drong erop aan dat ze lekker achterover ging zitten en probeerde wat te slapen. Zij was klaarwakker, beweerde ze, en had er geen enkele moeite mee om in het donker te rijden.

Dus uiteindelijk trachtte Sabrina een beetje te doezelen en liet ze haar onderbewustzijn de gebeurtenissen van de voorbije dagen verwerken. Het waren net korte filmfragmenten, van herinnering naar werkelijkheid naar verbeelding, en het duurde dan ook niet lang, of ze was het onderscheid kwijt.

Toen ze muziek hoorde, dacht ze even dat ze zich had vergist en dat de auto toch een radio had. Een paar tellen later drong tot haar door dat het Miss Sadie was, die zat te neuriën. De melodie klonk vertrouwd en was net zo troostrijk als de hand van haar moeder, die over haar voorhoofd en haar haren streek.

Sabrina verzette zich niet langer en ging languit op de achterbank liggen. De Afghaanse deken rook fris, alsof hij net van de waslijn kwam.

Als vanzelf gingen haar gedachten naar die keer dat haar moeder in Chicago de was op het balkon te drogen had gehangen – aan een lijn tien verdiepingen boven het verkeer, met de skyline van de stad op de achtergrond. Sabrina, destijds dertien, was bij thuiskomst uit school vervuld geweest van afschuw over het feit dat de hele wereld haar ondergoed kon zien. 'Maar het gaat er zo lekker van ruiken,' had haar moeder gezegd.

Een maand later had haar vader een lief klein huisje gevonden in een buitenwijk. Een huisje met een achtertuin die groot genoeg was om er bloemen in te laten groeien en er een waslijn op te hangen – uit het zicht van de rest van de wereld. Nu vroeg Sabrina zich af of haar vader net zo gegeneerd was geweest als zij door het feit dat zijn onderbroeken boven de straat hingen te wapperen.

De gedachte aan haar vader bracht haar abrupt terug in het heden. Ze ging zo plotseling rechtop zitten, dat ze Miss Sadie aan het schrikken maakte.

'Wat is er, kindje?'

'Ik moest ineens aan mijn vader denken.'

Miss Sadie knikte.

Ze veegde de slaap uit haar ogen. Haar haar plakte aan haar voorhoofd en aan haar nek. Toen ze een raampje omlaag draaide, rook ze de zilte lucht van de zee. Ergens in die zwarte nacht lag de Golfkust.

'We zullen moeten stoppen om te tanken,' zei Miss Sadie zacht. 'Maak je geen zorgen, we worden niet gevolgd.'

Sabrina keerde zich om, om door het achterraam te kijken. De meeste auto's op de weg waren hen gepasseerd, aangezien Miss Sadie zich strikt aan de maximumsnelheid hield. Heel ver achter hen zag Sabrina de kleine stipjes van een stel koplampen. Ze had niet eens rekening gehouden met de mogelijkheid dat ze werden gevolgd. Maar als haar auto-ongeluk inderdaad geen ongeluk was geweest, dan was ze die dag wel vanuit Chattahoochee gevolgd.

Die gedachte bracht haar opnieuw op haar vader. Als ze er niet voor terugdeinsden haar van de weg te drukken en in een spoeltank te gooien, zouden ze dan ook in staat zijn haar vader iets aan te doen?

'Je hebt nog helemaal niets gegeten, kindje. Wil je een sandwich?'

'Nee, dank u.' Ze legde haar armen op de rugleuning van de voorbank. Van zo dichtbij kon ze de limoenshampoo ruiken die de oude dame gebruikte. 'Eigenlijk zou ik mijn vader moeten bellen... of het ziekenhuis.'

Via het achteruitkijkspiegeltje keek Miss Sadie haar aan. 'Ben je bang dat ze hem iets zullen aandoen?'

'Wel als ze erachter willen komen waar ik ben.' Ze aarzelde. Ze wilde het niet hardop zeggen, want dan zou het opeens zo echt zijn. 'Mijn ongeluk gisteren...'

'...was geen ongeluk,' maakte Miss Sadie haar zin af.

In stilzwijgen reden ze verder, hun blik op de weg voor hen.

Sabrina leunde nog altijd met haar armen op de voorbank en legde haar kin erop. Telkens wanneer hun een auto tegemoetkwam, probeerde ze in het licht van de koplampen Miss Sadies gezicht te zien, in de hoop haar gedachten te kunnen lezen. De gelaatsuitdrukking van de oude dame bleef onbewogen, haar blik strak op de weg gericht.

Sabrina wist dat ze door de shock en alle emoties zelf niet meer helder kon denken, maar misschien vertrouwde ze toch te veel op de goede en wijze raad van haar vriendin. Miss Sadie was immers al eenentachtig.

Ten slotte, na een stilte die Sabrina minuten leek te hebben geduurd, zei Miss Sadie: 'Je vader wil alleen maar dat je in veiligheid bent. Hij heeft er niets aan als je in de val loopt. En dat is precies wat er zou kunnen gebeuren als je nu naar hem toe gaat of contact met hem zoekt.'

Hoofdstuk 58

Dinsdag 13 juni,
Pensacola Beach, Florida

De zon kwam net op toen Eric Galloway naar huis terug liep. Al was hij moe, hij koos voor de lange route, om de jachthaven heen.

Bijna iedereen sliep nog, en juist daarom was dit een van zijn favoriete momenten van de dag. Er was nog geen verkeer; er klonk geen getoeter van auto's, en er liepen geen giechelende tienermeisjes of blufferige pubers rond. Op het strand heerste volmaakte rust – op het gebeuk van de golven en het gekrijs van de zeemeeuwen na die de branding in doken voor voedsel. Kortom, het was zoals hij het strand het liefst zag.

Aangezien hij opgegroeid was in Chicago, aan Lake Michigan, was hij gewend aan meeuwen, strand en boten. Alleen werd dat in Chicago 's winters allemaal weggestopt. Hier was het een manier van leven. En het was een leven waarin hij zich thuis voelde.

Grappig, door zijn rusteloze aard en zijn hang naar avontuur had hij niet gedacht dat hij zich ooit aan een plek zou hechten.

Hij had zijn bootschoenen uitgetrokken om het witte zand tussen zijn tenen te voelen. Op dit vroege uur was het nog koel. Met opzet keek hij niet in de verte, waar zich enorme hijskranen met sloopkogels verhieven boven door orkanen beschadigde huizen en bedrijven. Ofschoon die schade al van een paar jaar terug dateerde, waren veel daken nog bedekt met blauw zeil en stond in een heleboel huizen het zand nog tot aan het plafond. Te veel huiseigenaars waren er nog niet aan toe om te repareren of herbouwen, bang als ze waren dat ieder komende seizoen opnieuw rampzalig kon zijn.

Howard, Erics baas, bracht de mensen graag in herinnering dat Pensacola Beach een rifeiland was, ooit ontstaan door de invloed van orkanen die zand verplaatsten en de kustlijn veranderden. 'Dezelfde krachten die het rifeiland hebben geschapen, dreigen het telkens weer te vernietigen,' voegde hij er dan filosofisch aan toe.

Eric, die de orkanen Ivan en Dennis niet had meegemaakt, luisterde altijd geduldig en met eerbied naar de verhalen – een beetje als een oorlogscorrespondent die probeert zich in te leven, maar zich nooit helemaal de angst, de ontberingen en het verlies van de slachtoffers zal kunnen voorstellen. Hij had de verhalen gehoord over de plunderingen en over bewoners die maanden hadden moeten wachten voordat ze terug naar hun huizen hadden gemogen. Aan de andere kant waren er de verhalen over buren die elkaar te hulp waren gekomen en de handen ineen hadden geslagen om bomen om te hakken, wegen vrij te maken en golfbrekers uit voortuinen en boten uit woonkamers te slepen.

De gepokte en gemazelde plaatselijke bewoners, die nu voor onbepaalde tijd op het strand woonden, zeiden dat de orkanen heel wat vreemde vogels naar hun eiland hadden gebracht – voor het merendeel puinruimers en bouwvakkers, maar ook regelrechte bedriegers. Ze konden niet weten dat Eric waarschijnlijk tot die laatste categorie behoorde. Overigens gold dat voor de meeste mensen met wie hij sinds zijn aankomst op Pensacola Beach bevriend was geraakt.

Hij keek in de richting van het plaatsje Gulf Breeze en zag de hemel lichter worden. Zo te zien waren alleen de vaste boten op het water, van de werkverslaafden.

Howard verwachtte vrienden uit Miami, al had het niet geklonken alsof hij hen echt als vrienden beschouwde en had hij geen idee wanneer ze precies zouden aankomen. Hij had Eric verzocht naar hen uit te kijken. Toen Eric hem had gevraagd wat voor een schip ze hadden of waar hij op moest letten, had Howard slechts zijn schouders opgehaald en geantwoord: 'Zodra je hen ziet, weet je dat zij het zijn.'

Eric mocht Howard graag, geheel tegen zijn verwachting in. En eigenlijk ook geheel tegen zijn bedoeling in. Hij was gewend aan bazen die hun gezag lieten gelden en die het heerlijk schenen te vinden anderen te commanderen. Dat was echter niet Howards stijl. Die had nog altijd de relaxte levenshouding van een surfer, wat hij ooit was geweest. Hij maakte een tevreden indruk, en sinds hij goed geld had verdiend, wist hij daar op een simpele en oprechte manier van te genieten. Hij werkte wanneer hij daar zin in had en sloot de tent wanneer hij wilde.

In de veronderstelling dat iedere Vietnamveteraan ergens, misschien heel diep vanbinnen, onverwerkte trauma's met zich mee droeg, zocht Eric naar tekenen van humeurigheid, opvliegendheid. Maar uit niets bleek dat Howard daaraan leed. Hij maakte juist een volstrekt evenwichtige indruk.

Soms wenste Eric haast dat Howard zich als een echte baas zou gedragen en hem zou koeioneren. Dat zou het hem een stuk gemakkelijker maken om zijn klus hier te klaren.

Hij hoorde het geluid nog voordat hij besefte wat het was. Het schrapen en klossen klonk aan de achterkant van Howard's Deep-Sea Fishing Shop. Aan de kant van het water lag een plankenpad met daarop een stuk of vijf, zes ronde tafeltjes met stoelen eromheen, dat Howards bedrijfje scheidde van de aanlegplaatsen. Daarnaast bevond zich een piepkleine bar, en om de hoek leidde een smalle trap naar Erics eenkamerappartement op de eerste verdieping. Pal naast de trap stond een vuilniscontainer, met een schutting eromheen. Het geluid kwam daarvandaan.

Eric zag een stel vingers in gele rubberhandschoenen over de rand van de container komen. Opnieuw klonk het schuiven en schuren van vuilnis dat tegen de metalen wand van de container werd geduwd. Vervolgens verscheen de bovenkant van een gladgeschoren hoofd boven de rand, maar dat verdween meteen weer. Een tweede hand kwam tevoorschijn, naast de eerste. Nu klonk er een zacht metaalachtig schuren alsof iemand uit de container probeerde te klimmen. Eric hoorde het schrapen en klossen van voeten op zoek naar houvast.

Een jonge man werkte zich omhoog tot hij vanaf zijn middel boven de rand van de container uit kwam, boog zich voorover en zwaaide één been omhoog, zodat hij schrijlings op de rand kwam te zitten, als een turner op de brug. Daarna zwaaide hij ook zijn andere been over de rand en belandde met een geoefende sprong op de grond, totaal niet gehinderd door het zwarte waadpak dat hij aanhad. Hij trok de gele handschoenen uit, schoof zijn veiligheidsbril omhoog en nam het beschermkapje van zijn mond en neus, dat hij vervolgens aan het elastiek om zijn nek liet bungelen. Afgezien van zijn vreemde uitrusting en felgele rubberhandschoenen – doodgewone huishoudhandschoenen – zag de jonge man eruit als een student.

Pas nadat hij zijn waadpak had uitgetrokken en hij in de diepe zakken van zijn cargobroek begon te zoeken, kreeg hij in de gaten dat hij niet alleen was. 'O, hallo, Eric.'

'Hé, Russ. Alles goed?'

'Dat kun je wel zeggen! Ik heb een goudader aangeboord.' Hij keek Eric grijnzend aan en hield iets omhoog wat eruitzag als een stapeltje smerige natte ongeopende enveloppen. 'Ik maak geen geintje.' Hij wees naar een van de enveloppen. 'Hoofdkaarthouder,' las hij voor. 'Je weet wat dat betekent.'

Uiteraard wist Eric dat. Het betekende dat de envelop voorbedrukte bankcheques met de rekeningnummers van de creditcardhouder bevatte, waarop alleen nog een bedrag en een valse handtekening hoefden te worden gezet. Dat wist hij trouwens alleen doordat Russ het hem had verteld. De knul had een complete studie van containerduiken gemaakt. Hij scheen het als een hobby te beschouwen.

Eric wist dat Russ een poosje had gezeten wegens identiteitsdiefstal. Er was echter niemand die daarnaar vroeg. Tenminste, niemand van de groep die in Bobbye's Oyster Bar rondhing. Ze vormden een select gezelschap van mensen die als vanzelf naar elkaar toe getrokken waren vanwege hun misstappen in het verleden. Creditcardfraude was niets vergeleken met wat de anderen op hun kerfstok hadden – Eric inbegrepen.

Hoofdstuk 59

Washington DC

Terwijl hij zich aankleedde, zette Jason de televisie aan.

Eerder die ochtend had hij besloten te gaan joggen in plaats van vroeg naar kantoor te vertrekken. Doorgaans jogde hij 's avonds, maar de laatste tijd kwam hij altijd te laat van zijn werk. Niet dat hij dat erg vond; hij hield van zijn werk. Alleen slokte het wel heel veel van zijn leven op.

Abrupt stopte hij met het knopen van zijn stropdas, en hij keek zijn kleine eenkamerflat rond. Wie hield hij nou eigenlijk voor de gek? Het werk wás zo onderhand zijn leven! Hij kon zich niet heugen wanneer hij voor het laatst bij de YMCA langs was gegaan voor een partijtje basketbal. En sinds zijn benoeming tot hoofd van de staf ging hij niet meer met collega's mee voor een borrel of een pizza. Zelfs zijn makkers uit zijn tijd als koerier hadden hem afgeschreven zodra hij een groot kantoor had gekregen, compleet met een eigen secretaresse en onkostenvergoeding.

Nee, dat was niet waar. Zij hadden hem niet afgeschreven, het was andersom gegaan – eenvoudigweg omdat dat van hem verwacht werd.

Hij zapte de verschillende zenders langs, op zoek naar meer nieuws over de moord op Zach. Uiteindelijk liet hij het toestel staan op ABC en Good Morning America.

Ondertussen keek hij de Washington Post en de Washington Times door, die hij bij terugkomst van het joggen had gekocht. Hij nam een slok sinaasappelsap, rechtstreeks uit het pak, en liet zijn blik over de koppen gaan.

Hoe was het mogelijk dat de moord op een staflid van een senator – nota bene in een hotelkamer in DC – de voorpagina's niet had gehaald? Was het voorval gewoon niet belangrijk genoeg? Of deed iemand er alles aan om te voorkomen dat het nieuws veel aandacht kreeg?

Hij vroeg zich af wat Lindy aan senator Malone had verteld – áls ze al iets had verteld. Had ze gezegd dat ze in het hotel was geweest op het moment dat de moord moest zijn gepleegd? Had ze verteld dat hij bij haar was geweest? Het deed er niet toe. Of eigenlijk, het zou er niet toe moeten doen, maar in feite deed het er voor hem wel degelijk toe hoe senator Malone over hem dacht. Godallemachtig!

Met nog twee slokken dronk hij het pak sinaasappelsap leeg. Daarna gooide hij het in de vuilnisbak onder de gootsteen.

Opeens werd zijn aandacht getrokken door een stem op de televisie. Gauw liep hij naar het toestel, pakte de afstandsbediening en zette het geluid harder. Met heel zijn hart hoopte hij dat het een oude opname was, maar helaas, de uitzending bleek live. Via een satellietverbinding deed Robin Roberts van Good Morning America een interview met niemand minder dan William Sidel.

Hoofdstuk 60

Pensacola Beach, Florida

Sabrina had niet gedacht dat ze zou kunnen slapen. Ze had al moeite met inslapen sinds ze naar Florida was verhuisd. En als ze dan eindelijk in slaap viel, schoot ze al na een paar onrustige uren wakker; uren waarin ze door dromen was achtervolgd. Ook die dromen maakten haar trouwens doodmoe. Daarin was ze voortdurend haar koffers aan het pakken voor reizen die ze niet had voorzien of kleedde ze zich eindeloos om voor afspraken waarvoor ze al te laat was.

Soms kwam haar moeder in haar dromen voor. Die nodigde haar dan binnen in een huis dat ze niet herkende. Haar moeder stond in de deuropening naar haar te glimlachen en te wuiven, maar wanneer ze zich omdraaide, zag Sabrina dat de zijkant van haar gezicht verminkt was door het auto-ongeluk. Op dat moment schrok ze steevast wakker, soms hijgend, soms met tranen in haar ogen. De tranen verrasten haar telkens weer, want ze had na de dood van haar moeder niet één keer gehuild – eenvoudigweg omdat ze zichzelf dat niet had toegestaan.

Deze slaap was anders. Licht, bijna gewichtloos werd ze meegevoerd op een bries van zeemist. Ze voelde zich ontspannen, veilig. Ze rook het zoute water en een mengeling van koffie en bacon. Ze meende zeemeeuwen te horen hoorde... en gezang. Haar oogleden waren te zwaar om ze open te doen. Ze wilde hier niet weg.

Plotseling zag ze een man met een honkbalknuppel. Hij had de mouwen van zijn overhemd opgerold, de knuppel over zijn schouder gelegd. Zo wachtte hij, klaar om toe te slaan. En ze zag Anna als een witte opbollende parachute terwijl ze viel, boven op Lansik, in een tank vol kippeningewanden.

Ze werd met zo'n schok wakker, dat de auto ervan schudde.

Ook Miss Sadie schrok, en Lizzie begon zelfs te blazen. Sabrina had hen allemaal opgeschrikt, op hun eigen plekje in de Studebaker.

'Kindje, is alles goed met je?' Miss Sadie pakte haar bril en draaide zich naar haar om. Er waren enkele lokken losgeraakt uit haar keurige knot, en ze had donkere wallen onder haar ogen – ongetwijfeld van vermoeidheid doordat ze bijna de hele nacht had gereden.

'Waar zijn we?' Langzaam ging Sabrina rechtop zitten, en ze keek naar buiten. Ze stonden op het verlaten parkeerterrein van een restaurant, zag ze.

'In Pensacola Beach.' Over de motorkap wees Miss Sadie naar de kleurige watertoren aan de overkant van de straat, die zich tegen de heldere ochtendhemel aftekende als een reusachtige groen-blauw-geel-oranje strandbal.

Achter de watertoren lag het strand, en daarachter de zee: zand zo wit als poedersuiker en het smaragdgroene water van de Golf van Mexico. Aan de ene kant kwam de zon op, aan de andere kant stond de maan nog aan de hemel, bijna vol.

Het was het uur van de dag waarvan haar moeder had gezegd dat het leek alsof de muzen persoonlijk haar handen leidden bij het kneden van de klei of bij het hanteren van haar penseel.

Haar vader had daar altijd om moeten lachen en gegrapt dat haar moeder de enige kunstenaar was die hij kende die vóór de middag uit bed kwam.

Sabrina had haar moeders obsessie of dwangmatige gedrag – ze wist zeker dat haar moeder, met haar gevoel voor drama, zou hebben gewild dat ze het zo'n soort naam gaf – in zekere mate geërfd. Dit was het uur van de dag waarop ze meestal ging joggen, omdat ze het fijn vond de hemel van paars naar blauw te zien verkleuren.

Bovendien was het het enige uur van de ochtend waarop ze ongestoord kon denken, zonder te worden afgeleid door het lawaai van de dag.

Het restaurant zag eruit alsof het gesloten was, maar ze rook de geur van verse koffie en bacon, die uit de ventilatieopeningen aan de zijkant van het gebouw kwam. Dus ze had het niet allemaal gedroomd. En de krijsende zeemeeuwen waren ook echt. De geur van koffie en zoete azijn vulde de auto, zo krachtig, dat hij niet alleen uit het restaurant afkomstig kon zijn. Toen Sabrina zich over de leuning van de voorbank boog, zag ze Miss Sadie in de koelbox rommelen.

'Je zult zo langzamerhand wel trek hebben, kindje.' Miss Sadie gaf haar een sandwich in vetvrij papier, belegd met onder meer de zoetzure augurken die Sabrina had geroken. Met haar jichtige handen pakte de oude dame daarna een roestvrijstalen thermoskan en schonk een tweede mok koffie in.

Na alles van haar te hebben aangenomen leunde Sabrina achterover op de bank. Hoewel ze inderdaad behoorlijke trek had, probeerde ze kleine hapjes te nemen en goed te kauwen. Nog nooit had een sandwich haar zo goed gesmaakt.

Terwijl ze zwijgend zaten te eten – Miss Sadie en Lizzie voorin, Sabrina achterin – zagen ze de eerste strandgangers arriveren.

'Ik weet niet eens zeker of hij hier wel woont,' merkte Sabrina op zeker moment op. Voor het eerst besefte ze hoe graag ze wilde dat haar vader gelijk had. 'Misschien hebben we deze reis wel voor niets gemaakt.'

'Nou, dat zou ik niet willen zeggen,' zei Miss Sadie zonder achterom te kijken. 'Ik ben al heel lang niet meer aan zee geweest.'

Hoofdstuk 61

Chattahoochee, Florida

Leon was er bepaald niet gelukkig mee dat hij alweer naar het Florida State Hospital moest. Hij kreeg de kriebels van die plek, alleen al omdat hij wist dat Casino Rudy daar ergens zat, met een kogel in zijn hoofd – een kogel van wie men tot dusver aannam dat hij die daar zelf in geschoten had.

Volgens de laatste berichten was Rudy wel bij kennis, maar raaskalde hij over een conciërge – ene Mick – die zijn hotelkamer in Biloxi binnen was gedrongen en hem had neergeschoten. Dat klonk iedereen als grote onzin in de oren, behalve Leon. Een eenvoudige grijze overall met het juiste naamspeldje erop was zijn redding geweest – voorlopig in elk geval. Als hij iets wist te verzinnen, zou hij meteen definitief met Casino Rudy afrekenen, nu hij hier toch was. Aan de andere kant, gezien de tegenslag van de laatste tijd moest hij misschien niet te veel hooi op zijn vork nemen.

Nog steeds snapte hij niet wat er verkeerd was gegaan. Misschien had dat mens van Galloway geweten dat ze erin geluisd werd. Alleen verklaarde dat nog niet waarom ze haar collega dan het slachtoffer had laten worden. Natuurlijk, Leon had ook weleens samengewerkt met figuren die hij met liefde zou zien doodvallen. En toch, het zat hem niet lekker.

Het maakte ook eigenlijk niet uit of ze in de gaten had gehad wat er aan de hand was. Het ging erom dat ze erbij was geweest. Dat had hij van zijn klant gehoord, een uur eerder, toen hij eindelijk was gezwicht en die vent te woord had gestaan. Ze was in die ruimte geweest, had zich schuilgehouden ergens tussen die pijpen en machines met hun teringherrie. Volgens zijn klant was de sleutelkaart van Sabrina Galloway om 16.06 uur gebruikt om binnen te komen via dezelfde deur als die hij had gebruikt. Die informatie was doorgespeeld aan de State Patrol om de verdenking van moord op haar te laden.

Leon had niet gevraagd hoe ze zíjn aanwezigheid hadden verklaard; per slot van rekening moest ook zijn sleutelkaart zijn geregistreerd. Blijkbaar maakten ze zich daar niet druk over. Het wonder van de digitale techniek, vermoedde hij. Ze konden precies die gegevens overleggen waarmee ze hun voordeel hoopten te doen. Misschien waren ze zelfs in staat de registratie van zijn sleutelkaart te wissen. Het kon hem niet echt schelen. Waar het hem om ging, was dat Galloway hem gezien moest hebben, als ze om zes minuten over vier die ruimte binnen was gekomen.

De klant had de kans om Leons fout enigszins te herstellen meteen aangegrepen. Waarschijnlijk vond hij dat Leon hem dankbaar moest zijn, geloofde hij dat hij Leon op deze manier werk uit handen nam. 'Binnen vierentwintig uur wordt er een algemeen opsporingsbericht voor haar uitgegeven,' had hij Leon laten weten. 'Dan kan ze zich nergens meer verstoppen.'

Wat had Leon daarop moeten zeggen? Hij had het verknald, alwéér. Hij had zich toch moeilijk kunnen beklagen over het feit dat de politie nu massaal op zoek ging naar zíjn doelwit?

De klant had de indruk gewekt er geen problemen mee te hebben als de State Patrol haar in hechtenis nam. Sterker nog, hij had geklonken alsof dat een oplossing van zijn problemen zou zijn. 'Je denkt toch niet dat ook maar iemand haar gelooft?' had hij gezegd. 'Al helemaal niet nu ze van moord verdacht wordt.'

Arrogante lul, had Leon gedacht, maar dat had hij natuurlijk niet hardop gezegd. Hij had een pesthekel aan dat soort kerels. Te veel eigendunk en te weinig gezond verstand.

Niet dat hij klaagde. Uiteindelijk verdiende hij een fatsoenlijke boterham dankzij zulke klootzakken, die van mening waren dat ze alles in hun wereld onder controle moesten hebben, dus ook iedereen die zich in die wereld waagde.

Het enige waar die lui niet bij stilstonden, was dat de menselijke natuur grillig was. Dat was zelfs Leon even vergeten. Nu pas bedacht hij dat de oorzaak van zijn fouten waarschijnlijk niet zozeer in domme pech gelegen was – of in de vloek van een waarzegster – maar in de onvoorspelbaarheid van de mens.

Je moest nooit iets als vanzelfsprekend beschouwen. Toeval bestond niet. Je moest altijd vooruitkijken en verdacht zijn op het onverwachte. Je moest je afvragen wat voor de hand lag en dan precies het tegenovergestelde doen.

Hij was laks geworden, misschien zelfs overmoedig. Het was de hoogste tijd om terug te keren naar de basis, terug naar de regels die hij altijd had gehanteerd en waardoor hij had weten te overleven.

De klant mocht het dan best vinden als de politie afrekende met Sabrina Galloway, daar dacht Leon anders over. Zijn belangrijkste stelregel was ervoor te zorgen dat niemand hem ook maar ergens op kon pakken, welke prijs hij daarvoor ook moest betalen.

In al die jaren had geen van zijn slachtoffers ooit zijn gezicht gezien. En als dat wel was gebeurd, hadden ze het niet kunnen navertellen. Behalve Casino Rudy dan, maar die werd door niemand geloofd.

Als Sabrina Galloway hem had gezien, moest hij met haar afrekenen voordat de State Patrol haar wist te vinden.

Hoofdstuk 62

Pensacola Beach, Florida

Toen ze er voor de tweede keer langs reden, gaf Sabrina toe dat het geen kwaad kon om poolshoogte te nemen. Volgens haar vader woonde Eric boven een boothuis in Pensacola Beach en werkte hij voor een zekere Howard Johnson. Hier bevonden zich een boothuis en een kleine winkel – Howard's Deep-Sea Fishing – met opzij Bobbye's Oyster Bar, zo te zien van dezelfde eigenaar.

Miss Sadie parkeerde de Studebaker zo, dat Sabrina een plankenpad met bistrotafeltjes erop kon zien. Het provisorische terras bood uitzicht op de huurboten erachter. Aan de andere kant van het gebouw leidde een trap naar een appartement met een klein balkon en een ouderwetse rode neonlamp die 'vol' aangaf boven de deur.

Sabrina hield zich voor dat ze niet te veel moest verwachten. Maar als Eric hier inderdaad woonde, was haar vader helderder van geest dan zijn artsen en zij tot op dit moment hadden durven geloven.

Weer voelde ze de inmiddels vertrouwde knoop in haar maag. Ze wenste dat ze haar vader kon bellen, om zich ervan te overtuigen dat alles goed met hem was. Alleen, hoe kon ze hem bellen om hem te waarschuwen als hij haar stem waarschijnlijk niet eens zou herkennen?

Miss Sadie maakte zich netjes. Ze boog zich over het stuur om van dichtbij in het achteruitkijkspiegeltje te kunnen kijken, streek haar verwarde haar glad en bond het bij elkaar in een keurige knot. Voordat ze haar bril weer opzette, zag Sabrina opnieuw de wallen onder haar ogen. Het kon niet anders of ze was doodmoe, en toch was ze nog altijd even kalm, toch had ze nog altijd de leiding en zorgde ze voor Sabrina alsof... alsof ze familie was.

Het was heel lang geleden dat Sabrina iemand als Miss Sadie had gehad, iemand die alleen het beste met haar voorhad. Want dat kon van Daniel niet worden gezegd. Zelfs niet van Eric. Sinds de dood van haar moeder had ze niemand meer gehad. Trouwens, haar moeder was nooit een echte kloek geweest en had niet eens geprobeerd nog voor Sabrina te zorgen toen die eenmaal volwassen was. Sterker nog, terwijl de meeste vrouwen het er moeilijk mee hadden dat hun kinderen uitvlogen, had haar moeder die nieuwe fase in haar leven van harte verwelkomd en was zelfs opgebloeid. Ze had zich helemaal overgegeven aan haar 'scheppingsmarathons', zoals ze haar creatieve buien had genoemd.

Door de vele opdrachten die haar moeder had gekregen en de talloze wetenschappelijke uitvindingen van haar vader was het tamelijk moeilijk geweest om de aandacht van haar ouders te krijgen. Althans, voor Sabrina, die nogal onafhankelijk ingesteld was. Haar leven voltrok zich strak georganiseerd met timers en agenda's om ervoor te zorgen dat ze niets vergat en dat alles op rolletjes liep. Haar moeder had weleens gezegd dat Sabrina na haar twaalfde meteen drieëndertig was geworden.

Eric, daarentegen, leefde wild en gevaarlijk – wat dat ook mocht betekenen. Sabrina kon zich niet aan de indruk onttrekken dat dat alleen maar een manier was om je gebrek aan verantwoordelijkheidsbesef en betrouwbaarheid een romantisch tintje te geven. Hij had rechten gestudeerd en was skileraar, barkeeper, roadmanager en verzekeringsagent geweest. Hij had auto's teruggehaald van mensen die hun maandelijkse termijnen niet betaalden. Hij had gewerkt als kok, als veiligheidsbeambte, als chauffeur van een limousine, maar nooit als advocaat. Wat hij de laatste twee jaar, waarin ze geen contact hadden gehad, had gedaan, wist ze niet.

Hoezeer ze ook hechtte aan de discipline, aan de orde en regelmaat van haar leven, op sommige momenten zou ze dat allemaal graag ruilen voor een béétje van Erics flair.

Miss Sadie zat te wachten, sloeg haar gade. 'Zal ik maar in mijn eentje naar binnen gaan, kindje?' Ze aaide Lizzie, die zich uitrekte, geeuwde, een rondje draaide en weer ging liggen om verder te dutten.

Op het parkeerterrein van het restaurant had Miss Sadie de poes even uit de auto gelaten, waarop Lizzie achter het gebouw was geschoten, op zoek naar een zandhoop die als kattenbak kon dienen. Toen ze tussen het gebouw en een afvalcontainer uit het zicht was verdwenen, was Sabrina bang geweest haar nooit meer terug te zien. Ook Miss Sadie had op het punt lijken te staan haar te zoeken, maar de witte kat was toch teruggekeerd. Kennelijk had ze al snel ontdekt dat de grote boze wereld vol gevaren was, stelde Sabrina zich zo voor.

'Sabrina, kindje?' Miss Sadie reikte over de bank om Sabrina's hand te pakken.

Toen pas merkte Sabrina dat ze rilde. Het was bijna dertig graden in de auto, en zij zat te rillen. Wat mankeerde haar in 's hemelsnaam?

'Ik red me wel,' zei ze desondanks. 'Geef me even.'

'Blijf jij nou maar rustig in de auto zitten, kindje. Ik ben zo terug.' En voordat Sabrina kon protesteren, stapte Miss Sadie uit.

Sabrina kon zichzelf wel wat doen. Ze gedroeg zich als een angstig klein kind!

Terwijl ze toekeek hoe de oude dame de treden naar het plankenpad beklom, besefte ze dat ze enorm bofte met zo'n beschermengel.

Hoofdstuk 63

Eric zette het geluid zachter van de televisie, die bij Howard achter de toonbank stond en die de hele dag op Fox News moest blijven staan. Niet vanwege de politiek; Howard had niets met politiek. Als hij er al een mening over had, hield hij die voor zich. Nee, het toestel moest op Fox News blijven staan vanwege de knappe brunette die op het hele en het halve uur de nieuwsflitsen deed. Howard was helemaal gek van haar. Ze was het evenbeeld van Bobbye, de enige vrouw van wie hij ooit had gehouden, zei hij. Eric was er nog niet helemaal uit of het feit dat Howard haar elk halfuur moest zien, zijn manier was om een hommage aan haar te brengen of om zichzelf er dagelijks aan te herinneren dat hij haar had laten gaan. Hoe dan ook, Eric liet de televisie op Fox News staan. Howard vroeg tenslotte haast nooit iets.

Aangezien Howard met klanten het water op was, om te vissen, paste Eric deze dag op de winkel, al was hij moe doordat hij de hele nacht op was geweest. Gelukkig zou Howard er geen bezwaar tegen hebben als hij de zaak een paar uur dichtgooide om een beetje te kunnen bijslapen. Want ook de komende avond zou het weer laat worden. Dan moest hij oesters schoonmaken, vis roosteren en ervoor zorgen dat de kelen van de Texanen gesmeerd bleven.

Het was een groep waar Eric niet naar uitkeek, en hoewel hij het altijd heerlijk vond om op het water te zijn, benijdde hij zijn baas op dit moment bepaald niet.

De vijf zakenlui uit Dallas wekten de indruk hoge functies te bekleden. Een van hen droeg demonstratief een stetson en opzichtige laarzen. Hoogstwaarschijnlijk zou die arrogante cowboy met zijn grote mond en gore moppen de eerste zijn die straks over de reling hing, om de chocoladedonuts uit te kotsen die hij zo gulzig naar binnen had gewerkt. Niets was zo vernederend voor een man als over de reling hangen en alles onderkotsen, inclusief zijn dure laarzen. En niets was zo erg als zeeziekte op open water, want daar herstelde je niet zo snel. Eric durfde er wat om te verwedden dat Mr. Chocoladedonut Stetson bij terugkomst een ander mens zou zijn.

Hij zat op zijn knieën de rekken aan de voorzijde van de toonbank bij te vullen met toeristische prullaria, toen iets op de televisie zijn aandacht trok. De foto in de hoek van het scherm, dat leek wel... Nee, dat kon toch niet waar zijn? Hij schoot overeind om het geluid harder te zetten, toen Howards knappe brunette met haar bulletin begon.

'Wat gisteravond bij EcoEnergy, even buiten Tallahassee, Florida, nog een ongeluk werd genoemd, wordt inmiddels door rechercheurs van de State Patrol beschouwd als moord. Vanochtend is er een arrestatiebevel uitgevaardigd voor Sabrina Galloway. Iedereen die informatie kan verschaffen over de verblijfplaats van Ms. Galloway, wordt verzocht het nummer te bellen dat onder in het scherm verschijnt. Meer nieuws in het volgende bulletin, over een halfuur.'

Hij ging op de barkruk achter de toonbank zitten. Dit was belachelijk. Er moest sprake van een vergissing zijn. Het was ondenkbaar dat Sabrina iemand zou hebben vermoord. Zij was de evenwichtige van hun tweeën, hij de opvliegende.

Zijn blik ging naar de telefoon op de toonbank. Wie zou hij kunnen bellen? In gedachten liep hij de mogelijkheden langs, maar hij verwierp ze vrijwel meteen weer. In een andere tijd, op een andere plek had hij alleen maar de telefoon hoeven pakken en een paar nummers hoeven bellen om om een paar wederdiensten te vragen, maar nu...

Hij zat zichzelf nog steeds verwijten te maken, toen de bel boven de deur rinkelde.

'Goedemorgen,' zei hij over zijn schouder, zonder ook maar de moeite te nemen om om te kijken. Hij bukte om de lege dozen op te pakken die hij voor de toonbank had laten staan.

'Mag ik u iets vragen?' klonk een diepe fluweelzachte vrouwenstem vlak achter hem. 'Kunt u me misschien vertellen –' Ze zweeg abrupt toen hij zich oprichtte en zich naar haar omdraaide. Zonder iets te zeggen staarde de vrouw hem aan.

Ze was een kleine oude zwarte dame, gekleed in een vlotte paarse chemisier en met onder haar arm een zwartleren handtas: bepaald geen doorsneeklant van Howard's Deep-Sea Fishing.

'Zegt u het maar. Wat wilt u weten?' Hij glimlachte, een beetje onzeker, omdat hij haar blijkbaar sprakeloos deed staan.

Onderzoekend nam ze hem op, alsof ze hem eerder had gezien, alsof ze hem ergens van kende. Uiteindelijk beantwoordde ze zijn glimlach en zei: 'Ik geloof dat ik het al weet.'

'Pardon?'

'De gelijkenis is treffend,' zei ze. 'Jij bent Eric, nietwaar?'

Hoofdstuk 64

Chattahoochee, Florida

Leon parkeerde het witte busje van Interstate Heating and Cooling op de laad- en losplaats pal voor het ziekenhuis, zodat de wagen vanaf de receptiebalie duidelijk zichtbaar was. Hij schatte in dat hij acht uur de tijd had voordat het bedrijf zou ontdekken dat het busje van het parkeerterrein in Tallahassee was gestolen. En zelfs dan zouden ze niet meteen in Chattahoochee gaan zoeken.

De grijze overall zat iets strakker om zijn borst sinds hij Casino Rudy had neergeschoten: een gevolg van te veel cheeseburgers en te veel flesjes bier. Hij gebruikte hetzelfde naamspeldje. Misschien was dat riskant, maar het was tegelijkertijd absoluut niet voorspelbaar. Het lag immers voor de hand juist niets te doen wat ook maar in de verte leek op het kopiëren van een mislukt plan. Daarbij, hij had het idee dat hij er eerder als een Mick uitzag dan als een Leon.

Hij pakte de plunjezak, tevreden over het gerinkel, waardoor het klonk alsof de zak gevuld was met gereedschap. Toen de automatische schuifdeuren voor hem opengingen, liep hij expres een beetje scheef, alsof de tas loodzwaar was.

De receptioniste had het busje al gezien. De norse, verbeten trek om haar mond verried dat ze zich afvroeg of ze al dan niet tegen hem moest zeggen dat hij daar niet mocht staan.

Hij schonk haar een ongeduldige blik terwijl hij langs de balie liep, op weg naar de gesloten veiligheidsdeuren die zij bediende. 'Er was een probleem met de airco?' riep hij over zijn schouder.

'Daar weet ik niets van,' zei ze met schelle stem. Haastig begon ze diverse stapels memo's, telefonische boodschappen en machtigingsformulieren door te kijken.

Hij wierp een veelbetekenende blik op zijn horloge. 'Ik heb niet de hele dag de tijd. Als ik het niet nu kan doen, wordt het pas morgen. Dan ben ik weer in deze buurt. Hierna heb ik nog vier andere storingsmeldingen.'

Ze begon nerveus te worden, zag hij. Het zou te lang duren om uit te zoeken wie een monteur had laten komen, dus misschien moest ze zich erbij neerleggen dat ze iets over het hoofd had gezien. Want als ze hem wegstuurde en een arme patiënt – of erger nog, een van de artsen – zou in deze hitte een dag langer moeten wachten, kon dat haar haar baan kosten.

'U moet wel even uw handtekening zetten,' zei ze, wijzend naar een klembord met een pen dat voor haar op de balie lag.

Hij schudde zijn hoofd en beende terug naar de balie, waarbij hij ervoor zorgde dat de plunjezak luidruchtig rinkelde. Hij krabbelde iets onleesbaars op de plek die ze aanwees, maar blijkbaar was ze tevreden, want ze gebaarde dat hij kon doorlopen. Hij hoorde de klik van het slot al voordat hij bij de deur was.

Eenmaal binnen, was het verder een fluitje van een cent. Iedereen die door de veiligheidsdeuren was binnengelaten, werd geacht hier te zijn met een goede reden en te weten waar hij heen ging.

Hij dook een linnenkast in die hij zondagavond al had gezien. Daar deed hij zijn naamspeldje af en stopte het in de plunjezak. Vervolgens haalde hij een bril met hoornen montuur tevoorschijn en trok een dun, gebreid vest aan. De mouwen van het vest schoof hij tot zijn ellebogen omhoog. Nadat hij een combinatietang in zijn zak had laten glijden en de plunjezak achter een stapel handdoeken had verstopt, liep hij de kast weer uit.

Hij besteedde nooit zoveel tijd aan vermommingen. Waarom zou hij, als het zo gemakkelijk was om in enkele ogenblikken te veranderen van een onderhoudsmonteur in een bezoeker of een bewoner van het gekkenhuis?

Hoofdstuk 65

Washington DC

Jason geloofde hem niet.

'Maak je niet druk,' zei senator Allen voor de tweede keer. 'Zo belangrijk is het niet. Er komen nog wel meer interviews.' Hij ijsbeerde achter zijn bureau heen en weer, met zijn armen over elkaar geslagen. Af en toe wreef hij over zijn kaak.

Het was alsof hij op die manier zijn frustratie probeerde weg te vegen vanwege het feit dat hij genaaid was, bedacht Jason.

Hij zat in de leren gastenstoel aan de andere kant van het bureau. Hij had gehoopt een eigen interview voor de senator te kunnen regelen vóórdat die erachter zou komen wat er was gebeurd. Hij had toch niet kunnen weten dat de senator naar Good Morning America keek?

Bijna de hele ochtend had Jason geprobeerd contact te krijgen met Lester Rosenthal, de producer van ABC, ook al wist hij niet goed wat hij zou zeggen. Wel wat hij zou *willen* zeggen: Waarom heb je senator Allen er niet bij gehaald, verdomme?

'Het interview draaide voornamelijk om de moord. Ik had bijna met Sidel te doen. Het was gewoon zielig, zoals hij het deed voorkomen alsof er een of andere terroristische samenzwering achter zit om hem als concurrent uit te schakelen.' De senator schudde zijn hoofd om te benadrukken hoe gênant hij Sidels woorden vond.

Ofschoon hij het niet hardop zei, vond Jason Sidel verre van zielig. Integendeel. De man had het briljant gespeeld. Alleen Sidel was in staat een slaande ruzie tussen twee wetenschappers om te buigen tot een terroristische samenzwering uit het Midden-Oosten, met als doel zijn kans op een militair contract en zijn verdiende plek op de energietop te frustreren. Natuurlijk, het klonk erg vergezocht, maar Sidel wist het overtuigend te brengen. Hij werd dus niet voor niets een 'tovenaar' genoemd.

Jason keek naar de senator, die nog steeds achter zijn bureau liep te ijsberen. Hij vond het vreselijk zijn baas zo te zien. De senator was inderdáád afgevallen, dat zag hij nu duidelijk. Zijn voorheen zo atletische slanke figuur leek ineens knokig, en Jason had sterk de indruk dat zijn wangen ingevallen waren en dat zijn ogen dieper in hun kassen lagen.

Het contrast tussen de Allen van dit moment en de Allen op de ingelijste foto's aan de muur was opvallend groot. De foto's toonden een dynamische, energieke staatsman, met zijn arm om leiders als president Poetin of Hollywoodsterren als Tim Robbins en Susan Sarandon. Jason kende geen andere politicus – en als simpele koerier had hij bij heel wat politici een kijkje achter de schermen kunnen nemen – die al binnen enkele minuten nadat hij aan iemand was voorgesteld, zijn gesprekspartner het gevoel kon geven dat hij hem of haar begreep en dat hij zich betrokken voelde bij zijn of haar streven. En dat gebeurde niet alleen bij Democraten; bij Republikeinen ging het net zo.

Als kind had Jason maar weinig mannelijke voorbeelden gehad, behalve dan zijn eenvoudige, maar goed bedoelende oom Louie. En misschien Michael Jordan, de basketbalspeler. Senator Allen had hem zijn hele kantoor, zijn imago, zijn reputatie toevertrouwd. Dat was iets enorms. Op zijn beurt gaf Jason hem zijn onvoorwaardelijke loyaliteit en het diepste respect.

Op dit moment wenste hij echter dat hij meer voor zijn baas kon doen.

De telefoon op het bureau van de senator ging twee keer over en zweeg toen weer.

Jason herkende het signaal waarmee de secretaresse aangaf dat er een gesprek in de wacht stond dat de senator niet wilde missen.

Met een haast opgeluchte uitdrukking in zijn ogen – gelukkig, afleiding! – nam de senator de telefoon op. 'Ja?' Hij wierp een snelle blik op Jason en trok zijn wenkbrauwen op. 'Verbind maar door.' Even bleef het stil. 'Nee maar, als je het over de duivel hebt...' zei senator Allen toen sarcastisch.

Jason verwachtte niet anders, of zijn baas zou Sidel eens flink de waarheid zeggen.

Na zijn begroeting zei de senator echter minutenlang niets meer, op af en toe een 'hm-m' na. Op een gegeven moment keerde hij Jason zelfs de rug toe. 'Komt in orde,' zei hij ten slotte, waarna hij ophing.

Jason zweeg. Hij durfde geen grap te maken.

Senator Allen liet zich in zijn leren draaistoel vallen, boog zich naar voren en begon alles wat op zijn bureau lag stuk voor stuk iets naar rechts te schuiven – een halve centimeter, meer niet.

Jason, die het gedrag herkende, wachtte tot zijn baas zijn gedachten had geordend en zichzelf weer in de hand had. Waarom pikt hij toch zoveel van die vent, vroeg hij zich voor de zoveelste keer af.

Het leek erop dat de senator zijn gedachten had gelezen, want hij keek naar hem op, zijn ellebogen nog steeds op het bureau. Vervolgens drukte hij zijn vingertoppen tegen elkaar, zodat ze een soort puntdakje vormden.

Daaruit leidde Jason af dat hij zijn kalmte had hervonden.

'Het schijnt dat die vrouwelijke wetenschapper mogelijk toch een bedreiging vormt. Sidel maakt zich zorgen dat zij of haar vader zou kunnen proberen de energietop in de war te sturen.'

'Heeft hij de Homeland Security al gewaarschuwd?'

Senator Allen hief zijn handen als om Jason tot kalmte te manen. 'Hij wil niet onnodig paniek zaaien, en daar ben ik het mee eens. Dus heb ik gezegd dat ik dat zaakje voor mijn rekening zal nemen.' Hij aarzelde, maar slechts heel even. 'Ik wil dat je zo veel mogelijk informatie verzamelt over haar vader, Arthur Galloway. Sidel schijnt te denken dat die weleens erg gevaarlijk zou kunnen zijn.'

Hoofdstuk 66

Pensacola Beach, Florida

'Ik heb je drie jaar niet gezien, en het eerste wat je zegt, is dat er wat aan mijn uiterlijk veranderd moet worden,' zei Sabrina. Het kwam vooral door de uitputting en de zenuwen dat ze probeerde er een grapje van te maken.

Kort daarvoor had ze Miss Sadie de winkel uit zien komen, met Eric in haar kielzog. En ineens had het er niet langer toegedaan dat ze hem al zo lang niet had gezien – zelfs niet waarom ze zo lang geen contact hadden gehad. Ze had alleen maar opluchting gevoeld.

Vanaf het plankenpad had hij haar verbluft aangestaard.

Zij had teruggekeken, roerloos op de achterbank van de Studebaker, die aan de andere kant van het parkeerterrein stond. Eric zag er nog precies zo uit als ze zich hem herinnerde; misschien iets slanker, en hij droeg zijn haar een stuk korter. Bovendien had ze hem nog nooit in een roze poloshirt gezien. Hij zag er goed uit: gebruind, gladgeschoren, gezond en sterk.

Zoals altijd had hij zich geen tijd tot nadenken geschonken – iets wat hem net zo vaak ín als úít de problemen had doen komen. Hij had zich naar Miss Sadie toe gebogen om iets tegen haar zeggen, waarop de oude dame had geknikt en haastig naar de auto was gekomen. Vervolgens had hij het bordje 'Open' naar 'Gesloten' gedraaid en de winkeldeur op slot gedaan.

Met de auto waren ze hem gevolgd naar een kleine kapsalon naast Paradise Wine and Liquor.

Eenmaal binnen, had hij haar lange tijd alleen maar in zijn armen gehouden, zonder iets te zeggen. Uiteindelijk had hij haar bij de schouders gepakt en naar een stoel geleid.

'Volgens Miss Sadie zijn jullie de auto niet uit geweest sinds jullie vertrek uit Tallahassee?' Met gefronste wenkbrauwen nam hij haar op, ernstiger dan ze hem ooit had gezien.

'Behalve om naar de wc te gaan,' zei Miss Sadie voordat Sabrina had kunnen antwoorden. 'Bij een tankstation in Panama City.'

'De beste plek om je te verstoppen is in het volle zicht. Hoe pakken we dat aan, Max?' Hij wendde zich tot een vrouw aan wie Sabrina niet officieel was voorgesteld, maar van wie ze vermoedde dat ze de eigenares van de kapsalon was. 'Kort en blond?'

'Het gaat niet zozeer om de politie als om die anderen,' voegde Miss Sadie eraan toe.

Verrast constateerde Sabrina dat haar buurvrouw Eric in die korte tijd blijkbaar het hele verhaal al had verteld.

De drie anderen keken naar haar spiegelbeeld.

Max stond in het midden. Ze had kort rood geverfd stekelhaar en een soort zwarte hondenband om haar hals. Verder droeg ze een strak zwart T-shirt, een zwartleren minirokje en vuurrode teenslippers. Er zat een tatoeage op haar enkel, en om de middelste teen van haar rechtervoet een gouden ring. Eén van haar oren was helemaal bezet met kleine sierknopjes; in het andere had ze alleen een kleine gouden ring gedaan.

Rechts van Max stond Eric, links van haar Miss Sadie. Het was een merkwaardig drietal, dat niets met elkaar gemeen had, behalve Sabrina en de uitdaging van wat ze met haar uiterlijk gingen doen.

'Zijn het beroeps?' vroeg Max aan Miss Sadie. Toen Miss Sadie knikte, knikte Max ook, alsof ze genoeg wist.

Sabrina wilde zich er wel mee bemoeien en háár versie van het verhaal geven, maar was te zeer geboeid door het gesprek. Bovendien was ze gesloopt. Nooit had ze gedacht dat paniek een mens niet alleen geestelijk, maar ook lichamelijk zo kon uitputten.

'Ze verwachten natuurlijk dat ze zich vermomt,' zei Max met een blik op Eric.

'Dus hoe minder veranderingen, hoe beter?'

'Ik zou bij dezelfde kleur blijven.' Max haalde haar vingers door Sabrina's haar. 'Hooguit wat highlights erin. En ik kan het knippen, maar niet te kort. Een pony zou niet verkeerd zijn. Dat is wel anders, maar niet té anders.'

'Oké,' stemde Eric in zonder Sabrina aan te kijken.

Kennelijk had Sabrina zelf niets in te brengen. Zou haar überhaupt nog iets worden gevraagd voordat Max met knippen en verven begon?

Ze moest opeens denken aan toen ze negen was en met Eric mee mocht naar de film. Hij was destijds twaalf geweest en van mening dat hij alles wist. Aangezien hun moeder hém het geld had gegeven, had híj alle beslissingen genomen: naar welke film ze gingen, wat ze te drinken namen, wat voor snoep ze kochten. 'Wil je naar de film of niet?' had hij eenvoudigweg gevraagd toen zij had geprotesteerd. Onwillekeurig vroeg ze zich af wat hij nu zou zeggen als ze bezwaar maakte. *Wil je dat ik je verstop of niet?*

'Ze is wel erg bleek.' Max was duidelijk al verder met haar gedachten. 'Zo valt ze wel erg op hier aan de kust. We spuiten er wel even wat bruin op.'

'O, dat is een goed idee,' zei Miss Sadie. 'Ze heeft een erg lichte huid, en meestal draagt ze zwart en wit. Dat is weliswaar heel chic, maar sommige sprekende kleuren zouden haar ook heel goed staan.' Via de spiegel keek ze Sabrina aan. 'Volgens mij zou koningsblauw de kleur van je ogen goed doen uitkomen, kindje.' Ze legde haar hand op Sabrina's schouder

Door dat bescheiden gebaar leek Eric te beseffen dat hij wel erg weinig aandacht aan zijn zusje had besteed. Hij liep om haar stoel heen, liet zich op zijn hurken zakken en keek haar recht aan. 'Ik ben zo blij om je weer te zien, Bree. Dat meen ik echt,' zei hij eindelijk met een glimlach.

Hoofdstuk 67

Chattahoochee, Florida

Leon kon van zichzelf al erg dwingend overkomen, ook zonder zijn 'beroepsmatige hulpmiddelen'. Natuurlijk, hij gebruikte niet zelden een moersleutel of een combinatietang om informatie los te krijgen – daarom had hij er ook een in zijn zak gestopt – maar hij kon mensen ook zover krijgen dat ze hem de vreemdste dingen vertelden door hun gewoon de juiste vragen te stellen.

Hij trof Arthur Galloway in de televisiekamer, in dezelfde gemakkelijke stoel als waarin hij tijdens het bezoek van zijn dochter had gezeten. Zijn haar stak hier en daar omhoog; zijn overhemd was gekreukt, en hij droeg een witte en een bruine sok. Onwillekeurig vroeg Leon zich af of de man misschien al sinds afgelopen zondag op dezelfde plek zat, of niemand de moeite had genomen hem te verplaatsen.

Hij had een paar candybars meegebracht uit de automaat en legde er een op het tafeltje voor Galloway, terwijl hij naast hem ging zitten. Hij had de dochter hetzelfde zien doen met een cheeseburger. De oude baas had er geen hap van genomen, tot zijn dochter was vertrokken en een van de verpleeghulpen het eten had dreigen weg te pakken. Daarna leunde Leon naar achteren in zijn stoel en begon zijn eigen reep uit te pakken.

De blik van de oude baas schoot onafgebroken in het rond, net als die zondag. Prima. Geen probleem. De man mocht de hele dag om zich heen kijken als hij dat wilde.

'Ik vind Snickers lekkerder,' merkte Galloway plotseling op zonder Leon aan te kijken.

Leon zei geen woord, trok de wikkel eraf en legde de Snickers op het tafeltje. Vervolgens pakte hij de Mars en deed daarmee hetzelfde.

Hij had al een paar happen genomen, toen Galloway de Snickers pakte.

'Ze hebben liever niet dat ik chocolade eet,' zei de oude baas, en hij propte bijna de helft van de reep in zijn mond, alsof hij bang was dat iemand hem die zou afpakken.

'Waar bemoeien die lui zich mee?' Hij meende te zien dat Galloway heel flauwtjes glimlachte, maar wist het niet zeker.

'Ben je hier bij iemand op bezoek?' vroeg Galloway, nog steeds zonder hem aan te kijken.

'Ja, maar de zakkenwasser was niet op zijn kamer.'

Na de laatste twee happen van de reep in zijn mond te hebben gedaan liet Galloway zijn handen naar de armleuningen van de stoel glijden en begon met zijn vingers te trommelen.

Leon probeerde er niet naar te kijken, maar de vingers van de oude baas fascineerden hem. Hij kon duidelijk een ritme in de bewegingen onderscheiden. 'En u?' vroeg hij langs zijn neus weg. Hij probeerde te klinken alsof hij toch even niets beters te doen had. 'Krijgt u hier vaak bezoek?'

'Soms.'

Dat was het. Meer niet.

'Mijn vriend krijgt nooit bezoek. Zijn eigen kinderen willen niet eens bij hem langskomen.' Aandachtig keek hij naar Galloways gezicht, op zoek naar een reactie. 'Dit oord werkt hun op de zenuwen, zeggen ze.' Hij zweeg, kon zijn blik nog steeds niet van de vingers van de oude baas losmaken. De rechterhand bewoog anders dan de linker, zag hij. 'Mijn vriend vindt het niet zo erg, zegt ie, want die kinderen komen toch altijd alleen maar om geld zeuren. Hij krijgt hier tenminste rust, zegt ie, als u begrijpt wat ik bedoel.'

Maar Galloway was vertrokken; Leon merkte het en zag het aan zijn gezicht. Zijn woorden drongen niet tot de oude baas door.

Toen hij naar Galloways voeten keek, zag hij dat die mee bewogen. Bijna alsof hij... ja, alsof hij de pedalen van een piano intrapte. Verrek! Hij keek weer naar Galloways vingers.

De man zit piano te spelen, besefte hij. En hij luistert beslist niet langer naar mij.

Hij keek nog wat beter en herkende de gebaren, het ritme, de beweging. 'Wat speelt u?' vroeg hij ten slotte.

Galloway aarzelde geen moment. 'When You Wish Upon a Star.'

Hoofdstuk 68

Pensacola Beach, Florida

Eric had zuiver zijn intuïtie gevolgd.

Nu hij naar zijn zus keek, die samen met haar escorte van eenentachtig een pizza zat te eten – ondertussen liep de reusachtige witte kat over alle meubels – vroeg hij zich echter af wat hem in 's hemelsnaam bezield had. Hier bij hem was het wellicht nog gevaarlijker voor haar dan in Tallahassee.

Misschien moesten ze het erop wagen en proberen de State Patrol van haar versie van het gebeuren te overtuigen. Alleen klonk haar verhaal behoorlijk krankzinnig – zelfs in zijn oren, terwijl hij toch al heel wat krankzinnige verhalen had gehoord. Eén ding wist hij echter absoluut zeker: anders dan hij, was zijn zus niet in staat tot moord.

Met de afstandsbediening van de televisie in zijn hand ijsbeerde hij door het kleine eenkamerappartement, terwijl hij alle zenders langs ging. Hij zou opgelucht moeten zijn. Schijnbaar werd het verhaal niet belangrijk genoeg gevonden voor het landelijke nieuws.

Uiteindelijk liet hij de televisie op Fox News staan en plofte neer op de bedbank.

Het gekraak van de bank deed Sabrina en Miss Sadie opkijken.

'Dat krijg je als je gemeubileerd huurt,' merkte hij glimlachend op.

De twee vrouwen richtten hun aandacht weer op hun pizza's.

Hij streek met een hand over zijn ogen en harkte met zijn vingers door zijn haar. Het was veel korter dan normaal, en daar was hij nog steeds niet helemaal aan gewend. Het hoorde bij zijn nieuwe uiterlijk, bij zijn nieuwe vermomming. En dat was precies de reden waarom het niet verstandig was Sabrina hier te houden. Maar hij kon haar ook niet zomaar wegsturen.

Hij was de hele nacht op geweest, voor zijn gebruikelijke activiteiten. Alleen had hij deze dag geen kans gezien om een beetje bij te slapen. Allemachtig, hij kon wel een dutje gebruiken, al betwijfelde hij of een paar uur slaap hem zou helpen de situatie in een helderder licht te zien.

'Wie heeft volgens jou die moordenaar ingehuurd?' vroeg hij.

'Mr. Sidel had de afspraak geregeld.' Onwennig streek Sabrina de pony uit haar gezicht. 'Het was de bedoeling dat ik de beheerder van de centrale, Ernie Walker, zou spreken.'

'Maar het was Ernie niet.'

'Nee.'

'Dus je kent Ernie?'

'Ik weet wie het is. Deze vent was in elk geval níét de beheerder.'

'Ho even. Hoe weet je dat zo zeker?'

Ze schonk hem een geërgerde blik.

'Dat zeg ik niet om vervelend te doen, Bree. Ik probeer alleen te achterhalen of het misschien iemand was die ook bij de centrale werkt.'

Ze legde haar stuk pizza neer en leunde naar achteren in haar harde plastic stoel. Langzaam, welbewust veegde ze met een papieren servet haar mond af, maar hij wist dat ze geen tijd rekte. Ze dacht na. 'Hij droeg helemaal geen bescherming,' antwoordde ze ten slotte. 'Geen veiligheidsbril, geen helm. Hij had alleen een lange pijp bij zich. Of misschien was het een knuppel, dat kon ik van beneden af niet goed zien.'

'Misschien had hij gewoon niet de moeite genomen zijn veiligheidsuitrusting te pakken.'

'Dat was niet het enige.' Ze wreef in haar ogen en deed ze stijf dicht, alsof ze zich op die manier de man beter voor de geest kon halen.

Geduldig wachtte hij af.

De oude dame legde haar hand op die van Sabrina, die op de goedkope kunststof tafel rustte. Ze had zich voorgesteld als Sabrina's buurvrouw, maar vroeger, in Chicago, had Sabrina zich amper aan haar buren voorgesteld, terwijl ze toch ruim tien jaar in hetzelfde appartement had gewoond. Ooit had ze hem verteld dat ze hield van de anonimiteit.

Hetzelfde gold voor haar studenten. Hij wist dat ze hen op een afstand hield. In tegenstelling tot veel andere docenten ging ze buiten de colleges niet met hen om, dronk geen koffie met hen en ging niet naar pizzafeestjes wanneer er wat te vieren viel.

Hij had haar altijd benijd om haar vermogen de mensen in haar leven in vakjes te verdelen, al vond hij het niet juist. De laatste twee jaar moest hij dat zelf ook doen – eenvoudigweg om zich staande te houden – en hij vond het verschrikkelijk moeilijk. Zeker bij Howard, zijn baas.

Maar Sabrina was er goed in. Althans, die indruk wekte ze. Voor Miss Sadie had ze kennelijk een uitzondering gemaakt.

'Het alarm,' zei ze opeens. Ze sprong bijna van haar stoel, alsof er letterlijk een alarm afging. 'Ik wíst dat er iets niet klopte. Hij werd verrast door het alarm.'

'Welk alarm?'

'Elke reactor heeft een spoeltank met schoon water. Dat is het laatste stadium van het procedé. Wat er ook van het hele proces overblijft – en dat zou in alle gevallen alleen water moeten zijn – wordt gespoeld en gekoeld voordat het via een filter in de rivier wordt geloosd. Als er vaste delen zijn die het filter zouden kunnen verstoppen of kapotmaken, iets wat bijvoorbeeld zo groot is als...' Haar stem stierf weg.

Hij herkende de blik in haar ogen: posttraumatische shock. Die blik had hij eerder in haar ogen gezien, vlak na het ongeluk van hun moeder. Hij had gehoopt die nooit meer te hoeven zien.

'Iets wat bijvoorbeeld zo groot is als een lichaam,' maakte hij de zin voor haar af. 'Laat me eens raden. Dan gaat er een alarm af. Misschien dacht hij dat hij het alarm had uitgeschakeld?'

'Het is allemaal computergestuurd,' vertelde ze. 'Er is maar één persoon die veranderingen kan aanbrengen in het procedé of in de diverse stadia daarvan.'

Haar blik kruiste de zijne, en hij zag het besef bij haar dagen. Ze had dezelfde uitdrukking in haar ogen die ze als kind had gehad wanneer ze de oplossing van een raadsel had gevonden, of toen ze het geheime ingrediënt van knettersnoep had ontdekt. Alleen las hij in dit geval ook angst daarin.

'Wat is er, kindje?' Blijkbaar zag Miss Sadie het ook.

'Mr. Sidel had een afspraak met de beheerder voor me geregeld om me ervan te overtuigen dat Reactor 5 niet in gebruik was.'

'Dus wie die vent ook op je af heeft gestuurd, wist niet dat de reactor in bedrijf was en dat het alarm aanstond.' Hij stond op van de krakende bedbank en begon weer heen en weer te lopen. 'Of ze hebben het alarm expres aangezet, omdat ze wilden dat hij werd betrapt.'

'De enige die ook maar iets kan in- of uitschakelen, is al sinds vrijdag niet meer op de centrale geweest,' vertelde Sabrina.

'Laten we ophouden over dat alarm en wie er allemaal wisten of het al dan niet aan was.' Hij begon ongeduldig te worden. Hij was moe, dus moest hij zich tot de hoofdzaken beperken. 'Belangrijker is de vraag waarom iemand jou zou willen...' Hij kon het woord 'vermoorden' niet over zijn lippen krijgen. 'Waarom iemand van jou af zou willen.'

In plaats van daarop te reageren schoof ze haar stoel naar achteren en liep naar haar weekendtas, die nog bij de voordeur stond, waar hij hem had neergezet. Ze keek in diverse zijvakken tot ze had gevonden wat ze zocht. Daarna kwam ze terug bij de tafel en legde een plastic zakje neer, zo ver mogelijk bij Miss Sadie en de pizza vandaan.

Hij kon niet goed zien wat erin zat. Het zag eruit als een oranje-crèmekleurige klodder, met hier en daar een stukje metaal erin.

'Ik heb zo'n idee dat dit er iets mee te maken heeft,' zei ze.

'Wat is dit?' Hij pakte het zakje op en voelde eraan. Het leek wel een soort gelei met glitters.

'Dat weet ik niet precies.' Ze keek ernaar, maar niet al te nauwkeurig. 'Ik heb het uit een leiding gevist waar alleen schoon water doorheen zou moeten gaan. Op een plek vlak voordat hij in de rivier uitkomt.'

Hoofdstuk 69

Chattahoochee, Florida

Leon luisterde zonder precies te weten wat er van Galloways gebazel waar was en wat berustte op hallucinaties of voortsproot uit zijn fantasie.

Hij wist dat Meredith, Galloways echtgenote, zo'n twee jaar eerder bij een auto-ongeluk om het leven was gekomen. De arme stumper sprak over haar alsof ze nog leefde. Hij had net zelfs verteld dat hij met haar voor de lunch had afgesproken.

Leon wilde hem niet in de rede vallen, bang als hij was dat hij de woordenstroom daardoor zou onderbreken. Ergens in dat gewauwel moest de informatie zitten die hij nodig had. En dus luisterde hij geduldig.

Galloway was opgehouden op met pianospelen nu hij over zijn geliefde Meredith vertelde. 'Ze was het mooiste meisje op de campus,' zei hij. Zijn tong schoot zijn mond in en uit en bewoog langs de binnenkant van zijn wangen. 'Toen ik haar voor het eerst zag, dacht ik dat mijn hart stilstond.'

Zijn blik ging nog steeds van links naar rechts, alsof hij naar een denkbeeldige tenniswedstrijd zat te kijken. Leon zag echter een glinstering in zijn ogen, en ondanks de druk bewegende tong speelde er een glimlach om zijn mond.

'In de lunchpauze zat ze buiten in het gras,' vervolgde Galloway.

'Te tekenen. Potloodschetsen. En ze dronk cola.'

Leon luisterde aandachtig, terwijl Galloway verslag deed van een suikerzoete verkeringstijd met romantische picknicks en wandelingen in de regen. Op zeker moment realiseerde hij zich dat zijn ongeduld had plaatsgemaakt voor afgunst. Hoe zou het zijn om zo veel van iemand te houden, dat je niet meer wilde leven in een wereld waarin die persoon niet meer bestond?

Hij zou niet willen beweren dat hij de menselijke geest doorzag, maar je hoefde geen psychiater te zijn om te zien wat er bij Galloway aan scheelde. Die kerel was niet gek. Als zijn vermoeden klopte, had Galloway het juist ontzettend slim bekeken. Het had er alle schijn van dat de oude baas gewoon zijn eigen werkelijkheid had geschapen, een werkelijkheid waarin zijn dierbare Meredith er nog was. In zijn gedachten leefde ze nog. In zijn gedachten kon hij haar nog altijd zien.

En ook Leon kon haar zien nu Galloway beschreef hoe ze met haar handen uit natte klei een kunstwerk kneedde. Zoals hij over haar praatte, zelfs over haar geur – een combinatie van olieverf en kruidenshampoo – was ze bijna tastbaar aanwezig. Leon betrapte zich erop dat hij zelfs over zijn schouder keek toen Galloways blik naar een punt achter hem schoot en daar wat langer bleef rusten.

Waar kon een mens zich beter overgeven aan zijn fantasieën dan op een plek waar niet anders van je werd verwacht? Sterker nog, een plek waar je te eten kreeg en waar voor je werd gezorgd terwijl jij je overgaf aan het verleden? En Galloway wist precies hoe hij zijn rol moest spelen; de rusteloze blikken, de nerveus bewegende vingers, die in werkelijkheid helemaal niet nerveus waren.

Helaas bracht dit inzicht Leon geen stap verder. Als Galloway in zijn eigen fantasiewereld leefde, wilde hij misschien wel helemaal niet aan de werkelijkheid worden herinnerd. Dus ook niet aan zijn kinderen, want die vertegenwoordigden voor hem een realiteit die hij juist wilde buitensluiten. Een realiteit waarin geen plaats meer was voor Meredith.

Had hij daarom zondag nauwelijks op zijn dochter gereageerd? Shit, als dat inderdaad zo was, had Leon vermoedelijk een hele ochtend verspild. In situaties als deze kon zelfs een combinatietang hem niet aan de informatie helpen die hij nodig had.

Zodra Galloway even zweeg, greep Leon dat moment aan om te vertrekken. Hij stond op en wachtte nog even, maar Galloways vingers bewogen alweer op denkbeeldige pianotoetsen.

'Uw dochter lijkt zeker op uw vrouw?' probeerde hij voor de zekerheid. Wat maakte het ook uit? Per slot van rekening was hij opnieuw dat hele eind hierheen gereden. 'Ik heb haar laatst gezien toen ze bij u op bezoek was. Ze is erg knap. Uw Meredith is ongetwijfeld een schoonheid.' Hij stond naast de stoel, hoog boven Galloway uittorenend, met zijn handen in de zakken van zijn overall, alsof hij alle tijd van de wereld had. Hij rinkelde met wat kleingeld en liet zijn vingers over de combinatietang gaan. 'Sabrina heet ze toch?'

Hij keek naar Galloways vingers, in de hoop daar een teken te zien dat hij iets had losgemaakt. De sluizen waren zo gemakkelijk opengegaan toen het over Galloways vrouw was gegaan, maar de dochter was blijkbaar te echt, te zeer deel van de werkelijkheid.

Misschien moest hij toch de combinatietang gebruiken. Het zou hem geen enkele moeite kosten een paar van die vingers te breken. Trouwens, daar had hij niet eens een tang voor nodig. Hij hoefde ze alleen maar naar achteren te duwen tot hij 'krak' hoorde.

Hij liet zijn blik door de televisiekamer gaan. Een vrouw werd door een verpleeghulp naar de gang geloodst. De rest zat erbij als een stel zombies. Het verplegerskantoortje kon hij hiervandaan niet zien. Waarschijnlijk zou het wel even duren voordat er iemand reageerde. Een beetje pijn kon weleens precies de juiste stimulans zijn om de oude baas terug te brengen in de werkelijkheid.

'Misschien krijgen we wel doperwtjes bij het middageten,' merkte Galloway op, zonder naar Leon op te kijken.

De arme zielige sodemieter. Leon schudde zijn hoofd. Misschien had hij zich vergist en was de oude baas wel degelijk gek. Gek of niet, er was niets wat Leon kon doen om Galloways leven nog ellendiger te maken dan het al was.

Hij keek op zijn horloge. Er waren inmiddels drie uren verstreken. Drie verknoeide uren!

Net toen hij aanstalten maakte om te gaan, zei Galloway: 'Eric lijkt op zijn moeder. Vooral nu hij aan het strand woont en zo bruin is.'

Roerloos bleef Leon staan, bang om iets verkeerds te doen, bang om de betovering te verbreken. Wierp de oude baas hem een kluif toe? Misschien dacht Galloway dat hij zijn geheim wel aan hem kon toevertrouwen.

Aan de andere kant, wie kon zeggen wanneer Galloway zijn gebruinde zoon voor het laatst had gezien: vorige maand of vorig jaar?

Het leek Leon voor de hand te liggen dat de dochter bij haar broer zou aankloppen om hulp, waar hij ook zat. Hij moest nu dus heel voorzichtig te werk gaan. Hoe nonchalanter je het aanpakte, des te groter was de kans om ze aan de praat te krijgen. Want als je liet merken dat het belangrijk voor je was, sloegen ze meteen dicht.

'Nou, ik ben vorige maand behoorlijk verbrand in Fort Lauderdale,' zei Leon achteloos. Hopelijk zou Galloway hem corrigeren en vertellen waar zijn zoon uithing.

'Met pareluitjes,' zei Galloway.

'Pardon?' vroeg Leon. Waar had die vent het nou weer over? Wat hadden pareluitjes met het strand te maken?

'Meredith is dol op doperwtjes met van die kleine pareluitjes erbij,' voegde Galloway eraan toe.

Leon slaakte een zucht en rolde met zijn ogen. Of de oude baas was geniaal óf hij was zo gek als een deur. In elk geval had hij ervoor gezorgd dat Leon een hele ochtend had verdaan.

Hoofdstuk 70

Washington DC

Jason schoof de laptop van zich af, wreef in zijn ogen en draaide zijn hoofd om de knoop tussen zijn schouders weg te krijgen.

Toen hij op zijn horloge keek, zag hij tot zijn verrassing dat hij al uren non-stop op internet zat. Geen wonder dat hij scheel begon te zien en dat zijn maag knorde!

Tot nog toe wees niets erop dat er grote geheimen waren in het leven van Galloway. Uiteraard had Jason geen toegang tot vertrouwelijke bronnen als het archief van de FBI, maar wat hij te weten was gekomen, duidde absoluut niet op verdachte activiteiten.

Een van de dingen die hij van senator Allen had geleerd, was hoe je een bankrekening moest 'lezen'. Zijn eerste opdracht destijds was het vinden van een lek binnen de staf van de senator geweest. 'Je moet de geldstroom volgen,' had Allen uitgelegd. 'Iemands bankrekening verraadt zijn ware aard.' Binnen enkele dagen had Jason het lek gevonden: een stagiaire met een plotselinge passie voor Prada en een nieuw – geheim – vriendje bij de Washington Post.

Na zich urenlang te hebben verdiept in Galloways financiën van de laatste vijf jaar, had Jason een beeld gekregen dat eerder verdriet en verslagenheid suggereerde dan woede en wraak. Hij had betalingen gevonden van de University of Chicago, waar Galloway een glansrijke carrière had gehad, en een nieuwsbrief voor alumni waarin hij tot hoogleraar van het jaar was uitgeroepen. Verder waren er hypotheekaflossingen geweest en betalingen van de onroerendezaakbelasting voor een huis in een van Chicago's buitenwijken.

Na een overschrijving van zeventienduizend dollar aan Krauss, Holmes and Sawyer's Funeral Home was de situatie plotseling ingrijpend veranderd.

Via Google had Jason al snel het overlijdensbericht van Meredith Galloway gevonden, plus een artikel van bijna vijf jaar daarvoor in de Chicago Tribune, waarin drie kunstenaars werden belicht die bezig waren internationaal door te breken. Bij het artikel stond een foto van een aantrekkelijke vrouw met donker haar en een aanstekelijke glimlach, ondanks de enigszins ondoorgrondelijke blik in haar bruine ogen. Het kwam door het gezicht van Meredith Galloway dat Jason het gehele verhaal moeiteloos in zijn geheugen had weten te prenten.

Een aanzienlijke storting, gevolgd door een eveneens aanzienlijke betaling aan een hypotheekverstrekker, duidde op de verkoop van het huis in de buitenwijk. Vrijwel onmiddellijk daarna was er maandelijks een salaris overgemaakt door de Florida State University en was er elke maand huur afgeschreven voor een appartementencomplex.

Nergens was sprake van ongewoon grote opnames, lidmaatschapsbetalingen aan verdachte organisaties, de aankoop van spullen die nodig waren voor dodelijke terroristische aanvallen of van boeken die de president of zijn regering in diskrediet brachten. Er was domweg niets bijzonders te vinden in Galloways financiën, laat staan dat Jason iets tegen was gekomen waaruit bleek dat Galloway een bedreiging zou kunnen vormen voor de energietop, voor Eco-Energy of voor Sidel. De enige connectie daarmee was zijn dochter.

Inmiddels bijna een jaar terug waren alle inkomsten en uitgaven gestaakt. Op een eenmalige betaling aan dokter E.J. Fullerton na was Galloways financiële bestaan – betaalrekeningen, spaarrekening, creditcardbetalingen: alles – abrupt tot een eind gekomen. Het feit dat dokter Fullerton sinds jaar en dag verbonden was aan het Florida State Hospital in Chattahoochee – waarvan hij tegenwoordig directeur was – leek Jason voldoende bewijs van Galloways huidige verblijfplaats. Niemand van het personeel had echter willen bevestigen dat hij tot de patiënten behoorde.

Maar ook zonder die kennis was Jason ervan overtuigd dat Galloway onmogelijk een gevaar kon vormen. Dus waar maakte Sidel zich dan zo druk om? Wat de plannen van de dochter ook mochten zijn, de vader was nauwelijks in staat haar zelfs ook maar te helpen.

Hij vroeg zich af of dit eigenlijk wel om de energietop ging. Zijn intuïtie vertelde hem van niet. Daarom besloot hij iets te controleren wat al een week aan hem knaagde, sinds senator Allen en hij bij EcoEnergy op bezoek waren geweest.

Uit een van de laden van zijn bureau haalde hij de menukaart van een Thais restaurant dat ook bezorgde, zodat hij iets te eten kon laten komen. Hij verwachtte namelijk nog wel een poosje bezig te zijn.

Het enige wat hij nodig had, was Sidels sofinummer. De wachtwoorden en vereiste toegangscodes had hij al – een van de voordelen als hoofd van de staf van een belangrijke senator. Over een paar uur zou hij een profiel vergelijkbaar met dat van Galloway hebben. Misschien zou hij door Sidels inkomsten en uitgaven te bestuderen een beter inzicht in de man krijgen.

En als hij daar toch mee bezig was, zou hij meteen een ander profiel opstellen, gewoon omdat het hem dwarszat. En misschien ook omdat hij wilde weten waarom het zo gemakkelijk was om een staflid van een senator te vermoorden zonder de media op je nek te krijgen.

Hoofdstuk 71

Pensacola Beach, Florida

Sabrina vond het maar niets dat Miss Sadie vertrok. In het afgelopen jaar was de oude dame haar enige echte vriendin geweest. Ze besefte echter ook wel dat ze niet van haar buurvrouw kon verlangen dat ze bleef. Bovendien was het waarschijnlijk veiliger als ze terugkeerde naar Tallahassee. Inmiddels zou iedereen die naar haar, Sabrina, op zoek was wel hebben ontdekt dat ze verdwenen was.

Desondanks zou Sabrina al na een halve dag bij Eric het liefst met Miss Sadie zijn teruggegaan. Er was iets aan Erics nieuwe leven wat ze niet vertrouwde. Hoewel zij het was die op stel en sprong haar huis had moeten verlaten, wekte Eric de indruk alsof hij volkomen vertrouwd was met een leven op de vlucht. Sterker nog, het leek wel of hij daar in alle opzichten op voorbereid was.

De instructies die hij Miss Sadie gaf, klonken alsof het om een geheime operatie ging. Zijn gedrag deed Sabrina aan vroeger denken, toen Eric had gespeeld dat hij Steve Austin was, de Man van Zes Miljoen. Heel zakelijk vertelde hij de oude dame waar ze op moest letten wanneer ze weer thuis was. 'Het kan iets heel gewoons lijken, dat toch niet klopt. Bijvoorbeeld een cementwagen aan het eind van de straat, zonder dat er ergens aan de weg of de stoep wordt gewerkt. Of iemand van de kabeltelevisie die van deur tot deur gaat.'

Miss Sadie knikte, maar Sabrina zonk de moed in de schoenen. Ze wilde erop kunnen vertrouwen dat Miss Sadie niets zou overkomen, want ze vond het vreselijk dat ze haar vriendin in deze ellende had meegesleept.

Eric tankte de Studebaker vol en vulde de koelbox met eten en drinken. Hij bood zelfs aan dat een van zijn vrienden met Miss Sadie mee zou rijden.

Daar wilde de oude dame echter niets van weten. Het enige wat ze bereid was aan te nemen, was een mobiele telefoon.

'Als er is iets is, dan belt u maar,' zei Eric. 'Het maakt niet uit wat, gewoon bellen.'

Na diverse beloften en een somber afscheid zwaaiden ze Miss Sadie en Lizzie Borden uit.

Even later vertrok Eric met het plastic zakje waarin de klodder afval zat die Sabrina uit de pijp bij EcoEnergy had opgevangen. Hij kende iemand die de inhoud zou kunnen analyseren, zei hij. Voordat hij wegging, liet hij haar beloven dat ze de deur niet uit zou gaan en dat ze niemand zou binnenlaten.

Hij was nog niet weg, of ze werd overvallen door een gevoel van leegte, van eenzaamheid.

Ze besloot het kleine appartement te verkennen – niet uit nieuwsgierigheid, maar omdat ze rusteloos was. Het viel haar op dat er maar heel weinig was wat de woning een persoonlijk tintje gaf. Er stonden geen foto's; er lag nergens post; er hingen in de keuken geen afhaalmenu's – terwijl Eric daar in Chicago veelvuldig gebruik van had gemaakt. Hun moeder had hem zelfs weleens geplaagd dat hij meer restaurants in zijn telefoon had voorgeprogrammeerd dan nummers van vrouwen. Daarop had hij gezegd dat dat zijn enige twee zwakheden waren: afhaaleten en vrouwen. Hij rookte niet, hij gebruikte geen drugs, hij dronk amper en hij vloekte zelden.

Ze deed een paar laden open en weer dicht. Uit niets bleek dat hier weleens een vrouw over de vloer kwam, laat staan bleef slapen. Anderzijds, zij had altijd wel vermoed dat haar knappe charmante broer niet zo'n hartenbreker was als hij de buitenwereld wilde doen geloven.

In twee jaar tijd kon een mens heel erg veranderen, realiseerde ze zich. Om eerlijk te zijn wist ze niet of ze dat wel een prettige gedachte vond. Ze miste de broer die ze zich herinnerde, zijn tekortkomingen en eigenaardigheden daargelaten.

In de hoop iets meer over hem te weten te komen, keek ze in zijn kast. Die bleek gevuld met overhemden en kakibroeken van Ralph Lauren en bootschoenen van Sperry. Allemaal dure merken. Sinds wanneer gaf hij om dat soort dingen?

In een hoek van de kamer stonden een golftas van het merk Ping en een Head-tennisracket. Op het balkon had ze een klein soort surfplank zien staan. Eric was altijd sportief geweest, dus dat klopte wel. Alleen had hij, gezelligheidsmens die hij was, doorgaans gekozen voor teamsporten als basketbal en honkbal. Hij had zelfs competitie gespeeld. Golf was ook een sociale sport, hield ze zich voor.

Toen zag ze het verzilverde naamplaatje op de golftas. E. GALLO stond erin gegraveerd. Er was meer dan genoeg ruimte voor zijn hele naam. Waarom had hij die dan afgekort? Of noemde hij zich tegenwoordig Gallo? Maar waarom dan?

Hoofdstuk 72

Eric bracht het plastic zakje naar de waterzuiveringsinstallatie in Santa Rosa, een eindje verderop, en liet het achter bij een laborante die Bosco heette. Hij wist niet of dat haar voor- of haar achternaam was.

Een paar weken eerder had ze ermee ingestemd op het laboratorium wat privéklusjes voor hem te doen. In ruil daarvoor mocht ze wekelijks als stand-upcomedian optreden bij het café dat Howard naast zijn winkel dreef, Bobbye's Oyster Bar.

Het was maar een kleine kroeg: een rolluik met daarachter een bar met net genoeg ruimte voor één barkeeper – doorgaans Eric, soms Howard. De drankvoorraad was uitgestald op planken tegen de muur achter de bar. Een stuk of vijf, zes bistrotafeltjes met stoelen eromheen stonden op het plankenpad aan de voorkant. Wanneer de bar open was, waren de tafeltjes eigenlijk altijd bezet. Op vrijdag- en zaterdagavonden was het er meestal zelfs erg druk en kon je alleen maar staan.

Eric was niet bang geweest dat Howard niet zou instemmen met Bosco's optreden. Weliswaar was zijn baas er niet op uit van zijn bar een of andere hippe tent te maken, hij vond het leuk om iemand de kans te geven zijn droom te verwezenlijken.

Hoewel de veertigjarige pot eruitzag als een nerd, was ze – gelukkig voor Eric – ontzettend grappig. Razendsnel vuurde ze haar grappen op de klanten af, die al snel huilden van het lachen.

Voordat Eric terugkeerde naar zijn appartement, ging hij nog even bij de winkel langs. Hij stak zijn hand op naar Howards mensen, die al bezig waren de boot uit te ruimen en schoon te maken. De Mercedes van de cowboys was verdwenen, zag hij. Dat was geen goed teken. Howard nodigde de mensen met wie hij ging diepzeevissen steevast uit voor een borrel en het feestmaal dat Eric en hijzelf bereidden op de barbecue.

Eric trof zijn baas achter de toonbank, druk bezig met het openmaken van de pakketten die die dag waren bezorgd. Ondertussen was hij aan het bellen, met zijn mobiele telefoon tussen zijn oor en zijn schouder geklemd.

Eric was ruim één meter tachtig, had geen grammetje vet te veel en had waarschijnlijk in geen jaren zo'n goede conditie gehad. Toch dwong Howards verschijning zelfs in zijn ogen gezag af. Zijn baas was een kleerkast van bijna twee meter lang, met spieren als kabeltouwen. Doorgaans had hij een kleurig T-shirt aan – deze dag een oranje exemplaar met een blauwe marlijn erop – en een witte linnen broek. Soms droeg hij een witte kapiteinspet.

Eric schatte hem ergens in de zestig, maar ook alleen omdat hij een dikke bos wit haar had en een witte snor. Hij had Howard eens schijnbaar moeiteloos een marlijn van ruim tweehonderd kilo aan boord zien halen. Ook had hij hem een eind zien maken aan een handgemeen tussen twee vaste klanten door hen bij hun nekvel te grijpen en eruit te gooien. Tegelijkertijd kon Howard met zijn handen als kolenschoppen buitengewoon subtiel het penseel hanteren, wanneer hij bezig was met het schilderen van een van zijn modelscheepjes.

Howard knikte hem toe zoals hij altijd deed wanneer hij aan de telefoon was of met een klant praatte.

Toch voelde het deze keer anders. Eric werd in dat gevoel bevestigd toen Howard een half uitgepakte doos opzij schoof en het telefoongesprek abrupt beëindigde met: 'Ik bel je nog.'

Eric deed alsof hij niets in de gaten had. Misschien had hij gewoon last van paranoia. Dat zou ook niet zo vreemd zijn, na al dat gedoe met Sabrina. 'Zijn de Texanen al weg?' vroeg hij.

'Niks gevangen, en ze hadden geen van allemaal echt trek.' Howard schudde zijn hoofd, maar klonk niet verrast of teleurgesteld. 'Er was er een, die begon al te kotsen voordat we zelfs maar in open water waren.'

'Die showbink zeker? De cowboy met de stetson en de laarzen?' Eric grijnsde. Hij had die vent dus goed ingeschat.

'Hij mag blij zijn dat ik uiteindelijk toch medelijden met hem kreeg.' In een gewoontegebaar streek Howard over zijn snor. 'Want we waren de ligplaats nog niet uit, of hij begon zich al te misdragen tegenover Wendi.'

Waar het zijn mensen betrof stelde Howard zich altijd enorm beschermend op, terwijl hij toch alleen de beste krachten inhuurde. Wendi kon dan ook uitstekend voor zichzelf opkomen. Sterker nog, ze zou haar hand er niet voor omdraaien om Mr. Cowboy aan het janken te krijgen.

'Laten we hopen dat het met de groep van morgen beter gaat,' zei Eric.

'O, vast wel,' zei Howard op een toon alsof hij daar alle vertrouwen in had. 'Die komen uit Minnesota. Daar weten ze wat vissen is.' En hij wijdde zich weer aan de dozen die nog moesten worden uitgepakt.

'Ik heb de tent vanmorgen een paar uur moeten sluiten,' vertelde Eric hem, al wist hij dat Howard daar geen moeite mee zou hebben.

Hij bleek gelijk te hebben: zijn baas knikte slechts, zonder zelfs maar op te kijken voor een verklaring.

'Er stond ineens een oude kennis voor de deur.'

Opnieuw knikte Howard alleen maar.

'Ze blijft een paar dagen hier,' voegde Eric eraan toe.

Dát wekte Howards interesse. Bij ieder ander zou Eric een vette knipoog hebben verwacht of een sarcastisch 'Heet dat tegenwoordig "een oude kennis"?', maar Howard was een heer.

'Neem haar vanavond mee naar beneden,' zei zijn baas, doelend op de bar. 'Dan kan ik haar leren kennen. Lijkt me leuk.'

'Dat is goed.'

Voor de zoveelste keer wenste Eric dat Howard niet zo'n aardige kerel was. Dat zou zijn taak hier in Pensacola Beach echt een stuk eenvoudiger maken.

Hoofdstuk 73

Tallahassee, Florida

Abda zat de hele dag op zijn hotelkamer. Zodra de roomservice zijn ontbijt had gebracht, had hij het bordje NIET STOREN op de deur gehangen en met zijn laptop ingelogd op het draadloze netwerk van het hotel.

Qasim en Khaled hadden in hetzelfde hotel ingecheckt, maar op verschillende tijden, en alle drie hadden ze een kamer op een andere verdieping. Later die avond zouden ze elkaar ontmoeten in een café aan de overkant, waar ze zich dankzij de studieboeken van Qasim zouden voordoen als studenten, in plaats van als toeristen.

Abda had e-mails naar verscheidene adressen gestuurd. Uit de diverse reacties zou hij uiteindelijk de hele boodschap kunnen samenstellen. Tot dusverre was er nog niets gemeld wat hij al niet wist. Alles wees erop dat het plan nog steeds doorging. Tenzij de komende dagen iets drastisch veranderde, zou EcoEnergy de contracten binnenhalen die jarenlang naar oliemaatschappijen in het Midden-Oosten waren gegaan.

In het licht van het grote geheel stelden de contracten niet zoveel voor. Als ze inderdaad wegvielen, zou dat in het Midden-Oosten niet tot faillissementen leiden of zelfs maar tot merkbare economische schade voor de bewuste maatschappijen. Alleen ging het bij de contracten niet om geld of om olie. Goodwill en invloed: daar draaide het allemaal om.

Jarenlang waren die contracten een wederdienst aan Abda en zijn landgenoten geweest voor het feit dat ze zich achter de Verenigde Staten hadden opgesteld en tegenover andere Arabische landen, ongeacht de Amerikaanse strijd tegen het terrorisme. Als de contracten nu aan een ander werden gegund, zou dat een klap in het gezicht van Abda en zijn landgenoten zijn. En dat leek de zittende Amerikaanse president maar niet te willen inzien, ofschoon er telkens weer en in diplomatieke bewoordingen op was gehamerd. Maar misschien zou hij het wel begrijpen in de enige taal die zijn regering scheen te verstaan.

De groep van Abda had hard gewerkt – of eigenlijk vooral Khaled. Die was maanden bezig geweest met het ontwerpen van een strategie die een enorme impact zou hebben, maar die niet voortijdig zou worden ontdekt door de hordes beveiligingsmensen met wie de president zich omringde.

In eerste instantie had Khaled gedacht dat te kunnen bereiken met een combinatie van onschuldige vloeistoffen die afzonderlijk niet zouden worden opgemerkt, maar die tot een enorme explosie zouden leiden als ze met elkaar in contact kwamen. Geniaal als hij was, had hij bedacht om elk van de vloeistoffen – die eruitzagen als gewoon water – in een plastic wegwerpflesje met een trekdop te doen; zo'n dop die je niet hoefde los te draaien, maar alleen een stukje hoefde uit te trekken om te kunnen drinken. In die trekdoppen had hij een scherpe plastic punt verwerkt waarmee je de bodem van een volgend flesje kon doorboren. In totaal zou hij drie flesjes nodig hebben, drie doodgewone flesjes met zogenaamd water erin. Wanneer de derde en laatste dop het middelste flesje doorboorde, zouden de vloeistoffen zich binnen enkele seconden met elkaar vermengen. De daaropvolgende explosie zou gigantisch zijn en alle gasten van het banket doden – inclusief de martelaar die de bom ter plekke zou fabriceren. Khaled had zelfs aangeboden de rol van martelaar op zich te nemen.

Als leider van de groep had Abda zijn plan echter afgewezen, omdat hij vreesde dat een explosie van die omvang zou worden afgedaan als de zoveelste wrede terroristische aanslag. Naar zijn overtuiging moest het wapen weliswaar dodelijk zijn, maar gericht, zodat iedereen zou weten wie het doelwit was en waarom de aanslag was gepleegd.

Khaled had zich in Abda's beslissing geschikt en was opnieuw met zijn reageerbuisjes, fiolen en scheikundige formules aan de slag gegaan. En weer was hij met een briljante en dodelijke oplossing gekomen.

Abda haalde het onschuldig ogende medicijnflesje tevoorschijn. De capsules die erin zaten, bevatten een medicijn tegen hoge bloeddruk. Allemaal, op één na. Die ene kon hij onderscheiden door een klein deukje aan het uiteinde, dat je alleen kon voelen. In plaats van het medicijn bevatte die capsule een dodelijk poeder, samengesteld en geperfectioneerd door Khaled. Het korrelige witte spul – dat zelfs nog gevaarlijker was dan antraxtoxine – had geen smaak, geen geur en kon dus onopgemerkt aan voedsel worden toegevoegd. Binnen enkele seconden na consumptie zou de keel van het slachtoffer beginnen op te zwellen, waardoor de persoon in kwestie geen lucht meer kreeg. Redding was onmogelijk, en bij sectie zou uit niets blijken waardoor de verstikking was veroorzaakt.

In Abda's ogen was Khaleds uitvinding geniaal. Het poeder was dodelijk en niet traceerbaar én stelde hem in staat zijn slachtoffer nauwkeurig te kiezen.

Met de hulp van de wetenschap zouden ze deze regering een les leren die ze niet licht zou vergeten – deze regering, die dacht dat ze haar beloften niet hoefde na te komen nu het procedé van EcoEnergy haar van zekere verplichtingen zou kunnen 'bevrijden'. In Abda's ogen was het daarom niet alleen een les, wat ze van plan waren, maar tegelijk een prachtige vorm van gerechtigheid.

Hoofdstuk 74

Washington DC

Jason schraapte de laatste Thaise mie van de bodem van het bakje en stak de hap in zijn mond zonder zijn blik van het computerscherm af te wenden.

Alle anderen waren allang naar huis.

De man van de beveiliging was al drie keer bij hem komen kijken, en Jason begon zich af te vragen of hij dat deed omdat hij zich zorgen over hem maakte of omdat hij zich ervan wilde vergewissen dat hij geen Congresgeheimen aan het stelen was.

Hij zocht tegelijkertijd naar informatie over William Sidel en Zachary Kensor. Tenslotte was het nauwelijks extra moeite om de systemen die hij had weten binnen te dringen, op beide namen te controleren.

In Zachs financiële verleden had hij alleen het gebruikelijke voor een man van zijn leeftijd aangetroffen. In sommige opzichten deden Zachs financiën hem denken aan zijn eigen weinig opzienbarende financiële situatie. Hij had dan wel een goed salaris, maar echte uitspattingen kon hij zich niet veroorloven.

Hij klikte door naar het zoveelste rekeningafschrift van EcoEnergy. Sidels zakelijke rekeningen leken eerder op die van een politicus; kennelijk was er geen beleggingsmaatschappij of miljonair van wie Sidel géén geld wilde aannemen. Sidel op zijn beurt maakte exorbitant hoge bedragen over aan een aantal non-profitorganisaties. Sommige daarvan waren misschien zelfs wel legaal, maar Jason herkende er een paar als dubieuze lobby's – of althans, zo deden ze zich voor.

Anders dan een overheidsinstelling kon een particulier bedrijf als EcoEnergy nagenoeg iedere investeerder kiezen die het maar wilde. Het mocht echter geen liefdadigheidsorganisaties gebruiken om vertegenwoordigers van het Congres mee om te kopen. Hoewel het Jason waarschijnlijk erg veel moeite zou kosten om zijn vermoeden te bewijzen, printte hij het rekeningoverzicht toch maar uit en gaf met een accentueerstift de twijfelachtige non-profitorganisaties aan.

Hij was kapot. Zijn ogen brandden van het getuur naar het beeldscherm, en dat was ook nog allemaal voor niets geweest. Hij had een hele dag verspild. De volgende dag zou hij de laatste zaken moeten regelen voor het ontvangstdiner. Hij had nog een berg papierwerk te doen. JVC's Emerald Coast Catering had hem het menu gefaxt ter goedkeuring. En hij had de hele dag niet meer aan het Appropriations Committee gedacht, geobsedeerd als hij was om iets – wat dan ook – te vinden wat zijn gevoel zou bevestigen dat er iets niet in de haak was met Sidel.

Wat kon het toch zijn dat Sidel gebruikte om senator Allen onder druk te zetten?

Steeds opnieuw beluisterde hij in gedachten het telefoongesprek tussen de senator en Sidel van die ochtend. Hij had nog nooit meegemaakt dat de senator zich door wie ook liet intimideren, en toch gebeurde dat in de contacten met Sidel telkens weer. Ofschoon hij het niet kon bewijzen, voelde hij aan zijn water dat Sidel de senator een soort ultimatum hád gesteld.

In eerste instantie had Jason aangenomen dat er gewoon sprake was van dienst en wederdienst. Senator Allen zou ervoor zorgen dat het militaire contract door het Appropriations Committee kwam. Voor Sidel betekende dat niet alleen extra geld, maar ook aanzien en geloofwaardigheid. Senator Allen zou daarmee zijn positie versterken bij de milieubeweging en bij kiezers die zich zorgen maakten over Amerika's afhankelijkheid van buitenlandse olie. En daardoor zou hij weer een grotere kans maken als eventuele presidentskandidaat. Hoewel hun situatie dus op zich gelijkwaardig was, vermoedde Jason dat er meer speelde. Wat had Sidel achter de hand waardoor het evenwicht was zoekgeraakt en hij het voordeel naar zich toe had weten te trekken?

Jason had Sidels privérekeningen al een keer doorgenomen, maar besloot nogmaals diens creditcardbetalingen van het voorbije jaar onder de loep te nemen. Maar nog steeds zag hij niets opzienbarends. Zo te zien verzamelde Sidel antiek, trakteerde hij zichzelf eens per maand op een duur kappersbezoek en ging hij een keer per week naar de pedicure. Een manicure behoorde niet tot zijn uitgaven. Verder gaf hij meer uit aan lidmaatschappen en entreegelden van exclusieve privéclubs dan Jason in een heel jaar verdiende – de Champions Golf Club, de Gulf Coast Yacht Club, de South Beach Spa and Resort, en de Sandshaker Health Club.

De afgelopen acht maanden was Sidel twee keer naar DC gereisd, en beide keren had hij in het Washington Grand Hotel gelogeerd. De eerste keer dat Jason die reisjes en het hotel had gezien, was hij geschrokken geweest. Waarschijnlijk had hijzelf de reserveringen voor Sidel gedaan – op verzoek van senator Allen – zonder te weten dat het om Sidel ging. Niet dat die reisjes nu zo bijzonder waren, overigens. Het lag voor de hand dat Sidel met enige regelmaat naar DC toog, en waarom zou hij dan niet in een van de beste hotels van de stad verblijven, op aanbeveling van zijn vriend?

Hij besloot alle documenten en financiële overzichten die hij had uitgeprint mee naar huis te nemen. Daar kon hij alles uitspreiden en nog eens aandachtig bekijken. Als hij het zich goed herinnerde, had hij nog een paar biertjes in de koelkast, die hem bij zijn onderzoek vast zouden helpen.

Toen hij alles in zijn attachékoffer aan het doen was, viel hem iets op wat hem deed verstarren. Maar misschien liet hij zich in zijn vermoeidheid meeslepen door zijn verbeelding.

Hij haalde de enige drie overzichten die hij van Zachs financiën had uitgeprint weer uit de koffer en nam regel voor regel de betalingen door die Zach met zijn creditcard had gedaan, op zoek naar iets wat al eerder zijn aandacht had getrokken. Toen had hij er niets achter gezocht, maar nu leek het hem ineens wel erg toevallig.

Daar stond het. Vijf maanden eerder, op 20 januari: een creditcardbetaling in een cadeauwinkel van een hotel. Er waren geen andere posten die naar het reisje verwezen; alleen een bedrag van negenentwintig dollar vierenvijftig, besteed in het winkeltje van het South Beach Spa and Resort.

Hij pakte Sidels creditcardoverzicht van januari erbij. Van 18 tot 20 januari had Sidel tweeduizend en vierentwintig dollar in het South Beach Spa and Resort uitgegeven.

Wel bijzonder toevallig dat beide mannen tegelijkertijd in zo'n duur resort hadden verbleven. Zeker gezien het feit dat een van de twee had moeten leven van een salaris waarmee hij zich geen uitspattingen kon veroorloven.

Hoofdstuk 75

Pensacola Beach, Florida

Doordat ze elkaar bijna twee jaar niet hadden gezien, voelde Sabrina een zekere spanning tussen Eric en haar – zeker nu Miss Sadie niet meer als buffer kon dienen. Ze had erop gestaan dat hij de televisie aan liet, zodat de stiltes tussen hen niet zo zouden opvallen.

Vanuit de bar beneden klonk gelach en gepraat. Eric had haar er bijna van overtuigd dat het geen kwaad kon om er later op de avond een hapje te gaan eten. Tegen die tijd zouden alleen de vaste klanten er nog zitten, en die waren te vertrouwen, aldus Eric.

Alleen was ze er niet zo zeker van dat ze hem wel kon geloven. Hoewel hij in veel opzichten nog dezelfde was – de grote broer zoals ze zich hem herinnerde – kon ze de gedachte aan die kast vol dure merkkleding maar niet uit haar hoofd zetten. Ook bleef ze zich afvragen waarom hij zichzelf tegenwoordig Gallo noemde.

Onverwacht zette Eric de televisie harder.

Ze zag een foto van zichzelf, onder in een hoek van het scherm. Een luchtopname van EcoEnergy nam de rest van het beeld in beslag.

Volgens de nieuwslezer was er een arrestatiebevel voor haar uitgevaardigd. 'De twee collega's waren met elkaar in een concurrentiestrijd gewikkeld om een promotie,' zei hij op een toon alsof het vanzelf sprak dat die ruzie op een moord was uitgelopen. 'Eerder vanavond heeft de vader van het slachtoffer een beloning van honderdduizend dollar uitgeloofd voor degene die informatie kan verstrekken die leidt tot de aanhouding en veroordeling van Sabrina Galloway.'

Bij het zien van de foto van Anna's vader schoot het door Sabrina heen dat hij niets van haar eigen vader weg had. Hij leek eerder op een van de acteurs uit The Sopranos.

Toen de nieuwslezer overging op het volgende onderwerp, zette Eric het geluid weer zachter. Blijkbaar had hij haar gedachten geraden, want hij zei: 'Shit, Bree, het lijkt erop dat je de hele maffia van Florida achter je aan krijgt!' Maar direct daarna glimlachte hij.

Ze zat op de gammele, enigszins doorgezakte bedbank. Het ding rook naar zeewater en Miss Sadies limoenshampoo, en voelde op dit moment als haar enige toevluchtsoord.

'Het klinkt allemaal zo simpel, zoals zij het zeggen,' verzuchtte ze.

'Dat is het meestal ook. Hebzucht, jaloezie, lust, haat...' Hij keek haar recht aan. 'De emoties lopen hoog op, en voordat je het weet, valt er een slachtoffer.'

'Ik heb haar niet vermoord. Dat weet je toch wel, hè?' Ze was verbijsterd dat ze dat moest vragen. Maar als híj was veranderd, dacht hij misschien wel dat voor haar hetzelfde gold.

'Niet om het een of ander, maar je hebt me vroeger ooit met een honkbalknuppel belaagd,' grapte hij. Hij streek met zijn vingertoppen over het deukje in zijn neusbrug.

Ofschoon ze eigenlijk niet in de stemming was voor grappen, kon ze niet nalaten hem van repliek te dienen. 'Dat was omdat je te dicht bij de thuisplaat stond.'

'En toen je zag dat ik een bloedneus had, moest je huilen,' zei hij lachend.

'Niet waar,' loog ze, want ze herinnerde zich maar al te goed dat ze in een onbedaarlijk snikken was uitgebarsten. Ze was destijds zes geweest, en als de dood dat ze haar broer een hersenbeschadiging had bezorgd. Toen was gebleken dat alleen zijn neus gebroken was, was dat nauwelijks een troost geweest.

Zijn blik werd ernstig. 'Je vond het verschrikkelijk dat je me pijn had gedaan, dus ik kan me niet voorstellen dat je ook maar iemand kwaad zou kunnen doen.'

'Je hebt me in geen twee jaar gezien. Misschien ben ik wel veranderd.'

'Mensen veranderen niet zo drastisch, Bree. Ze veranderen misschien van baan, van geloof, van echtgenoot –'

' – of van naam,' flapte ze eruit. Afwachtend keek ze hem aan.

'Wie heeft je dat verteld?'

'Wat? Dat je tegenwoordig door het leven gaat als Eric Gallo?'

'Het is niet wat je denkt.'

'Wat ik dénk? Je bent twee jaar geleden uit mijn leven verdwenen! Dat was jóúw keuze. Mij werd niets gevraagd.' Ze begreep zelf niet waar die woede opeens vandaan kwam, maar het voelde als een bevrijding om er lucht aan te geven. Bovendien moest het maar eens gezegd worden. 'Ik had je nodig, en je ging gewoon weg, zonder ook maar iets te zeggen. We hadden zelfs geen adres om je te kunnen schrijven.' Ze was gekwetst en boos en ze wilde hem duidelijk maken dat ze niet wist of ze hem wel durfde te vertrouwen – zelfs niet onder de huidige omstandigheden, waarin hij het enige was wat ze nog had. 'Je bent bij pap langs geweest in Chattahoochee, maar je hebt niet de moeite genomen mij op te zoeken.' Ze zweeg en keek hem strak aan. Ze weigerde zijn blik los te laten, weigerde hem de kans te geven er luchtig over te doen, alsof het allemaal niet zoveel voorstelde. En ze weigerde hier nog langer te blijven zonder uitleg, zonder een verontschuldiging.

'Ik ben weggegaan uit Chicago omdat ik boos was op pa. Niet op jou.'

Maar dat wist ze al. Hij gaf hun vader de schuld van hun moeders dood.

'Mijn leven was op dat moment een puinhoop,' vervolgde hij. 'Het was gemakkelijker om weg te gaan, om elk contact te verbreken. Op die manier hoopte ik mijn leven weer op de rails te krijgen. Daar ben jij onbedoeld het slachtoffer van geworden.'

Verwoed knipperde ze met haar ogen. Het woord 'slachtoffer' deed haar bijna lichamelijk pijn.

Kennelijk merkte Eric het, want hij zei: 'Maar er is geen dag voorbijgegaan dat ik je niet miste.'

Hoofdstuk 76

Tallahassee, Florida

Leon probeerde het licht van de penlight af te beschermen met zijn lichaam.

Het had hem geen enkele moeite gekost om het appartement van Galloway binnen te komen. Waarom legden mensen hun reservesleutel toch altijd op zulke voor de hand liggende plekken? Hij had niet gedacht dat ze zo onnozel zou zijn om een van de bloempotten achter het huis als verstopplaats te gebruiken.

Op de stoep aan de voorkant had hij een opgerolde krant zien liggen. In de garage stond een goedkope huurauto. Hij nam aan dat de politie alle vluchten naar Chicago al had gecontroleerd, in de overtuiging dat ze de wijk zou nemen naar haar geboortestad. Een beetje al te voorspelbaar, vond hij. Anderzijds, misschien schatte hij haar wel te hoog in. Uiteindelijk was ze ook zo stom geweest om haar huissleutel onder een bloempot te leggen.

Hij liet de smalle lichtbundel over het meubilair gaan. Het schijnsel viel op één enkele ingelijste foto, van het gezin Galloway. Hij herkende een jongere Arthur Galloway. De dochter was niets veranderd, nog altijd aantrekkelijk, zij het misschien wat minder fel. De broer had een knap gezicht – een combinatie van Hollywood en Sports Illustrated – met donker haar, bruine ogen, een glimlach die kuiltjes in zijn wangen maakte en een vierkante kaak. Hij leek sprekend op zijn moeder. De lieftallige Meredith was zelfs nog mooier dan Leon zich haar had voorgesteld. Ze had een aanstekelijke glimlach en een ongetemde, maar warme blik in haar ogen. Het kostte hem gewoon moeite om zijn blik af te wenden. Ja, ze vormden een knap gezin.

Hij controleerde de telefoon, nam de lijst met nummers in de nummermelder door en keek welke nummers er onder de voorkeuzetoetsen stonden.

De kalender aan de muur naast de koelkast was leeg. Er stond ook niets op de blocnote bij de telefoon, en er waren zelfs geen indrukken in het papier te zien van een eerder genoteerde boodschap.

In een bureaula vond hij echter een adresboekje met een leren kaft. Eindelijk prijs! De hoeken waren versleten, en bij sommige namen waren adressen en telefoonnummers doorgehaald en vervangen door nieuwe in de kantlijn. Elke notitie was zelfs voorzien van een datum – waarschijnlijk de datum waarop ze de informatie had genoteerd. Het boekje was duidelijk veelgebruikt, en toch stond er geen recent adres van Eric Galloway in. Het enige wat Leon over hem vond, waren een adres en een telefoonnummer in Chicago, maar die waren doorgestreept. In de kantlijn stonden geen nieuwe gegevens. Helemaal niets.

Hij besloot het boekje nog een keer door te bladeren. Misschien had ze de gegevens van haar broer ergens anders genoteerd, al betwijfelde hij dat. Daarvoor leek ze hem te gestructureerd.

Opeens klonk achter hem een klik en ging er een lamp aan.

Hij bevroor, bleef roerloos staan, zijn oren gespitst. Hoe was iemand erin geslaagd hem ongemerkt te besluipen? Zweet drupte over zijn rug en zijn voorhoofd. Nog even, en het zou in zijn ogen lopen. Hij weerstond de drang het weg te vegen en probeerde zijn aandacht te richten op de geluiden achter zich. Hij verwachtte ieder moment een triomfantelijke stem te horen zeggen: 'Gesnapt!'

Had ze zich soms al die tijd ergens verborgen gehouden?

Hij wist zeker dat ze hem nooit zou verrassen als ze ongewapend was.

In plaats van zich langzaam om te draaien – de reactie die ze zou verwachten – dook hij achter de bank. Daarbij stootte hij zijn elleboog tegen een bijzettafeltje en ramde hij zo hard met zijn hoofd tegen de piano, dat er een paar snaren begonnen te trillen.

'Verdomme,' mompelde hij. Zijn hand schoot naar het pistool achter de band van zijn broek, zijn blik vloog in het rond. Hij zag alles dubbel, maar gelukkig geen Galloway. Sterker nog, hij zag helemaal niemand.

Er klonk nog een klik.

Hij draaide zich helemaal om naar waar het geluid vandaan was gekomen, met zijn armen gestrekt, beide handen om het pistool, klaar om te vuren.

Nog steeds niemand.

Hij zat op ooghoogte met een stopcontact. In het stopcontact zat een elektronische tijdschakelaar. Met zijn blik volgde hij het snoer van de timer naar de lamp die zojuist aan was gegaan.

Zacht vloekend werkte hij zich overeind. Waarschijnlijk had ze overal tijdklokken om de indruk te wekken dat er iemand thuis was. Dat had hem niet moeten verrassen; zo'n type was ze wel.

En inderdaad, hij trof ook een timer aan in de keuken – voor het koffiezetapparaat – en nog een voor een tl-lamp boven het aanrecht.

Hij liet het licht in de woonkamer branden en deed daar zijn voordeel mee terwijl hij de rest van het appartement doorzocht. Maar licht of geen licht, hij besefte al gauw dat hij hier niets zou vinden waaruit viel af te leiden waar ze heen was of zelfs maar hoe ze was vertrokken. Misschien met een andere huurauto, dacht hij, maar dat idee verwierp hij vrijwel onmiddellijk. Daar zou de politie rekening mee hebben gehouden. Dus hoe was ze dan weggekomen? Lopend?

Na een laatste blik in alle kamers en een kort gebruik van het toilet boven besloot hij de flat een paar uur in de gaten te houden vanuit zijn bus, die hij een klein eindje verderop langs het trottoir had geparkeerd. Voordat zijn vertrek uit Chattahoochee had hij er nogmaals andere kentekenplaten op gezet. Hopelijk zou hij nog een uur of acht de tijd hebben voordat het bedrijf doorkreeg dat het busje verdwenen was. En in een rustige doodlopende straat als deze verwachtte hij niet dat iemand zou klagen over een airconditioningbedrijf dat 's avonds laat nog voor een storing kwam – zeker niet met deze moordende temperaturen.

Hij liep terug door de woonkamer, maar bleef zo ver mogelijk bij de ramen vandaan, al waren alle gordijnen en jaloezieën dicht.

Juist toen hij de terrasdeur open wilde schuiven, schoot hem iets te binnen. Hij draaide zich om en pakte de ingelijste foto van het gezin Galloway. Daarna verdween hij via dezelfde weg als waarlangs hij was gekomen. De sleutel legde hij terug onder de bloempot.

Hij zat nog maar net weer in zijn busje, toen hij een auto de hoek om zag komen. Terwijl hij een blikje frisdrank uit de kleine koelbox naast zich haalde, reed de wagen langs hem heen en de oprit naast Galloways appartement op. Waarschijnlijk zou hij er amper aandacht aan hebben besteed, ware het niet dat het een oude Studebaker was. Dezelfde Studebaker die hij de vorige avond had gezien.

Hij zag de garagedeur omhooggaan, en in het heldere licht daarbinnen ving hij een glimp van de bestuurder op. Met een papieren zakdoekje bette hij het zweet van zijn voorhoofd en zijn bovenlip. Vreemd, peinsde hij, dat zo'n oud zwart dametje nog zo laat op stap was geweest.

Hoofdstuk 77

Pensacola Beach, Florida

Eric wist Sabrina tot een wapenstilstand te bewegen. Ze hadden allebei honger, dus moesten toch eten.

Hij kon het haar niet kwalijk nemen dat ze nijdig op hem was. Als hij eerlijk was, moest hij bekennen dat het hem had verrast dat ze hulp bij hém had gezocht. Hij had gezegd dat hij alles zou doen om haar te helpen. Tegen de tijd dat dit allemaal achter de rug was, kon ze altijd nog besluiten of ze bereid was hem te vergeven.

Wat hij niet had gezegd – en wat hem bloednerveus maakte – was dat als hun vader zijn mond voorbij had gepraat en aan Sabrina had verteld waar ze hem kon vinden, hij dat misschien ook aan anderen zou vertellen. Bijvoorbeeld aan de vent die eropuit was haar te vermoorden.

Hij schoof zijn stoel zo, dat hij aan de rand van de kring rond het kleine bistrotafeltje kwam te zitten. Hij wilde de anderen gadeslaan terwijl Sabrina haar verhaal deed, want hij was er nog altijd niet van overtuigd dat hij hier goed aan deed. En tegelijkertijd – het was de ironie ten top – wist hij dat als hij deze groep niet kon vertrouwen, hij bij niemand anders aan hoefde te kloppen.

Volgens Max waren ze allen verdwaalde zielen die elkaar hadden gevonden, maar dat zei ze doorgaans pas na de nodige glazen sangria. Met de beste wil van de wereld kon Eric niet het moment aanwijzen waarop ze vrienden waren geworden. Het was heel geleidelijk gegaan. Misschien was het een maand of vijf, zes eerder begonnen. Ze waren gewoonlijk de laatste klanten bij Bobbye's en schoven dan bij elkaar aan in een rommelige kring, ook als dat betekende dat er stoelen van andere tafels gehaald moesten worden.

Eric stond bekend om zijn gave om mensen bij elkaar te brengen. Vrienden maken was hem altijd gemakkelijk afgegaan. Met relaties lag het wat moeilijker.

Hij besefte best dat de leden van deze groep weinig met elkaar gemeen hadden, behalve dat ze volkomen buiten de andere groepen vielen die het strand bezochten. Ze waren toeristen noch studenten, al kon Russ moeiteloos voor beide doorgaan. Geen van allen kwamen ze hiervandaan, niemand van hen woonde al erg lang op het strand. Op de Mayor, de Burgemeester, na dan. Die woonde al bijna zijn hele leven in Pensacola.

Eric zette zijn stoel altijd zo, dat hij met zijn rug naar het water zat en kon zien wie er het plankenpad op kwam of om de hoek van het gebouw. Op dit moment keek hij uit naar Bosco, in de hoop dat ze de resultaten van het laboratorium al had, hoewel hij wist dat hij daarmee wel erg veel verwachtte.

Zijn blik dwaalde naar Sabrina, en hij nam haar aandachtig op terwijl hij diverse strategieën de revue liet passeren. Hij vond het vreselijk dat hij zo weinig voor haar kon betekenen, dat hij haar niet kon helpen. Tenminste, niet in zijn eentje. Hij moest hulp inroepen, en dat stond hem tegen.

Gelukkig maakte ze inmiddels een meer ontspannen indruk. Vermoedelijk kwam dat door de Baileys Irish Cream met ijs. Hij wist dat ze niet dronk, maar was er vrij zeker van geweest dat ze geen bezwaar zou maken tegen de zoete romige likeur. Tot zijn verrassing had ze zelfs om een tweede glas gevraagd.

Door het kortere kapsel oogde ze jonger. Zo deed ze hem denken aan vroeger, toen ze nog klein waren. 's Zomers had ze altijd kort haar gehad, zodat niets van haar kostbare vakantie verloren kon gaan doordat hun moeder haar haar wilde vlechten of krullen. Dit model stond haar goed. Ze moest alleen duidelijk nog wennen aan de pony, want die streek ze voortdurend van haar voorhoofd.

Max had haar gekleed in lindegroen en koningsblauw. Miss Sadie had gelijk gehad: Sabrina's ogen waren daardoor stralend blauw. Ze herinnerden hem aan de ogen van hun vader.

Ze had de hele metamorfose zeer sportief opgenomen, tot en met de gaatjes in haar oren en het bruinen van haar bleke huid toe. Echt heel sportief.

Of misschien was ze gewoon banger dan ze wilde doen blijken.

In de loop van de avond keek ze geregeld zijn kant uit. Hij probeerde de uitdrukking in haar ogen te lezen. *Dit is zeker een grap*, leek ze in het begin te willen zeggen. Maar op den duur zocht ze alleen nog maar af en toe zijn geruststelling.

De leden van de groep aten uit haar hand, en niet alleen omdat haar verhaal hen had geschokt – volgens Eric was er nog maar weinig dat deze mensen kon schokken – maar omdat ze respect afdwong. Zelfs Russ, die soms erg nonchalant en bagatelliserend kon reageren, luisterde vol aandacht. Eric hoopte dat diens door computers geobsedeerde geest ondertussen aan een plan werkte.

'Ze hebben alle reden om deze hele zaak zo snel mogelijk onder het tapijt te vegen.' De Mayor leunde naar achteren met een gezicht alsof het volkomen voor de hand lag wat hij zojuist had gesteld.

De rest wachtte af en keek toe terwijl hij een slok nam van zijn roze drankje – iets wat hem altijd soepel afging, ondanks de prikker met fruit: stukjes ananas en mango, met daartussen cocktailkersen.

Eric en Howard, die beurtelings achter de bar stonden, waren waarschijnlijk de enigen die wisten dat het brouwsel – door de Mayor 'Exotic Pink Lady' gedoopt – geen druppel alcohol bevatte.

Pas na diverse keren van zijn glas te hebben genipt besefte de Mayor dat ze allemaal op nadere toelichting zaten te wachten. 'Vanwege dat contract van honderdveertig miljoen dollar dat ze hopen binnen te halen,' verduidelijkte hij, met een gebaar alsof hij de informatie letterlijk op tafel gooide.

Iedereen keek hem zwijgend aan.

Alleen Sabrina boog zich naar voren en zei: 'Het militaire contract.'

De Mayor knikte glimlachend. 'Het is uitgebreid in het nieuws geweest,' zei hij op de afkeurende toon die de anderen wel van hem kenden. 'Is er hier dan niemand die een beetje in de gaten houdt wat er in de wereld omgaat?'

Het was een oude discussie, een stokpaardje van de Mayor, iets waarover hij zich erg kon opwinden, maar waar niemand enige aandacht aan besteedde. Ze wisten namelijk allemaal dat de oude baas het heerlijk vond om hen op de hoogte te houden van de stand van het land en van de actualiteit.

Eric noemde hem altijd hun persoonlijke nieuwscommentator. Jaren terug was hij burgemeester van Pensacola geweest, en hij had bovendien in het Congres gezeten voor een van de districten in het uiterste westen van Florida. Eric wist niet meer of de Mayor één of twee termijnen had gediend, maar het was in elk geval genoeg geweest om wat stof te doen opwaaien in DC en om een aantal levenslange connecties op te doen. Ofschoon die aanstelling inmiddels jaren achter hem lag, sprak de Mayor over de politieke spelers en de huidige stand van zaken alsof hij amper een jaar uit DC weg was.

'Ik zag Johnny Q. afgelopen vrijdag nog op CNN, vlak voor die rondleiding,' zei de Mayor, doelend op senator John Quincy Allen. 'Het was maar al te duidelijk dat hij op het laatste moment nog wat steun probeerde te krijgen, wat betekent dat die zaak waarschijnlijk nog niet beklonken is.' Hij schoof zijn bril omhoog en zette zijn knoestige ellebogen op de tafel. Vervolgens drukte hij zijn jichtige vingers tegen elkaar in een gebaar dat de groep eveneens van hem kende en dat altijd de aandacht trok, want doorgaans betekende het dat er een opzienbarende mededeling kwam. Hij verraste hen echter door Sabrina aan te kijken, die aan de andere kant van de tafel zat, en geen smeuïg nieuwtje te vertellen, maar te vragen: 'Klopt het dat hij zijn hele lunch eruit heeft gegooid tijdens die rondleiding?'

De aandacht werd weer naar Sabrina verlegd.

Even voelde Eric zich schuldig omdat hij haar hieraan blootstelde. Per slot van rekening wist hij dat zijn zus nogal introvert was en helemaal niets moest hebben van geruchten en kletspraat. Deze mensen werden geacht haar te beschermen en uit de problemen te helpen, maar de Mayor was kennelijk meer geïnteresseerd in een roddel over iemand die vermoedelijk ooit een politieke tegenstander was geweest.

'Ja, over de reling, rechtstreeks in de tank met kippeningewanden.' Sabrina lachte de Mayor toe.

Genietend wreef de man in zijn handen. 'Ik wilde dat ik daarbij was geweest!'

Eric keek naar Max, die met haar ogen rolde.

Howard en Russ schoten in de lach.

Op dat moment voegde Bosco zich bij hen.

Het gesprek viel stil toen ze een plastic zakje voor Eric op tafel smeet en vroeg: 'Is dit een grap of zo?'

In eerste instantie wist Eric niet zeker of ze het sarcastisch bedoelde. Hij had haar zien optreden met hetzelfde uitgestreken gezicht, soms boosheid veinzend terwijl ze de grappigste teksten op haar publiek losliet.

'Wat is dat?' wilde Howard weten.

'Vind je dit verdomme grappig?' vroeg ze, en toen begreep Eric dat ze oprecht kwaad was.

'Sabrina heeft de inhoud van dit zakje uit een afvoerpijp geschept,' zei hij, in antwoord op Howards vraag.

Voordat hij het zakje van de tafel had kunnen pakken, griste Sabrina het weg. Ze betastte de inhoud alsof ze die voor het eerst zag. 'Het had gewoon schoon water moeten zijn. Wat dit ook is...' Ze keek op naar Bosco. '...het zou kunnen zijn dat dit in de rivier is geloosd.'

'O, geweldig!' Verontwaardigd hief Bosco haar handen. 'Echt geweldig, verdomme!'

'Maar wat is het dan?' vroeg Eric.

'Aan het DNA te zien is dit afkomstig van pluimvee. Verder zitten er metaaldeeltjes in – voornamelijk staal of wat daarvan over is – wat kunststof bijproducten en behoorlijk wat dioxineresten.'

'Daar was ik al bang voor,' zei Sabrina. Ze draaide het zakje om en om en bekeek het aandachtig, alsof ze nu de verschillende bestanddelen kon onderscheiden.

'Maar dat is nog niet alles.' Bosco keek Eric weer aan. 'Hierom ben ik verdomme weggegaan bij de politie in LA, om dit soort rotzooi niet langer te hoeven onderzoeken.'

'Waar heb je het over?' Haar melodramatische gedoe begon hem op de zenuwen te werken.

Ze keek van hem naar Sabrina en terug. 'Je gaat me toch niet vertellen dat jullie niet wisten dat het merendeel van wat er in dat zakje zit, menselijk weefsel en bloed is?'

Hoofdstuk 78

Sabrina wilde het gewoon niet geloven.

Maar terwijl de jonge vrouw die door Eric met 'Bosco' werd aangesproken, de inhoud had opgesomd, had Sabrina aan het metalen schijfje in het zakje gevoeld. Ze had geprobeerd er een beter zicht op te krijgen, want ze vermoedde dat het het achterplaatje van een horloge was. Nog voordat Bosco aan haar laatste dramatische mededeling was toegekomen, was Sabrina bezig geweest de inscriptie te ontcijferen die tussen de talloze krassen en groeven stond. Boven een reeks andere letters leek iets in het Latijn te staan, maar het enige wat ze kon ontcijferen, was DW gevolgd door wat krasjes en schuurplekken. Dan een verminkte L, nog meer krassen en ten slotte SIK.

Anna was in een spoeltank geduwd. Kon het zijn dat Lansik de dood had gevonden in een tank met slachtafval? Een paar dagen eerder zou ze om zo'n bizarre gedachte hebben moeten lachen, maar inmiddels besefte ze dat het heel goed mogelijk was dat de inhoud van het zakje het enige was wat er van haar baas resteerde.

Abrupt schoof ze het zakje van zich af en stond van tafel op. Ze struikelde bijna over de stoelen.

'Bree!' hoorde ze Eric roepen, maar ze moest hier weg, naar buiten, de frisse lucht in, voordat ze zou gaan overgeven.

Pas aan het uiteinde van de steiger bleef ze staan. Ze keek uit over het zwarte aanrollende water. Aan de andere kant van de baai waren de twinkelende lichten van huizen te zien. Ze hoorde het water tegen de boten op hun aanlegplaatsen klotsen. Het gevoel van beweging werd haar bijna te veel; ze werd er duizelig van. Lichtelijk wankel, pakte ze een dukdalf en liet zich door haar knieën zakken tot ze zat.

Het duurde niet lang, of ze merkte dat Eric achter haar stond. Gelukkig zei hij niets. Geen vragen meer. Geen verklaringen.

Ze trok haar knieën op, sloeg haar armen eromheen en legde haar kin erop, terwijl ze wachtte tot haar maag kalmeerde en het bonzen in haar hoofd minder werd.

Uiteindelijk kwam Eric naast haar zitten.

Ze keek naar zijn lange benen, die hij over de rand van de steiger liet bungelen. Hij zat zo dicht naast haar, dat zijn schouder de hare raakte, maar dat was hun enige contact.

Hij was net als hun vader, besefte ze. Niet in staat de woorden of gebaren te vinden om een ander te troosten. Zijn troost lag in zijn aanwezigheid, in wat hij deed. Dat was waarom haar vader vroeger altijd met karamelijsjes was komen aanzetten.

Haar moeder had daar razend om kunnen worden, waardoor de emoties niet zelden nog hoger waren opgelopen dan door de aanleiding tot de commotie zelf. 'Soms heeft een vrouw gewoon een arm om haar schouder nodig,' had ze dan tegen haar echtgenoot gezegd, die daarop haastig had gedaan wat ze vroeg, haast opgelucht omdat hem werd verteld wat er van hem werd verwacht.

Sabrina legde haar hoofd tegen Erics schouder en sloot haar ogen. De neiging om over te geven ebde geleidelijk aan weg, en ook het bonzen in haar hoofd werd minder, tot ze alleen nog het kloppen van haar hart in haar oren voelde.

Van over het water kwam een koele zachte bries.

'Wat moeten we doen?' vroeg ze zo zacht, dat ze zich afvroeg of hij haar wel kon verstaan.

'We gaan proberen te achterhalen wie de vijand is,' antwoordde hij kalm, zonder ook maar een zweem van boosheid. 'En dan nemen we die klootzak te pakken voordat hij jou te pakken kan nemen.'

Zijn woorden verrasten haar. Ze tilde haar hoofd van zijn schouder om hem aan te kijken.

Hij bleef strak voor zich uit staren, zijn blik op de zwarte zee gericht.

Toen de wolken die de maan versluierden wegtrokken, verscheen er langzaam een baan licht op het wateroppervlak.

'Denk je dat het Sidel is?' vroeg ze, maar ze wist het antwoord al. Wie anders zou hebben kunnen proberen haar te laten vermoorden? Wie anders zou toen dat was mislukt, de State Patrol ervan hebben kunnen overtuigen dat ze de moordenaar was, in plaats van het beoogde slachtoffer? Wie anders zou opdracht hebben kunnen geven Lansik in een tank met kippeningewanden te duwen en vervolgens kalm durven verkondigen dat zijn medewerker gewoon ontslag had genomen?

'Hij beschikt over alle middelen en mogelijkheden, en het is maar al te duidelijk dat hij een motief heeft. Bovendien lijkt hij ook de nodige politieke invloed te hebben.'

Ze wreef in haar ogen en streek met haar vingers door haar haar. Ze kon zich niet eens meer heugen hoe het voelde om níét uitgeput te zijn. Haar ogen deden zeer, en ze besefte dat ze het afgelopen etmaal te weinig vocht binnen had gekregen. Zelfs haar voeten leken te protesteren, maar ze was dan ook geen teenslippers gewend. Haar inwendige klok, die ze jaren had getraind in een vaste dagelijkse routine, was volkomen van slag.

Opnieuw was ze op een plek waar ze nooit eerder was geweest en omringd door mensen die ze net had ontmoet – een merkwaardig samenraapsel van figuren van wie haar broer zei dat ze hen kon vertrouwen. Sterker nog, dat ze erop moest vertrouwen dat zij haar zouden helpen, dat zij zouden weten te voorkomen dat ze werd vermoord door haar baas. En waarom? Omdat Sidel te beroerd was om geld te steken in een verantwoorde verwerking van Klasse 2-afval.

'Het snijdt geen hout,' zei ze. 'Sidel heeft miljoenen dollars van investeerders weten los te krijgen en ook nog eens miljoenen van de overheid. Bovendien staat hij op het punt een contract voor honderdveertig miljoen af te sluiten. Waarom zou hij dat allemaal in de waagschaal stellen?'

'Wat moet ik me bij Klasse 2-afval voorstellen?' Eric trok zijn benen op en ging verzitten om haar te kunnen aankijken.

'Diverse soorten metalen – voornamelijk van afgedankte apparaten – plastic, pvc, hout, glasfiber. Plastic flessen kunnen grote hoeveelheden olie opleveren. Het probleem bij Klasse 2-afval is dat de scheiding voornamelijk in de tweede fase plaatsvindt en dat er een extra spoelgang voor nodig is. Het waterstof in het water gaat een verbinding aan met het chloor in pvc en een deel van het overige afval, waardoor het niet langer gevaarlijk is. Als je het procedé niet op de juiste manier laat verlopen, krijg je dioxinen, en die zijn heel erg giftig. Met Klasse 1-afval – het slachtafval – verloopt het proces meer organisch. Dat afval zit vol stikstof en aminozuren, maar die kunnen we scheiden. Ze worden gebruikt in vloeibare kunstmest.' Ineens merkte ze dat ze rustiger werd door te praten over het procedé en over haar werk.

Ze keek Eric aan, om te zien of hij nog wel luisterde. Soms liet ze zich een beetje meeslepen door de technische kanten van haar vak.

'Dus als er voor de verwerking van Klasse 2-afval meer stappen nodig zijn, als dat meer werk is, waarom zou hij het dan stiekem doen?'

'Daarom zei ik al dat het geen hout snijdt.'

'Hoeveel verdient EcoEnergy aan het verwerken van slachtafval? Ik denk dat het daarom gaat.'

'Daar verdienen we helemaal niet aan. We betalen ruim vijfentwintig dollar per ton.'

'Dat meen je niet!'

Ze knikte, in het besef dat het nogal onwaarschijnlijk klonk. 'We moeten concurreren met bedrijven die het afnemen om er kunstmest van te maken.'

'Oké. En hoeveel betalen jullie voor Klasse 2-afval?'

'Ik denk eerder dat EcoEnergy een vergoeding zou krijgen voor het verwerken daarvan.'

'Hoeveel?' Hij ging rechtop zitten.

'Ik weet het niet. We hebben het nog nooit gedaan, dus we hebben er ook nooit mee gerekend.'

'Maar je hebt toch wel een idee?'

'Na de orkanen was er sprake van dat de landelijke overheid en de staat wel vijfenvijftig dollar zouden neertellen per duizend kilo puin. Ik weet nog dat Lansik –' Ze haperde. Door het noemen van zijn naam besefte ze opeens weer dat ze niet gezellig over haar werk zaten te babbelen. 'Lansik had het er het vorig najaar over. We zouden bij EcoEnergy nog minstens twee jaar nodig hebben voor de aanschaf en de installatie van de benodigde apparatuur enzovoorts. Maar de gebieden die door de orkanen getroffen waren, wilden onmiddellijk van het puin af, nog voordat wij zo'n afdeling konden hebben opgestart. Volgens Lansik was het gewoon een gemiste kans, meer niet.'

'Misschien wilde Sidel die kans niet missen,' opperde Eric.

Ze herkende de blik in zijn ogen, de klank in zijn stem: hij dacht dat ze het motief hadden gevonden.

'Nee.' Ze schudde haar hoofd. 'Ik weiger te geloven dat hij alleen daarom twee mensen heeft laten vermoorden.'

'Hoeveel ton slachtafval verwerkt EcoEnergy op dit moment?'

'Ergens tussen de tweehonderd en driehonderd ton per dag.'

'En daar betalen ze vijf- tot achtduizend dollar voor. Maar als ze Klasse 2-afval konden verwerken en ze kregen vijfenvijftig dollar per ton betaald, zou dat zo'n tien- tot zestienduizend dollar per dag opleveren.'

'Maar om daar mensen voor te vermoorden...'

'Bree, reken nou eens even met me mee. We hebben het hier over driehonderdduizend tot vijfhonderdduizend dollar per maand die EcoEnergy zou kunnen verdienen zonder dat er een haan naar kraait. Dat is...' In gedachten maakte hij de rekensom. 'Dat komt neer op bijna zes miljoen dollar op jaarbasis. Niet om het een of ander, Bree, maar er zijn mensen om veel minder omgebracht.'

Hoofdstuk 79

Tallahassee, Florida

Leon zat in het busje, met de raampjes open. De hete avondlucht omhulde hem als een klamme deken. Hij dronk het laatste lauwwarme blikje frisdrank uit de koelbox, waarin het ijs allang gesmolten was. Het zou echter te riskant zijn om de motor en de airconditioning te laten draaien. Daarmee zou hij de aandacht op zich vestigen. Bovendien had hij niet zoveel benzine meer in de tank.

Wat was dat oude mens toch allemaal aan het doen?

Met zijn ogen volgde hij haar door het appartement. Ofschoon de gordijnen en de jaloezieën dicht waren, kon hij aan het licht dat langs de raamkozijnen naar buiten kierde, zien waar ze was. Hij ging ervan uit dat haar flat dezelfde indeling had als die van haar buurvrouw en stelde zich voor in welke kamer ze was wanneer hij lichten aan- en uit- zag gaan. Als hij zich niet vergiste, bracht ze enige tijd in de keuken door – om nog een late snack voor zichzelf klaar te maken, vermoedde hij.

Dat herinnerde hem eraan dat hij al een hele poos niets had gegeten.

Volgens hem waren er twee onbeheersbare factoren in het leven die iemand ertoe konden brengen stomme impulsieve dingen te doen, en dat waren honger en de aandrang om te plassen. Hij was echter niet van plan om geweld te gebruiken tegen een oud dametje om informatie uit haar los te krijgen, alleen omdat hij barstte van de honger.

Eindelijk zag hij haar naar boven gaan. Onderweg knipte ze lampen aan en uit.

Maar ook in haar slaapkamer bleef het licht zo lang branden, dat zijn geduld tot het uiterste op de proef werd gesteld.

Hij stopte een paar maagzuurtabletten in zijn mond, puur om iets te kauwen te hebben. Verdomme, wat dééd ze toch allemaal? Volgens zijn mobiele telefoon was het al bijna middernacht!

Pas een halfuur later ging het slaapkamerlicht uit.

Hij wachtte nog een tergend lang kwartier en stapte toen uit het busje, dat inmiddels meer van een sauna weg had. Vervolgens liep hij naar de achterkant van het appartementencomplex. Zijn overall plakte over zijn hele lichaam aan zijn huid, waardoor zelfs gewoon lopen een kwelling was. Het was doodstil – zo stil, dat hij dacht het zweet in zijn schoenen te horen klotsen. Eigen schuld, had hij maar sokken aan moeten doen. Alleen, hoe kon je in deze vervloekte hitte sokken dragen?

Hij was vergeten dat het zo donker was aan de achterkant van het gebouw en moest even wachten om zijn ogen aan de duisternis te laten wennen. Het was volle maan. Daardoor kon hij goed zien, maar een nadeel waren de schaduwen die erdoor ontstonden.

Hoewel het hem geen enkele moeite had gekost om de sleutel van Galloway te vinden, betwijfelde hij of de kleine oude dame buiten een reservesleutel had verborgen. Waarschijnlijk ging ze ervan uit dat ze haar eigen sleutel nooit zou vergeten mee te nemen.

Hij overwoog een raam open te wringen, of misschien kon hij het slot van de glazen schuifdeur forceren. Hoe dan ook, hij zou wel iets verzinnen. Het zou alleen wat meer tijd kosten.

Hij sloop langs de lagerstroemia, dicht langs de haag om niet op te vallen, met als gevolg dat hij de takken over zijn rug voelde krassen.

Toen hij het terras van de kleine oude dame bereikte, kreeg hij de schrik van zijn leven. Jezus Christus! Het scheelde niet veel, of hij pieste in zijn broek.

Daar zat ze, in het stikdonker, doodkalm, volmaakt op haar gemak, nippend van een glas waarin ijsblokjes rinkelden. En ze keek hem recht aan.

'Waar bleef je zo lang?' vroeg de oude dame.

Hoofdstuk 80

Pensacola Beach

'Ze zou gewoon kunnen verdwijnen,' opperde Russ. 'Een andere identiteit aannemen.'

'Dat heb ik overwogen,' zei Eric. Hij had er inderdaad aan gedacht en bewaarde het idee voor in geval van nood, al verwachtte hij niet dat Sabrina ermee akkoord zou gaan. Mocht het toch zover komen, dan zouden Russ en Max het plan moeiteloos kunnen uitvoeren.

Russ kwam een beetje onvolwassen over. Max had ooit gezegd dat zijn jongensachtige grijns en de kuiltjes in zijn wangen hem onweerstaanbaar maakten. Hij was een slanke verzorgde gespierde knappe vent die zich totaal niet bewust leek van zijn charisma en die volmaakt onschuldig scheen waar het om vrouwen ging. Althans, zo zag Max hem. Maar Eric wist dat het slechts een rol was die Russ speelde, simpelweg omdat die hem gemakkelijk afging.

Russ deed hem denken aan zichzelf toen hij zou oud was, want ook hij dat jarenlang gedaan: aftasten wie – of wat – mensen in hem wilden zien en zich daarnaar gedragen. Daarom had het hem ook geen enkele moeite gekost om van Eric Galloway te veranderen in Eric Gallo.

Hij wist dat Russ in wezen een zachtaardige intellectueel was. In eerste instantie zou je niet geloven dat hij tot crimineel gedrag in staat was. Russ vertelde verhalen over identiteitsdiefstal en computerfraude, waarvan Eric vermoedde dat ze hoorden bij het leven dat Russ hiervoor zelf had geleid – al zou die dat nooit toegeven. Net zomin als hij ooit melding maakte – niet eens bij wijze van grapje – van het feit dat hij had gezeten. Eric had echter een scherp oog voor gevangenistatoeages. Hij veronderstelde dan ook dat Russ Fowler niet zijn echte naam was en dat de 'containerduiker' nooit met zijn liefhebberij was opgehouden. Hij liet zich alleen niet meer pakken.

Max was een verhaal apart. Eric had haar leren kennen in Washington DC – niet echt de ideale plek om opnieuw te beginnen als je in je vorige leven veelvuldige contacten had onderhouden met senatoren en afgevaardigden. Met vele van hen had Max een 'horizontale relatie' gehad, zoals ze het schertsenderwijs noemde. Toen ze op haar achtentwintigste door een van die relaties besmet was geraakt met hiv, had ze zich gedwongen gezien tot een vervroegde pensionering. Eric had een arts in Pensacola voor haar geregeld die zijn mond kon houden en niets gaf om politiek of achterklap. De rest had ze op eigen kracht gedaan.

Hoewel hij wist dat ze een aardig spaarpotje bezat, vroeg hij haar daar nooit naar. Hij wilde niet eens weten waar het geld vandaan kwam. Vermoedelijk was het een gift van een Congreslid dat door schuldgevoelens werd geplaagd. Maar dankzij die gift had Max een andere identiteit kunnen aannemen en de kapsalon aan het strand kunnen kopen.

Blijkbaar was ze ook een natuurtalent in make-overs. Tenslotte had ze bij Sabrina een ware metamorfose tot stand weten te brengen. Hoewel Sabrina's foto op de televisie werd getoond en in alle plaatselijke en landelijke kranten stond, had zelfs een nieuwsverslaafde als de Mayor haar niet herkend. En dat wilde wat zeggen.

Eric was blij dat hij Sabrina zover had weten te krijgen dat ze naar boven ging, naar het appartement, om te proberen wat te slapen – uiteraard pas nadat hij haar had bezworen dat er maar één toegang tot zijn appartement was en dat ze daar met hun allen voor zaten. Hij wist dat ze het afschuwelijk zou vinden, dat hierbeneden haar keuzemogelijkheden werden doorgenomen en dat volslagen vreemden beslisten over haar toekomst, over haar welzijn.

'Dit is een ernstige zaak,' zei Howard. 'EcoEnergy loost afval in een belangrijke waterweg. Nota bene een bedrijf dat met steun van de overheid is opgezet.'

'En dat ongetwijfeld belastingvoordelen geniet,' voegde de Mayor eraan toe. 'Waarschijnlijk krijgt het nog subsidie ook.'

Eric verwachtte half en half dat iemand zou voorstellen contact op te nemen met de officier van justitie van Florida, met de Environmental Protection Agency of misschien zelfs met het ministerie van Justitie.

Vanzelfsprekend verraste het hem niet echt toen dat niet gebeurde. Als Sabrina moest verdwijnen en zich een nieuwe identiteit moest aanmeten, zou ze aan deze groep meer hebben dan aan welk officieel getuigenbeschermingsprogramma ook.

Hoofdstuk 81

Tallahassee, Florida

'Wat moet dit voorstellen?' Leon probeerde kalm te blijven, maar keek ondertussen gauw om zich heen, op zoek naar anderen, misschien zelfs de politie.

Ze was echter alleen.

'Probeer me maar niet wijs te maken dat je van deur naar deur gaat om de airconditioning te controleren.'

'Er zijn veel storingen,' probeerde hij ondanks de honkbalknuppel die tegen haar stoel stond. Hoe was het mogelijk dat ze hem in de gaten had gehad?

Ze gebaarde naar een stoel tegenover haar en vervolgens naar een tweede glas op de tafel, dat al was gevuld met ijsblokjes. Daarnaast stond een fles whiskey, met de dop eraf.

Dit kon niet waar zijn. Wie dacht ze nou helemaal dat ze was? Zelfs met een honkbalknuppel was ze geen partij voor hem!

Toch ging hij zitten en trok de fles naar zich toe. Nadat hij zijn glas vol had geschonken, nam hij een slok. Niet echt duur spul, maar ook geen bocht. Trouwens, met deze hitte zou hij desnoods benzine met ijs hebben gedronken. Hij sloeg de inhoud van het glas achterover en schonk zich nogmaals in. 'Hoe bent u erachter gekomen?' vroeg hij uiteindelijk. Het had geen enkele zin zich van den domme te houden.

'Ik zag je busje staan toen ik thuiskwam. Maar de hele buurt lag al op bed. Nergens brandde nog licht, uit niets bleek dat er ergens problemen waren.'

'Misschien zat ik wel te wachten op een onderdeel.'

'Dus heb ik het bedrijf gebeld,' vervolgde ze alsof ze hem niet had gehoord. 'Daar kreeg ik te horen dat er niemand naar deze buurt was gestuurd.'

'Verdomme!' Ze had hem erbij gelapt. Het was jammer, maar hij had dus geen andere keus dan haar de nek om te draaien. En dat terwijl hij alleen maar had gehoopt in haar flat een aanwijzing te vinden voor de verblijfplaats van haar buurvrouw. Het was een gok geweest, maar hij had zo onderhand wel recht op een beetje geluk. Kennelijk had hij verkeerd gegokt. Volkomen verkeerd.

Op dat moment streek er een kat langs zijn benen, een reusachtig wit monster dat bijna licht gaf in het donker. Het gespin klonk als het geronk van motorfiets in de verte.

Een oude vrouw en haar kat. Godallemachtig, het zat hem niet mee! Hij zou de kat ook moeten wurgen. Dat was een kwestie van hoffelijkheid.

Zijn blik viel op een plastic bak op de tafel. Het deksel lag ernaast. In het maanlicht kon hij de grote zwarte letters op het witte etiket lezen: 'varkenskarbonades'. Prompt begon zijn maag te knorren.

'Ik weet wie je bent,' zei de oude dame.

Hij betrapte zich erop dat hij genietend zijn lippen zat af te likken. Wat zou hij met die varkenskarbonades doen? Ze opeten vóór- of nadat hij haar en de kat om zeep had geholpen?

Stompzinnige instincten, hielp hij zichzelf herinneren. Waarschijnlijk deed hij er beter aan éérst iets te eten.

'Ik wil je inhuren,' zei ze.

Ervan overtuigd dat hij haar verkeerd verstaan had, keek hij haar aan. 'Mij inhuren? Hoe bedoelt u?'

'Wat is je prijs om de rollen om te draaien?' Haar toon was verrassend zakelijk, zonder ook maar een spoortje ongerustheid of angst.

En schijnbaar wist ze inderdaad wie hij was.

'Dame, ik weet niet waar u het over hebt.'

'Je bent ingehuurd om Sabrina Galloway te vermoorden,' zei ze rustig. 'Ik wil dat je ervoor zorgt dat degene die jou heeft ingehuurd, haar voorgoed met rust laat. En ik ben bereid je daarvoor te betalen.'

'Ik zou iemand moeten vermoorden? Hoe komt u daar nou bij? Ik weet echt niet waar u het over hebt.' Maar hij begon weer te zweten. Wist ze wie hem had ingehuurd? Nee, dat was uitgesloten.

Trouwens, het deed er ook niet toe. Zijn opdrachtgever had hem met zoveel woorden duidelijk gemaakt dat hij het aan de State Patrol zou overlaten om met Galloway af te rekenen. Hij, Leon, stond dus er alleen voor als hij haar uit de weg wilde ruimen.

Formeel gezien was zijn opdracht ingetrokken en had hij geen klant meer. Dat hield in dat er ook geen betaling zou volgen. Ja, dat had hij goed verknald. Op de miezerige tienduizend dollar na die hij als voorschot had gekregen voor de onkosten, was deze hele reis voor niets geweest.

'Ik kan je vooruit contant betalen,' zei de oude dame, alsof ze zijn gedachten had geraden. Ze haalde een in aluminiumfolie gewikkeld pakketje uit de bak voor de varkenskarbonades.

Hij wilde al zeggen dat ze geen moeite hoefde te doen, aangezien ze straks toch dood zou zijn, maar toen vouwde ze het folie open en was het meteen gedaan met zijn uiterlijke kalmte. Zijn mond viel open, en zijn ogen rolden bijna uit hun kassen.

De oude dame was volstrekt serieus; dat bleek wel uit de stapel contanten. Ze nam er een bundeltje van zo'n drie centimeter dik af – een betrekkelijk kleine portie, in aanmerking genomen wat er nog over was. Allemachtig, die stapel bankbiljetten was bijna zo hoog als een brood! De kleine portie schoof ze naar het midden van de tafel. Bovenop lag een kleurig gladgestreken Ben Franklin. Als de biljetten daaronder eveneens in coupures van honderd waren, schatte hij dat er minstens vijfentwintigduizend dollar lag, misschien zelfs vijfendertigduizend.

'Het gaat niet alleen om geld, dame. Ze heeft me gezien. En ik mag dan een alledaagse kop hebben, ik ben niet van plan die te laten verbouwen.' Hij deed zijn best om niet naar de bak te kijken. Het water was hem al in de mond gelopen toen hij had gedacht dat er karbonades in zaten. Nu hij wist dat de bak vol zat met biljetten van honderd dollar, zat hij haast te kwijlen. 'Bovendien, waarom zou ik u niet gewoon de strot afsnijden en er met het geld vandoor gaan?'

Ze leunde naar achteren in haar stoel en knikte alsof ze over zijn vraag nadacht. Toen reikte ze naar haar glas, liet de ijsblokjes rinkelen en nam een grote slok whiskey. 'Volgens mij bent u een zakenman, geen ordinaire schurk.' Opnieuw nam ze een slok van haar whiskey. Ze deed net alsof het haar koud liet of hij op haar aanbod zou ingaan of niet. 'Zakenlui doen doorgaans geen dingen die niet nodig zijn.'

'Ze heeft me gezien,' zei hij. Zo simpel lag het.

'En als ik u nu eens garandeer dat ze is vergeten hoe u eruitziet? Trouwens, dat geldt ook voor mij.'

Hij lachte. 'Hoe kunt u me dat in vredesnaam garanderen?'

De oude dame boog zich naar voren. Na een heel korte aarzeling vouwde ze het aluminiumfolie om de hele stapel bankbiljetten dicht en schoof het hele pakket naar hem toe. 'Is dit voldoende garantie?'

Godallemachtig, dacht hij, daar ligt minstens een kwart miljoen dollar! Hij keek naar haar op.

Ze beantwoordde zijn blik, bleef hem strak aankijken.

In de loop der jaren had hij allerlei emoties in de ogen van zijn klanten gelezen: wraak, hebzucht, macht, zelfs haat. Maar nog nooit iets als dit.

Hij vouwde het folie open, haalde de stapel bankbiljetten tevoorschijn en hield die in zijn handen. De biljetten waren nog koud van de vriezer. Het waren inderdaad alleen maar honderddollarbiljetten, en het was ruim twee keer meer dan hij ooit voor een huurmoord had gekregen.

Hij voegde de kleine stapel op de tafel erbij en vouwde het folie weer dicht. Vervolgens stond hij op, met het geld onder zijn arm. 'Akkoord,' zei hij. En hij vertrok.

Hoofdstuk 82

Woensdag 17 juni,
Franklin D. Roosevelt Memorial
Washington DC

Natalie had een gruwelijke hekel aan de media. Ze vond de manier waarop ze haar baas afschilderden weerzinwekkend, en bovendien wist ze zeker dat ze soms gewoon verhalen verzonnen. Al vóór de kwestie Jason Blair – de journalist van de New York Times, die bronnen had geciteerd met wie hij nooit had gesproken, laat staan dat hij hen had ontmoet – had Natalie, door haar eigen ervaringen, een gezond wantrouwen jegens verslaggevers ontwikkeld.

Haar baas daarentegen beschouwde de media als een noodzakelijk kwaad, dus verbaasde het haar niet dat hij haar onmiddellijk zijn volledige steun voor haar plan had toegezegd.

Ze had Gregory McDonald – nieuwslezer bij de ABC en de maker van verscheidene serieuze reportages – maar één keer ontmoet, en dat was inmiddels een jaar geleden. McDonald had al heel wat opzienbarende onthullingen op zijn naam staan, waaronder de vergaande corruptie bij het verdelen van overheidsgelden voor rampenbestrijding, nadat New Orleans en omstreken waren getroffen door de orkaan Katrina. Zijn werk werd door zijn collega's geprezen en was al diverse malen onderscheiden. Wat voor haar echter veel zwaarder telde, was het feit dat hij het vertrouwen genoot van de ingewijden in Washington en te boek stond als vasthoudend, accuraat en discreet.

Ironisch genoeg had ze hem niet eens ontmoet terwijl hij met een artikel bezig was. Ze waren aan elkaar voorgesteld tijdens een kerstfeest dat werd gegeven door de schatrijke zakenman Warren Buffett. Dat zij daarvoor uitgenodigd was, was waarschijnlijk een vergissing geweest, vooral toen haar baas op het laatste moment had moeten afzeggen. Te midden van politici, vertegenwoordigers van de media en andere beroemdheden, was McDonald zo vriendelijk geweest met haar een praatje te maken over tienerzoons – hij had er zelf drie – en wat ze met Kerstmis hoopten te krijgen. Op dat moment had hij geen idee gehad wie zij was of voor wie ze werkte, en alleen dat al had hem voor haar ingenomen.

Ook op dit moment was ze er vrij zeker van dat niemand haar zou herkennen, bij het gedenkteken voor Franklin D. Roosevelt. Evenmin zou iemand verwachten haar in een spijkerbroek en een T-shirt van het Smithsonian te zien. Met haar zonnebril en een linnen tas om haar schouder, waarop de monumenten van Washington stonden afgebeeld, zag ze er met een beetje geluk uit als een doodgewone toerist. Misschien school er uiteindelijk toch een Emma Peel in haar.

Terwijl ze op McDonald stond te wachten, vroeg ze zich onwillekeurig af of dit verhaal hem de positie van anchorman zou opleveren. Volgens de geruchten wilde hij die baan erg graag. Ze hing de tas om haar andere schouder. Het zou leuk zijn als er iets positiefs uit deze hele ellende voortkwam.

Er kwam een man haar kant op, om de gedenkplaten op het monument achter haar te lezen. Hij had een sportbroek en een T-shirt aan, en over zijn schouders hing een oude rugzak.

Ze deed een stap opzij en keek op haar horloge.

Op de National Mall liepen enkele mensen alleen rond, maar verder wemelde het er van de junitoeristen en de gezinnen, en vooral van de volgzame bejaarden en de luidruchtige middelbare scholieren die aan een groepsreis deelnamen.

De man met de rugzak draaide zich om en ging naast haar staan. Net toen ze hem een vernietigende, ontmoedigende blik wilde toewerpen, herkende ze hem aan zijn glimlach.

'Je bent veel magerder en kleiner dan ik me je herinner,' zei ze.

'Televisie maakt dik,' pareerde McDonald.

'Daarom zul je mij ook nooit op televisie zien.' Ze keek om zich heen. Een nieuwe groep toeristen begaf zich naar het gedenkteken, maar niemand toonde ook maar enige belangstelling voor hen. Tevreden, knikte ze naar een bank tegen de muur.

Zodra ze hadden plaatsgenomen, zei ze: 'In jouw vak draait alles om timing.' Daarop haalde ze een envelop uit haar tas en overhandigde hem die.

Hij aarzelde geen moment, stelde geen vragen, maar nam de envelop aan en stopte die in een zijvak van zijn rugzak. 'Volgens mij geldt dat ook in jouw vak,' zei hij, ongehaast, zonder een zweem van dreiging, even luchtig alsof ze als twee oude vrienden over hun werk zaten te kletsen. Hij stond op en trok zijn rugzak recht, klaar om weer te vertrekken. 'Ik zou een slechte journalist zijn als ik het niet vroeg. Dus... gaat je baas zich de volgende keer kandidaat stellen?'

Ze wist precies wat hij bedoelde, namelijk of haar baas een gooi zou doen naar het presidentschap. Er werd al druk gespeculeerd, maar haar baas was er tot nog toe in geslaagd niet op de vragen in te gaan en alle mogelijkheden open te houden.

Ze glimlachte. 'Laten we het erop houden dat jij de eerste bent die het hoort, als je het juiste moment weet te kiezen.'

Hoofdstuk 83

Jason overhandigde zijn baas de informatie die hij over Arthur Galloway had weten te vinden, maar senator Allen scheen niet langer geïnteresseerd. Ongetwijfeld waren zijn gedachten bij belangrijker zaken.

Het Appropriations Committee zou de volgende ochtend stemmen over het contract. Op dat moment zou Jason al in Florida zijn, om de laatste details van het diner te controleren. Hij ging er nog steeds van uit dat het een viering zou worden.

De stem van senator Malone zou al genoeg zijn, en toch liep senator Allen onafgebroken door zijn kantoor te ijsberen. Zijn spanning toonde zich duidelijk in het telkens weer opeenklemmen van zijn kaken – zo heftig, dat het tot in zijn schouders doortrok.

'Kan ik verder nog iets voor u doen?' vroeg Jason.

Tot zijn verrassing glimlachte de senator, zij het als een boer met kiespijn.

'We hebben gedaan wat we konden,' antwoordde hij zonder ook maar een tel te blijven staan. Als een generaal die zich voorbereidt op een veldslag voegde hij eraan toe: 'Ik zal me niet zonder slag of stoot overgeven.'

Terug in zijn eigen kantoor, merkte Jason al snel dat hij zich niet kon concentreren. En dat terwijl hij nog een berg werk te verzetten had voordat hij naar Florida moest. Hij vond het al niets dat hij drie hele dagen niet op kantoor zou zijn, en hij vond het nog erger als hij bij terugkomst een overvol bureau zou aantreffen.

De avond daarvoor was hij nog tot laat bezig geweest, met surfen op internet en zoeken op Google naar meer raakpunten tussen Sidel en Zach. Het South Beach Resort was echter het enige geweest dat hij had kunnen vinden. En misschien was dat gewoon een kwestie van toeval.

Tot overmaat van ramp was zijn secretaresse die ochtend met een dikke map vol formulieren gekomen die zo spoedig mogelijk moesten worden ingevuld. VERLENGING CONTRACT stond er op de map. Een snelle blik leerde hem dat het om standaardformulieren ging, iets waar hij zijn hersens niet bij hoefde te gebruiken – precies wat hij nodig had. Hij kon het niet opbrengen zich in iets ingewikkelders te verdiepen. Dus haalde hij die formulieren maar tevoorschijn, klaar om de lege regels in te vullen.

Opeens zag hij dat op de plek voor de contractant 'EcoEnergy' was voorgedrukt. Voor de zekerheid bladerde hij alle formulieren door – twee keer. Op allemaal stond 'EcoEnergy'. Hij besloot het contract eens zorgvuldig door te nemen. Het bleek een contract waarvan hij niets wist, en toch was er al sprake van een verlenging. Dat betekende, in dit geval, dat het al bijna een jaar van kracht was.

Jason was degene die altijd alle contracten voorbereidde die de senator aan het Appropriations Committee wilde voorleggen. Een contract dat aan EcoEnergy was gegund, zou hij zich zeker hebben herinnerd, maar ook nadat hij het had doorgenomen, stond in dit contract niets wat hem bekend voorkwam.

Hij kreeg de indruk dat een stemming in de subcommissie was overgeslagen, omdat het contract werd beschouwd als een onderdeel van het totale pakket aan rampenbestrijdingsmaatregelen na de diverse orkanen van de afgelopen jaren. Senator Allens handtekening stond onder aan de laatste bladzijde, met op twee andere stippellijnen een reeks niet te ontcijferen parafen.

Jason pakte een pen en begon het formulier verder in te vullen. Oké, blijkbaar was dit inderdaad iets wat hem was ontgaan. Na de orkanen waren honderden soortgelijke contracten het bureau van senator Allen gepasseerd, en hoewel het merkwaardig was dat de senator hier niets over had gezegd, was het ook weer niet helemaal ongebruikelijk. Het had er alle schijn van dat het senator Allen was ontschoten dat EcoEnergy door de landelijke overheid al een miljoenencontract was gegund om het puin van de verwoestingen af te voeren. Niet echt iets om van wakker te liggen.

Alhoewel...

Hij leunde naar achteren en schoof het contract van zich af. Even overwoog hij een pijltje te gooien, maar in plaats daarvan draaide hij er een peinzend tussen zijn vingers rond.

Zoiets kon de senator gewoon niet zijn ontschoten. Het was zelfs eerder iets waarmee hij eer kon inleggen, een bewijs van al het goede en briljante waartoe EcoEnergy in staat was. Om eerlijk te zijn had Jason niet eens geweten dat EcoEnergy puin kon verwerken. Hij had gedacht dat de centrale alleen voor kippeningewanden geschikt was. Waarom was er tijdens de rondleiding niets over het verwerken van puin gezegd? Dat was toch vreemd. Orkaanpuin wegwerken én omzetten in brandstof zou een wapenfeit van de eerste orde zijn, iets om over op te scheppen – een verleiding die Sidel onmogelijk zou kunnen weerstaan. Waarom schepte hij er dan niet over op?

Hij boog zich weer naar voren en streek met het staartstuk van het pijltje over zijn slaap. Een onaangenaam gevoel bekroop hem. Hier klopte iets niet. Er was iets gaande, en het voelde niet goed.

Afwezig richtte hij op het dartbord en gooide het pijltje.

Geen schot in de roos.

Hoofdstuk 84

Pensacola Beach, Florida

Eric verraste Howard. Althans, die indruk kreeg hij, want Howard mompelde iets in de telefoon en maakte haastig een eind aan het gesprek.

Had Howard misschien een van zijn oude vrienden aan de lijn had gehad, die vanuit Miami hierheen zouden komen varen? Ofschoon Howard beweerde dat het vrienden waren, deed hij nogal nerveus over hun komst. En dat terwijl er volgens Eric maar weinig was wat Howard nerveus kon maken.

Howard had het nooit over zijn vroegere vrienden of zijn vorige leven, net zomin als Eric – net zomin als wie dan ook van de groep die bijeenkwam bij Bobbye's Oyster Bar. Maar dankzij zijn bronnen wist Eric dat Howard Johnson in het verleden miljoenen had verdiend met het smokkelen van drugs uit Zuid-Amerika via Miami. Het verhaal ging dat de FBI hem een aanbod had gedaan in ruil voor het aangeven van zijn leveranciers. Howard had echter besloten naar iedereen een lange neus te maken en de handel vaarwel te zeggen voordat de FBI voldoende bewijzen tegen hem had kunnen verzamelen en voordat zijn leveranciers argwaan hadden kunnen krijgen. Wat er ook waar was van het verhaal, Eric was ervan overtuigd dat je een dergelijk bestaan niet simpelweg de rug kon toekeren. Het zou hem dan ook niet verbazen als die zogenaamde oude vrienden van Howard iets voor hem bij zich hadden.

'Waren dat die lui uit Minnesota? Hebben ze afgezegd?' vroeg hij om Howard de kans te geven de strekking van het heimelijke telefoontje met hem te delen.

'Nee, ik heb niks van hen gehoord.' Howard keek op zijn horloge. 'Ze zullen binnen een uur wel hier zijn.' Hij wees naar de televisie, die zoals altijd op Fox News stond. 'De autoriteiten in Florida zijn in Chicago op zoek naar je vriendin. De media zijn er ook al. Ze hadden een interview met de een of andere hoogleraar aan de universiteit waar ze lesgeeft. En met een van haar studenten. Het leverde geen nieuws op. De gebruikelijke reacties. "Ik had nooit gedacht dat ze tot zoiets in staat was!" Dat werk.'

'Godallemachtig.' Eric realiseerde zich dat het slechts een kwestie van tijd was voordat de media de verblijfplaats van hun vader zouden achterhalen, en misschien zelfs de zijne. 'Doe me een lol, en zeg niks tegen Bree.'

'Oké, wat jij wilt.' Howard vervolgde zijn ochtendritueel, zette de kassa aan en schakelde het pinapparaat in. Toen keerde hij zich plotseling naar Eric, alsof hij hem iets belangrijks te zeggen had. Onder zijn borstelige witte wenkbrauwen stonden zijn blauwe ogen heel ernstig.

Nu zullen we het hebben, dacht Eric. Tijd voor een bekentenis. Eindelijk gaat Howard opbiechten wat hij werkelijk in zijn schild voert.

'Je bent een goede vriend,' zei Howard, met de nadruk op 'vriend'.

Dat was wel het laatste wat Eric had verwacht. Hij besefte dat hij de blik in Howards ogen volkomen verkeerd had ingeschat. Howard stond helemaal niet op het punt schoon schip te maken, hij moedigde hém juist aan dat te doen!

'Het gaat me geen moer aan, en je hoeft me niks te vertellen. Alleen... Gallo, Galloway...' Howard haalde zijn schouders op en pakte het klembord met daarop de voorraadgegevens. Blijkbaar liet hij het aan Eric over om al dan niet open kaart te spelen.

'Het is nogal gecompliceerd.' Eric krabde aan zijn stoppelige kaak alsof hij diep over zijn antwoord moest nadenken. Hij wist dat het weinig verschil zou maken als hij toegaf dat hij zijn naam had veranderd.

'Tuurlijk, ik begrijp het.' Opnieuw haalde Howard zijn reusachtige schouders op, maar ditmaal zo heftig, dat de vissen op zijn T-shirt tot leven leken te komen. Het gebaar was in strijd met zijn woorden.

Die reactie verraste Eric. Maar niet genoeg om risico's te nemen en Howard te vertellen hoe de vork in de steel zat. Hij was al veel te goed bevriend geraakt met Howard. Het was beter dat Howard hem voor een leugenaar hield dan dat hij de waarheid kende, namelijk dat hij alleen maar in Howards drugsconnecties geïnteresseerd was.

'Gecompliceerde zaken, daar weet ik alles van,' zei Howard, net toen Eric dacht dat de discussie gesloten was.

Misschien zou hij Howard dan toch zover te krijgen dat die hem in vertrouwen nam – niet alleen met woorden, maar ook met daden.

'Als mij ooit iets overkomt, zijn mijn modelschepen voor jou.' Howard gebaarde naar de plank die op zo'n dertig centimeter van het plafond langs de vier muren van de winkel liep. Daarop stonden perfecte en buitengewoon gedetailleerde kopieën van schepen uit verschillende delen van de wereld.

En weer was Eric verrast. Hij wist dat de verzameling, die nog voortdurend werd uitgebreid, Howards kostbaarste bezit was. Howard mocht dan een succesvol bedrijfje hebben dat zich bezighield met diepzeevissen – plus de grond van de winkel en het aangrenzende parkeerterrein, die gold als een toplocatie – zijn collectie scheepsmodellen was iets wat hijzelf had gemaakt, met zijn eigen handen.

'Hoe bedoel je?' Eric probeerde luchtig te doen. Bijna hoopte hij dat het ongekend royale gebaar een soort truc was. 'Wat zou jou nou moeten overkomen?'

'Ik zeg het alleen voor het geval dat.'

'Maar wat zou er dan moeten gebeuren? Helemaal niets.'

'Wat jij doet voor Sabrina... Er zijn maar weinig vrienden zo hun nek zouden uitsteken.' Howard keek naar zijn verzameling scheepjes en meed Erics blik. 'Ik heb in elk geval geen vrienden die dat voor me zouden doen. Je bent een goede vent.'

Daar had Eric absoluut niet op gerekend.

Hoofdstuk 85

Sabrina keek naar het kleine paarse aantekenboekje.

Het was uit de dossiermap gevallen die ze de vrijdag daarvoor van Lansiks bureau had meegenomen. Ze had de map in haar attachékoffer gedaan en was hem vervolgens vergeten. Nu lag het daar opeens op de grond in Erics appartement, met zijn versleten hoeken en haveloze kaft, en natuurlijk dacht ze meteen aan haar overleden baas. Ze herkende het boekje maar al te goed. Lansik had het altijd en overal bij zich gehad. O'Hearn had het ooit schertsend Lansiks 'paarse bijbel' genoemd.

Ze pakte het op en bladerde het door. Nog niet eens halverwege, viel het haar op dat de aantekeningen in de kantlijn niets te maken schenen te hebben met wat hij op de bladzijden had genoteerd. Het was alsof hij in code had geschreven, in zijn eigen aantekenboekje. Op de bladzijden was alles met zwarte inkt geschreven, maar de notities in de kantlijn waren in blauw, heel soms in rood. Hoewel ze het niet zeker wist, meende ze in een deel van het gekrabbel computercodes te herkennen. Er stonden ook een soort formules in die haar volslagen onbekend voorkwamen.

Helemaal aan het eind van het boekje, onder aan een bladzijde, stond in een hoekje in rode inkt een telefoonnummer met daarbij de naam 'Colin Jernigan' en daarboven 'MvJ'. Het nummer was blijkbaar belangrijk, want Lansik er een rood kader omheen getekend, met zo veel kracht, dat de pen bij de tweede of derde keer door het papier was gegaan.

Eric kwam binnen, en gauw klapte ze het aantekenboekje dicht, alsof ze werd betrapt. Klaarblijkelijk vertrouwde ze hem nog steeds niet.

Hij merkte het – natuurlijk merkte hij het – maar het enige wat hij zei, was: 'Neem dat mee. Dan gaan we lunchen.'

'Wat, buiten? In de openlucht? Ik dacht dat ik geacht werd me schuil te houden?'

'Je kunt je nergens beter verschuilen dan in het volle zicht.'

En dus liepen ze samen naar een restaurant dat Crabs heette. Ze kregen een tafeltje op het terras, met uitzicht op het drukke strand.

Het was hier aanzienlijk lawaaieriger dan bij de jachthaven; het geschreeuw en gelach werden afgewisseld door de schrille fluit van de strandwacht. Sommige bars aan het strand droegen bij aan de herrie door op volle kracht Bob Marley of Britney Spears te draaien.

Eric bestelde gemengde zeevruchten; zij een broodje met gegrilde zaagbaars, terwijl ze eigenlijk snakte naar een eiersalade en haar vroegere dagelijkse routine.

Het aantekenboekje had ze naast zich op de bank gelegd. Ze wist nog niet of het belangrijk was en of ze Eric erover wilde vertellen.

Naar achterend leunend, nam ze hem aandachtig op. Hij daarentegen keek naar alles en iedereen, behalve naar haar. Ze liet haar blik in het rond gaan, om te zien wat zijn aandacht trok. Aan een tafeltje vlakbij zaten twee agenten in uniform. Was hij bang dat ze haar zouden herkennen of was hij bezorgd om zichzelf? Had hij vanwege de politie zijn naam veranderd in Eric Gallo? Zijn rondschietende blik deed haar denken aan die van haar vader, die ook telkens langs haar heen ging.

Bij de gedachte aan haar vader voelde ze haar maag verkrampen. Hoe had het toch zo uit de hand kunnen lopen?

'We moeten controleren of alles goed is met pap.' Ze zei het hardop voordat ze zich kon bedenken.

Eric draaide zich naar haar toe.

'Misschien loopt hij gevaar,' voegde ze eraan toe, aangezien ze niet echt bezorgdheid in zijn ogen las. En daarna, alsof ze ineens weer twaalf jaar was, zei ze: 'Of kan het je niet meer schelen hoe het met hem gaat?'

Heel even meende ze boosheid in zijn ogen te zien, maar hij wendde snel zijn blik weer af.

Een van zijn vrienden kwam naar hun tafeltje: de jongen met het geschoren hoofd en de geduldige, vriendelijke ogen.

Eric schoof een eindje op om plaats voor hem te maken op de bank.

Na Eric een envelop te hebben gegeven zette de jongen zijn laptop op de tafel.

'Bree, je kent Russ nog, neem ik aan?' zei Eric.

Bij het horen van zijn luchtige toon staarde ze hem verbouwereerd aan. Hij deed alsof ze hier gewoon op vakantie was! Ze zag echter ook dat hij voortdurend het hele terras en het strand in de gaten hield. Dus misschien was die nonchalance maar schijn.

Russ glimlachte en knikte haar toe terwijl hij zijn laptop openklapte. Hij deed haar aan haar studenten denken, al was hij wel wat ouder. Hij had iets schuchters, iets bescheidens, maar ze kreeg de indruk dat hij een rol speelde en in werkelijkheid niet zo was. Ze had wel vaker meegemaakt dat jongens of mannen die op haar vielen, zich zo gedroegen.

'Ik heb een paar dingetjes ontdekt die jullie misschien interessant vinden.' Russ liet zijn vingers over de toetsen van de computer gaan – behoorlijk snel voor iemand met zulke grote handen, vond Sabrina. Uiteindelijk schoof hij de laptop naar de rand van de tafel, zodat ook Eric en zij het scherm konden zien. Nadat hij nog een paar toetsen had ingedrukt, leunde hij naar achteren.

Op het scherm was een luchtfoto te zien van bomen en gebouwen.

Sabrina boog zich naar voren, met haar ellebogen op de tafel.

Eric bleef in dezelfde houding zitten en om zich heen kijken. 'Is dat een satellietfoto?' vroeg hij.

'Niet zomaar een satellietfoto.' Glimlachend liet Russ zijn vinger over de touchpad gaan. 'Het is een liveopname. Ik heb hem vanmorgen vroeg opgeslagen, op mijn harde schijf gezet en uitgeprint.' Hij wees naar de datum en de tijd in een hoek van het scherm: woensdag 17 juni, 6.05 uur.

Toen hij inzoomde, herkende Sabrina het bedrijfsterrein van EcoEnergy.

'Hoe krijg je dat voor elkaar? Liveopnames?' Eric schoof dichter naar de tafel, al zijn aandacht nu op het beeldscherm.

'Ach, ik ken een paar trucjes. Het maakt niet uit hoe ik het doe. Kijk eens goed.' Russ drukte op een paar toetsen en zoomde nog verder in.

Sabrina zag de daken en het doolhof van buizen en loopbruggen. Wat ze echter vooral goed kon zien, waren de vrachtwagens met open laadbakken. Gesloten tankwagens brachten slachtafval van de pluimvee-industrie. De open vrachtwagens kwamen doorgaans voor of na kantoortijd. Ze had ze vaak gezien wanneer ze had overgewerkt en voetstoots aangenomen dat ze bedoeld waren voor de bouw, die nog steeds doorging. Op het terrein werd voortdurend aan uitbreidingen en verbouwingen gewerkt.

Maar nieuwbouw, dat betekende ladingen balken, bakstenen en buizen – stuk voor stuk nieuw. Wat in de laadbakken van de vrachtauto's lag, zag eruit als puin.

Ze zocht Reactor 5 op het scherm op en volgde het doolhof van buizen die de reactor met zijn buitenste opslagtank verbond. De tank was drie verdiepingen hoog en had ommuurde vultrechters waardoor het puin via een lopende band vanuit de vrachtwagens de tank in werd gestort. Ze had altijd gedacht dat de tank voor de reserveopslag van olie werd gebruikt tot de reactor in bedrijf zou worden genomen. Deze luchtopname maakte haar duidelijk dat daar geen sprake van was.

'Er wordt puin verwerkt. Van de orkanen,' zei ze bijna fluisterend.

Hoe was het mogelijk dat de bedrijfsleiding dat geheim had weten te houden?

Hoofdstuk 86

Eric schoof de gele envelop die Russ hem had gegeven van de tafel en legde hem op de bank tussen hen in.

Hij was zo gaan zitten, dat hij alles in de gaten kon houden, zowel in als buiten het drukbezette restaurant.

De aanblik van de twee hulpsheriffs uit Santa Rosa bracht hem in herinnering dat het nergens veilig was. Misschien was het stom wat hij deed en nam hij te veel risico. Dat zou niet voor het eerst zijn. En dat gaf ook niet, zolang hij de enige was die de dupe kon worden van zijn stommiteiten. In dit geval lag het echter anders.

Hij stak zijn hand op naar Max, die de treden van het terras beklom en naar hen toe kwam. Het kostte hem moeite om zijn opluchting te verbergen, want hij rekende erop dat ze hem zou helpen Sabrina ervan te overtuigen dat de inhoud van de envelop bittere noodzaak was. Hoe moest hij zijn kleine zusje in vredesnaam vertellen dat ze moest verdwijnen, nadat hij haar twee jaar niet had gezien? Hij was altijd haar beste vriend geweest – haar held, toen ze nog kinderen waren – maar hij wist dat hij beide rollen had verspeeld toen hij uit Chicago weg was gegaan zonder zelfs maar afscheid te nemen.

Het was een krankzinnige periode geweest. En hoe kon hij Sabrina iets uitleggen wat hij zelf amper begreep? Het enige wat hij zich herinnerde, was de woede. Hij was woedend op zijn vader geweest, omdat die niet beter voor hun moeder had gezorgd. Hoe had hij haar in zulk slecht weer in de auto kunnen laten stappen? En hij was woedend geweest op Sabrina, omdat zij hun vader niets verweet. Door dat alles – gecombineerd met het verdriet om het verlies van zijn moeder – had hij het gevoel gehad alsof er een tientonner over hem heen was gereden. De pijn was haast ondraaglijk geweest. Tegelijkertijd was hij er woest om geworden.

Het klonk kinderachtig, onvolwassen. En het was ook kinderachtig en onvolwassen geweest. Maar op dat moment was het enige wat hij had gewild, zich wentelen in zijn woede. Weliswaar zou dat de leegte vanbinnen niet doen verdwijnen, maar het zou hem wel helpen zich staande te houden totdat hij iets of iemand anders had gevonden om zijn kwaadheid op te richten.

Max zag er doodmoe uit, haar ogen waren bloeddoorlopen. Aangezien hij wist dat de vorige avond niet zoveel had gedronken, vreesde hij dat de nieuwe medicijnen niet aansloegen. Ze had hem echter laten beloven dat hij er niet naar zou vragen. Ze werd er doodziek van als hij voortdurend vroeg hoe ze zich voelde, had ze gezegd.

Over de tafel heen kruisten hun blikken elkaar. Hij zag de waarschuwing in haar ogen, maar ook een zweem van een glimlach, een erkenning, misschien wel een subtiel bewijs van dankbaarheid voor het feit dat hij zich zorgen om haar maakte.

Zij was de enige die zijn geheimen kende: wie hij was, wat hem naar Pensacola Beach had gevoerd. Ze konden elkaar vertrouwen, want ze wisten te veel van elkaar.

Zijn mobiele telefoon ging, en snel nam hij op, voordat het geluid de aandacht van de hulpsheriffs zou trekken. 'Hallo?'

'Met Eric?'

Het duurde een paar tellen voordat hij de stem van de oude dame herkende. 'Ik hoop dat u veilig thuis bent gekomen?'

Sabrina ging rechtop zitten, boog zich naar hem toe. Haar gezicht verried bezorgdheid, en ze zocht zijn blik, op zoek naar geruststelling.

'Zeg maar tegen je zusje dat ze zich geen zorgen meer hoeft te maken over haar mannelijke bezoeker.'

'Nee? Hoe dat zo?'

'Zeg maar dat ik daarvoor heb gezorgd.'

'Maar hoe kan dat dan?' Een klik vertelde hem dat de verbinding werd verbroken. Hij had de oude dame op het hart gedrukt eventuele telefoongesprekken zo kort mogelijk te houden en geen bijzonderheden te noemen.

'Is alles goed met haar?' vroeg Sabrina.

'Ik neem aan van wel. Je hoeft je geen zorgen meer te maken over je mannelijke bezoeker.'

'Zei ze dat?'

'Ja, en dat zij daarvoor had gezorgd.' Hij probeerde haar woorden letterlijk te herhalen.

'Dat begrijp ik niet. Hoe kan ze dat nou hebben gedaan?'

Hoewel ook hij zich afvroeg hoe een vrouw van eenentachtig een huurmoordenaar kon uitschakelen, haalde hij slechts zijn schouders op, want hij wilde niet dat Sabrina zich zorgen maakte.

Bovendien leken ze op dit moment met een ernstiger probleem te maken te krijgen. Hij zag de hulpsheriffs opstaan. De oudste van de twee hees zijn broek op en liep naar de kassa, maar de jongste – het fanatieke type, dat zich nog moest bewijzen, was Erics indruk – keek hun kant uit. Blijkbaar was er iets aan hen wat zijn aandacht trok. Eric kon zich niet voorstellen dat de zakkenwasser Sabrina had herkend, maar hij kwam wel naar hun tafeltje toe.

Hoofdstuk 87

Washington DC

Natalie was zich ervan bewust dat zij en de vrouw die tegenover haar zat net zo verschillend waren als het dessert dat ze hadden besteld. Senator Shirley Malone was op en top crème brûlée: chic, uitermate verzorgd, krokant vanbuiten, maar zacht vanbinnen. Natalie zelf was het type aardbeien-rabarbertaart: niet exotisch, maar rechtstreeks van het land, zonder opsmuk, ongecompliceerd, geen dubbele bodem, maar misschien wel een beetje wrang.

Ze vormden dan ook een onwaarschijnlijke combinatie zoals ze daar zaten te lunchen, en als ze samen gezien waren in een Washingtons restaurant, zou dat ongetwijfeld tot vragen hebben geleid. Maar hier in senator Malones suite in het Mayflower Hotel kon niemand hen zien.

Niet dat die gedachte Natalie op haar gemak stelde. Ze was gewend aan het hebben van het thuisvoordeel. Maar in deze tijden van vertwijfeling sloten tegenstanders zich voor het landsbelang aaneen en vond je medestanders op de vreemdste plekken.

Die ochtend bij het gedenkteken van Franklin D. Roosevelt, en nu hier in het Mayflower: het maakte allemaal deel uit van wat ze hoopte te bereiken voordat haar achtenveertig uur om waren.

'De kersentaart is hier ook zalig,' merkte de senator op voordat ze van haar thee nipte.

Natalie betrapte zich erop dat ze naar de slanke perfect gestrekte pink van de senator keek, terwijl die haar theekopje naar haar mond bracht. Ze moest zich beheersen om niet met haar ogen te rollen. Tenslotte wisten ze allebei dat dit geen gezelligheidsbezoekje was.

'Senator Malone, met alle respect...' Ze schoof haar dessertbordje opzij. '...ik weet dat u een buitengewoon drukbezette vrouw bent, en zelf heb ik ook een volle agenda, dus stel ik voor dat we meteen ter zake komen.'

'Dan heb ik ook een voorstel, Ms. Richards. Ik hou op met de beleefdheden als u ophoudt me onzin te verkopen.'

Automatisch schoten Natalies wenkbrauwen omhoog, maar voor het overige lukte het haar om haar gezicht in de plooi te houden.

'Om te beginnen vraag ik me af waarom uw baas niet zelf gekomen is.'

Doorgaans had Natalie niets dan minachting voor vrouwen die dankzij hun echtgenoot in het Congres waren beland, maar senator Malone had op eigen kracht een senaatszetel veroverd, na een bepaald niet gemakkelijke verkiezingsstrijd. Bovendien had ze zich als senator bewezen. Ze was een onafhankelijke geest, nog niet murw gemaakt door haar collega's, en ze ging niet gebukt onder het juk van diensten en wederdiensten. Als ze als volksvertegenwoordiger haar sporen niet had verdiend, zou Natalie hier ook niet zitten.

'Dit is nogal persoonlijk,' bekende Natalie.

Senator Malone zette haar theekopje neer, leunde naar achteren in haar stoel, sloeg haar armen over elkaar en nam Natalie onderzoekend op. Voor een vrouw die er prat op ging niets te moeten hebben van geheime agenda's en politieke spelletjes, beheerste ze het klappen van de zweep tot in de puntjes.

Onwillekeurig vroeg Natalie zich af of dit bezoek misschien een vergissing was.

'Er bestaat een gerede kans dat zich een wijziging zal voordoen in de agenda van de energietop.' Ze koos haar woorden met zorg. 'Als dat gebeurt, kan en moet er iemand naar voren treden om de leiding te nemen.'

Het ontging haar niet dat senator Malone met haar mondhoek trok, in een soort tic.

'Ik dacht dat de president de agenda van de top vaststelde?' De toon waarop de senator het vroeg, verried onzekerheid, misschien zelfs naïviteit.

Nu was het Natalie die naar achteren leunde. Ze liet haar blik door de suite gaan en herkende de pogingen van de senator om er een eigen sfeer te scheppen: ingelijste foto's, stapels boeken en een verzameling miniatuurtheepotten.

Alleen al het feit dat de senator die vraag had gesteld, was voor Natalie een bevestiging dat ze geen vergissing had begaan. Integendeel, ze had de juiste keus gemaakt.

Hoofdstuk 88

Pensacola Beach, Florida

Sabrina zag Eric Russ een por geven, waarop de liveopname op de laptop onmiddellijk plaatsmaakte voor een partij schaak die al verscheidene zetten op streek was. Dat was de enige waarschuwing die ze kreeg voordat er plotseling een agent in een groen uniform naast hun tafeltje stond en 'Goedemiddag' zei.

Gelukkig richtte hij zich tot Eric en niet tot haar. Anders zou hij ongetwijfeld de paniek in haar ogen hebben gezien.

'Goedemiddag, sheriff...' Eric keek op zijn naamspeldje. '...Kluger.'

Dat was typisch Eric, om de moeite te nemen iemand met zijn naam aan te spreken. Doorgaans kwam het charmant over, maar in dit geval klemde Sabrina onwillekeurig haar kaken op elkaar. Onder de tafel scheurde ze haar papieren servet aan repen.

Eric daarentegen liet zijn handen volkomen kalm en beheerst op de tafel rusten. Deed hij dat met opzet, vroeg ze zich af. Zodat de sheriff kon zien dat hij geen onverhoedse bewegingen maakte? Dat deden ze in films toch ook altijd?

'U doet de bar bij Bobbye's?' vroeg de hulpsheriff.

'Dat klopt. Soms. Niet altijd.'

Nog steeds had Eric zichzelf geheel onder controle, terwijl háár hart zo tekeerging, dat ze vreesde dat de agent het wel moest horen.

'We willen een feestje geven voor een van de jongens, ter ere van zijn verjaardag. Kunnen we de hele bar misschien een keer afhuren?'

Eric staarde hem aan.

Sabrina gluurde naar Russ en Max, die de hulpsheriff op hun beurt aankeken alsof hij Chinees sprak.

Kennelijk kreeg hulpsheriff dat in de gaten, want hij haastte zich eraan toe te voegen: 'We verwachten geen korting of een voorkeursbehandeling, hoor. We zoeken gewoon een leuke tent, waar we een beetje onder ons kunnen zijn. Een beetje verwijderd van de drukte hier.'

'Dat snap ik,' zei Eric nonchalant. 'Weet u wat, komt u even langs in Howards winkel om een datum te prikken. Dan komt het helemaal voor elkaar.'

'Mooi. Dat zal ik doen.'

Na zijn vertrek zei niemand iets. Russ begon op het toetsenbord van de computer te tikken, Max volgde het ritme door met een opgevouwen krant op de tafel te slaan.

Sabrina keek van de een naar de ander. Ze voelde zich ongemakkelijk door het feit dat ze allemaal zo rustig bleven. Misschien dat zij dit soort situaties gewend waren, maar dat gold beslist niet voor haar.

Uiteindelijk schonk Eric haar een glimlach. 'Dat was wel het laatste wat ik had verwacht.'

'Je meent het.' Ze wenste dat ze er net zo luchtig over kon doen als hij.

'Dit lijkt me het juiste moment om het hierover te hebben.' Hij legde een gele envelop op de tafel.

Het viel haar op dat hij opnieuw om speurend zich heen keek – nog altijd beheerst, nog altijd volkomen kalm. Ofschoon hij niet had geweten wat die hulpsheriff van hem wilde, had hij precies geweten hoe hij zich moest gedragen, wat hij moest zeggen, en – belangrijker nog – wat hij níét moest zeggen. Waar had hij dat geleerd?

Hij maakte de envelop open, haalde er twee plastic kaartjes uit en gaf die aan haar. Het bleken een rijbewijs en een creditcard te zijn.

Ze herkende de naam niet die erop stond en wilde ze al teruggeven, toen haar blik op de foto viel die op het rijbewijs stond. Dat was zij! 'Hoe kom je hieraan?'

'Die heeft Russ gemaakt,' antwoordde hij.

'Ik heb je foto van de website van de universiteit gehaald.' Russ grijnsde trots. Blijkbaar vatte hij haar verraste reactie, geheel ten onrechte, op als een compliment. 'Met PhotoShop heb ik hem een beetje bewerkt en het kapsel aangepast. Ik heb je zelfs een beetje bruiner gemaakt.' Omdat ze niet reageerde en alleen maar naar de twee kaarten staarde, vervolgde hij: 'De creditcard is legaal. De naam klopt. Kathryn Fulton zit op dit moment in Londen. Ze heeft haar appartement aan het strand voor ruim een jaar onderverhuurd.' Hij keek van haar naar Eric en vervolgens naar Max, alsof hij om hulp vroeg bij het interpreteren van Sabrina's reactie. 'Ze krijgt hier nog steeds post. Je weet wel, aanbiedingen van creditcardbedrijven en zo. Ik zeg niet dat je er eeuwig mee wegkomt, maar op zo'n korte termijn lukt het me niet iets beters voor je te maken.'

Ze wist niet wat ze moest zeggen, wat ze moest denken. Zo gemakkelijk kon het toch niet zijn? Het ging haar allemaal veel te snel. 'Dus ik word gewoon iemand anders?'

Niemand antwoordde.

'Ik verander mijn naam en verdwijn?' vroeg ze rechtstreeks aan Eric, om hem te dwingen haar aan te kijken in plaats van zijn blik voortdurend in het rond te laten gaan. 'Is dat je oplossing, omdat het bij jou zo goed heeft gewerkt?' Het was een stoot onder de gordel in het bijzijn van zijn vrienden, dat wist ze. En ineens kon het haar niet meer schelen dat zijn vrienden geen idee hadden dat ze zijn zus was. 'Ik pieker er niet over pap in de steek te laten.'

Wat ze daarna zei, kwam ook voor haarzelf als een verrassing, aangezien dat niets te maken had met de behoefte hem te kwetsen of zich tegen hem te verzetten. Nee, het ging om opkomen voor zichzelf. 'En ik ben ook niet van plan om op de vlucht te slaan, zodat Sidel zijn smerige praktijken kan voortzetten.'

Het bleef stil aan tafel.

Eric had zijn hoofd alweer afgewend.

Ze vermoedde echter dat hij niet langer controleerde of er gevaar dreigde, maar gewoon haar blik ontweek. Het liefst zou ze opstaan en weglopen, maar waar moest ze heen? Als dit Erics poging was om haar te helpen en ze weigerde zijn aanbod, wat moest ze dan beginnen?

'Ik ben blij dat je er zo over denkt,' zei Max opeens. Ze legde de opgevouwen krant op tafel, sloeg hem open en wees naar een artikeltje onder aan de pagina. 'Dit is de Tallahassee Democrat. Ik volg deze zaak al een paar weken.' Ze keek op naar Eric, alsof ze hem de kans wilde geven haar het zwijgen op te leggen.

Uit de manier waarop Eric en zij elkaar aankeken, leidde Sabrina af dat er meer tussen hen was dan alleen maar vriendschap.

Max schoof de krant naar haar toe.

Sabrina's eerste indruk van Max was geweest dat niets haar kon verrassen of uit haar evenwicht kon brengen. Ze benijdde Max om het feit dat ze zich onder alle omstandigheden staande wist te houden, om de stoere onverschilligheid die ze uitstraalde.

Maar nu klonk zelfs Max onzeker. Ze sprak gedempt en bewoog nerveus met haar handen nu ze de krant niet langer vasthad. 'Ik heb wat gezondheidsproblemen door... Nou ja, laten we het er maar op houden dat het iets is wat ik niet had verwacht. Dit...' Met een nagel tikte ze op het artikel. 'Dit is iets wat we niet zomaar de rug kunnen toekeren nu we ervan weten.'

' "Giftige stoffen in water",' las Sabrina hardop. Ze herinnerde zich dat ze daar een week eerder over had gelezen, voordat ze ook maar enig idee had gehad dat EcoEnergy ermee te maken kon hebben. Toen ze het artikel las, had ze het gevoel alsof er een knoop in haar maag werd gelegd.

Jackson Springs, leverancier van mineraalwater even buiten Tallahassee, is onlangs gesloten nadat in de producten van het bedrijf giftige stoffen zijn aangetroffen. Verscheidene klanten klaagden over misselijkheid en hoofdpijn na het drinken van het mineraalwater. Een tienjarig meisje moest in het ziekenhuis worden opgenomen, waar dioxine in haar bloed werd gevonden. Ofschoon de dioxine niet rechtstreeks te herleiden is

> naar een product van Jackson Springs, is het bedrijf aangeklaagd nadat sporen van het dodelijke gif in willekeurig genomen monsters zijn aangetroffen.

Sabrina keek de tafel rond. 'Als de rivier verontreinigd is, moeten ze al maandenlang aan het lozen zijn.'

'Zonder dat iemand er iets aan doet,' vulde Max aan.

Hoofdstuk 89

Washington DC

Jason wilde wat eerder naar huis, om in te pakken. Alhoewel, wat eerder... Het was verdorie al bijna zes uur.

Hij zou de volgende dag een vroege vlucht nemen vanaf Reagan National Airport. Senator Allen zou pas vlak voor de aanvang van het ontvangstdiner arriveren, en het was aan Jason om ervoor te zorgen dat alles dan in kannen en kruiken was: de catering, de tafels en stoelen, de podia, de geluidsinstallatie.

Hoewel Sidel geacht werd als medegastheer op te treden, had de senator Jason met de hele organisatie belast. Hij was dan ook al weken terug begonnen met de voorbereidingen en het plaatsen van bestellingen. Hopelijk zou het nu alleen nog een kwestie zijn van controleren en nog eens controleren.

Hij nam de trap om niet het risico te lopen dat hij in de lift iemand tegenkwam. Als hij nog langer werd opgehouden, zou hij nooit wegkomen. Hij had een hele lijst dingen af te werken, al was van de enorme stapel die hij onder zijn arm hield de helft bestemd voor de secretaresse van senator Allen en de andere helft voor de senator zelf. Hij had kopieën gemaakt van alles wat hij moest meenemen. Die kopieën en zaken waaraan hij niet meer was toegekomen, lagen klaar om in zijn attachékoffer te doen.

Toen hij een hoek om sloeg, botste hij bijna tegen senator Malone op. Ook zij liep met een stapel paperassen onder haar arm.

'Zo te zien zijn we allebei met hetzelfde bezig,' merkte ze op.

'Tja.' Hij vroeg zich af waarom de senator zelf liep te sjouwen met 'alles wat niet tot maandag kon wachten' en waarom Lindy dat niet deed.

'Ik dacht dat je al weg was, naar Florida,' zei ze. 'Lindy is een paar uur geleden vertrokken.'

Kon ze zijn gedachten soms lezen?

Bijna flapte hij eruit dat Lindy en hij niets met elkaar hadden, maar hij wist zich net op tijd in te houden. Hij had geen idee wat Lindy haar baas over die ene nacht had verteld – áls ze al iets had verteld. Misschien was hij wat al te voorbarig door te denken dat de twee zinnen van de senator met elkaar in verband stonden.

'Ik vertrek morgenochtend vroeg,' zei hij. 'En u?'

'Ik pas na de stemming van de Appropriations Committee. Hopelijk ben ik dan nog welkom op het ontvangstdiner.'

'Natuurlijk bent u dat,' zei hij meteen. Hij wilde haar vragen waarom ze dacht dat ze dat níét welkom zou zijn. Bedoelde ze daarmee te zeggen dat ze niet op haar stem hoefden te rekenen? Nee, ze maakte gewoon een grapje, dat kon niet anders. 'Trouwens, ík ga over de uitnodigingen,' voegde hij eraan toe, in een poging charmant te zijn.

Ze glimlachte, en als hij zich niet heel erg vergiste, meende hij zelfs een lichte blos op haar wangen te zien.

Toen werd ze plotseling weer ernstig. 'Ik had je al veel eerder willen zeggen hoe verschrikkelijk ik het vind van Zach.'

'Om eerlijk te zijn kende ik hem niet zo goed.' Hij vroeg zich af waarom zij blijkbaar dacht van wel. Wat had Lindy haar verteld? Hij verplaatste de stapel enveloppen en dossiermappen naar zijn andere arm.

'O.'

Meer zei ze niet, maar hij zag aan haar gezicht dat ze hem niet geloofde.

'We hebben ooit samen gebasketbald. Zo'n wedstrijd om geld bij elkaar te krijgen voor een goed doel.' Hij begreep zelf niet goed waarom hij de behoefte voelde om de situatie uit te leggen en haar te overtuigen.

'Ik weet dat Zach en Lindy bevriend waren, dus ik nam automatisch aan jullie drieën...' Ze schudde haar hoofd. 'Het spijt me. Kennelijk heb ik veel te snel mijn conclusie getrokken.'

'Ik heb Lindy pas leren kennen op de avond van die borrel voor haar verjaardag. Precies zoals ik u destijds heb verteld.' Hij maakte het allemaal veel te zwaar, maar hij wilde dat ze wist hoe het zat. Wat Lindy haar ook verteld mocht hebben, hij besefte dat hij per se wilde dat senator Malone de waarheid kende.

Ze werd afgeleid door iets achter hem; ze keek over zijn schouder alsof ze daar iets of iemand zag.

Toen hij zich omdraaide, zag hij een onbekende man aankomen. Het sportjasje dat hij droeg, was te goedkoop van kwaliteit voor een lobbyist, en hij was te oud – minstens vijftig – om een staflid te kunnen zijn.

'Bent u Jason Brill?'

Als Jason alleen was geweest, zou hij waarschijnlijk hebben gezegd dat hij helemaal geen Jason Brill kende. Nu antwoordde hij echter: 'Inderdaad.'

De man hield hem een politiepenning voor. 'Bob Christopher, recherche. Ik wil u een paar vragen stellen, als u een paar minuutjes hebt.'

'Het spijt me, rechercheur, maar ik heb haast. Ik had deze hele stapel een uur geleden al moeten afleveren.' Hij wees naar de stapel onder zijn arm.

'Het duurt maar even.' De rechercheur wierp een steelse blik op senator Malone. Het was of hij haar wel herkende, maar niet op haar naam kon komen.

'Ik laat jullie alleen.' Ze streek Jason vluchtig over zijn schouder alsof ze hem succes wenste – of misschien 'sorry, je bent de pineut' wilde zeggen.

Rechercheur Christopher keek haar na tot ze de hoek om was.

Ze bood dan ook bepaald geen verkeerde aanblik, moest Jason erkennen.

'Ik moet dit spul afleveren,' zei hij ongeduldig. Hij vroeg zich af of Lindy soms aan iedereen – inclusief de politie – liep te vertellen dat Zach en zij tweeën met elkaar bevriend waren geweest.

'Er zat een foto van u in de mobiele telefoon van Zach Kensor.'

'Hè?' Het scheelde niet veel, of hij had de hele stapel papieren laten vallen.

'De foto is gemaakt op de avond voordat Mr. Kensor werd vermoord.'

Ach, natuurlijk, die borrel. Jason had zich niet gerealiseerd dat hij dichtbij genoeg had gestaan of gezeten om op de foto te komen.

De rechercheur keek de verlaten gang door. 'Bovendien is ons bekend dat u later die avond in hetzelfde hotel hebt verbleven als Mr. Kensor. Tot in de vroege ochtenduren, als ik het goed heb.'

Jason voelde zijn kaak verstrakken. Lindy, dacht hij nijdig. Hij probeerde zijn gezicht in de plooi te houden – tevergeefs. Dolgraag zou hij de rechercheur vertellen van zijn ontdekking dat William Sidel en Zach Kensor mogelijk tegelijkertijd in het South Beach Resort hadden verbleven, maar aangezien hij op een illegale manier aan die informatie was gekomen, kon hij er niets mee.

Vergeten waren alle lessen van senator Allen om onder alle omstandigheden koel en beheerst te blijven, en onbedoeld reageerde hij zoals zijn oom Louie zou hebben gedaan. 'Ben ik een verdachte, rechercheur?' Hij voelde dat hij zelfs minachtend zijn bovenlip optrok, net als oom Louie.

'Natuurlijk niet, Mr. Brill. Als dat zo was, stond ik niet midden in deze gang met u te praten.'

'Dan is dit gesprek wat mij betreft afgelopen,' zei hij, en hij liep weg. Het kostte hem de grootste moeite om het trillen van zijn handen te doen ophouden en tegelijkertijd te voorkomen dat hij zijn vrije hand tot een vuist balde – in elk geval tot hij de hoek om was en de rechercheur hem niet meer kon zien.

Hoofdstuk 90

Pensacola Beach, Florida

Toen hij beneden kwam, zag Eric tot zijn verrassing dat Howard de bar had gesloten. De toegang vanaf het plankenpad was afgezet met touwen, en Howard had de borden met 'Alleen voor genodigden' neergezet. Maar de barbecue was aangestoken, en het rook er naar knoflook, houtskool, ananas en *hickory*.

Zijn eerste gedachte was dat Howard het voor de gasten uit Minnesota had gedaan.

Toen hij ernaar vroeg, begon Howard echter te lachen. Hij zwaaide de roestvrijstalen vleestang in Erics richting en zei: 'Nee, hoor. Die hebben besloten een andere keer te komen.'

'Maar je hebt de hele boel afgezet. Hoe zit dat dan?'

'Wat heb je aan een eigen tent als je die niet af en toe kunt dichtgooien om voor je vrienden te koken? Russ zegt dat we een plan moeten bedenken, en volgens mij gaat dat beter op een volle maag.'

Eric knikte alleen maar en begon de barvoorraad bij te vullen.

Hij maakte zich zorgen over Sabrina. Haar strijdbare reactie had hem verrast. Voor haar was dit kennelijk een soort wetenschappelijke puzzel die ze met een logische benadering en de juiste formules dacht te kunnen oplossen. Hun vader was al net zo; die zag alles in het leven als een wiskundige vergelijking, een som van delen die eenmaal in elkaar geschoven één geheel vormden. Helaas zat het leven niet zo in elkaar.

Hij schudde een jutezak oesters leeg in een lage plastic bak en liet er boven de gootsteen koud water overheen lopen om ze schoon te maken. Daarna zou hij de schelpen met ijs bedekken.

Het zou zo veel gemakkelijker zijn als Sabrina haar nieuwe identiteit accepteerde, al was het maar voorlopig. Dat zou hem de tijd geven een betere oplossing te bedenken. En als ze erop bleef aandringen, zou hij uiteindelijk ook een oplossing voor hun vader verzinnen, al was die door zijn huidige geestestoestand eigenlijk al uit hun leven verdwenen. Het was Eric echter duidelijk dat Sabrina dat nog niet had geaccepteerd. Voor wetenschappers die altijd overal een verklaring voor hadden, waren Sabrina en hun vader meesters in de kunst van het ontkennen.

Howard kwam met garnalen aanlopen. 'Zou je deze willen schoonmaken zodra je daarmee klaar bent?'

'Oké. Komt voor elkaar.' Eric liet het water uit de bak lopen en vulde hem met ijs.

Ineens besefte hij dat Howard nog steeds naast hem stond, alsof hij iets had vergeten.

'Die vrienden van me uit Miami...' begon Howard, en hij wachtte tot Eric hem met een knikje liet merken dat hij zich hen herinnerde.

Natuurlijk herinnerde Eric zich die vrienden uit Miami. Hij keek al de hele week uit naar hun boot.

'Ik verwacht ze vanavond rond middernacht,' vervolgde Howard. Hij liet zijn blik over de baai gaan. 'Zou je het vervelend vinden om hier te blijven en hen samen met mij te ontvangen?'

Hoe graag Eric Howard ook mocht, hij had het gevoel alsof hij zijn armen tot aan zijn ellebogen in het ijs had gedompeld. Had Howard hem daarom zo'n goede vriend genoemd? Om hem voor te bereiden op de ontmoeting met zijn vrienden uit Miami? Howard had zijn moment om hem in de val te lokken echt perfect gekozen: juist nu hij volkomen in beslag genomen werd Sabrina's problemen.

'Tuurlijk,' antwoordde hij.

Hij wenste dat Sabrina die nieuwe identiteit had aangenomen en inmiddels vertrokken was, voordat de drugs smokkelende maatjes van Howard hier zouden arriveren.

Hoofdstuk 91

Sabrina herinnerde zich dat ze zich een week eerder nog had beklaagd over het feit dat ze zich zo alleen voelde. En nu zat ze in een strandtent aan tafel met een groep vreemden die over haar toekomst zouden beslissen.

Het verbaasde haar niet dat Eric zich had omringd met mensen die op het eerste gezicht een redelijk onaangepaste indruk maakten. Als kind was hij al geregeld thuisgekomen met zwerfhonden, en later, op de universiteit, had hij studenten mee naar huis genomen die nergens anders heen konden in de vakantie. 'Onze charmeur', zoals hun moeder Eric liefdevol had genoemd, had nooit enige moeite gehad met het maken van vrienden of afspraakjes met meisjes, of met het vinden van werk. Nee, de problemen kwamen meestal pas als hij die vrienden en meisjes en dat werk moest zien te hóúden.

Tijdens het eten van Howards buffet van gepelde oesters, gegrilde sint-jakobsschelpen, scampi's, kleine garnalen en groenten, gaven Eric en zij antwoord op allerlei vragen. Ze zaten met de hele groep aan hun stamtafel, aan de punt van de steiger. Het enige licht, op het schijnsel van de maan na, kwam van citronellakaarsen en Hawaïaanse lampen.

Op elk ander moment zou Sabrina hebben genoten van het zachte klotsen van het water tegen de boten. De nachtvogels waren hier aan de Golf weer andere dan de vogels waar ze met Miss Sadie naar luisterde in Tallahassee.

Ze zuchtte, en voor de zoveelste keer wenste ze dat alles goed was met de oude dame. Ze miste haar, met haar wijze raad en kalmte. En ze vroeg zich af wat ze in 's hemelsnaam had gedaan waardoor Sidels huurmoordenaar geen bedreiging meer vormde.

'Je zei dat het hele procedé wordt aangestuurd en gecontroleerd door een computerprogramma.'

De stem van Russ deed haar opschrikken uit haar gedachten. 'Ja,' beaamde ze. 'En Lansik was de enige die daarin veranderingen kon aanbrengen.'

Het was al de tweede keer dat ze dit uitlegde. Misschien was Russ toch niet zo'n computergenie als hij anderen wilde doen geloven. Hij deed haar denken aan de mannelijke studenten die hengelden naar haar aandacht, maar ondertussen geen flauw idee hadden waar ze het over hadden.

'En datzelfde programma wordt gebruikt om alles te verwerken wat er aan materiaal wordt aangevoerd, toch?'

Ze knikte. 'Lansik heeft het programma ontwikkeld samen met de ingenieur die centrale heeft ontworpen.'

'Dus dat programma zou ook Reactor 5 moeten aansturen.' Met een plastic roerstaafje wees hij in haar richting, alsof hij zijn betoog kracht wilde bijzetten – een betoog dat haar overbodig leek, aangezien ze al het vermoeden hadden dat dit de reden was waarom Lansik was vermoord. Russ was echter nog niet klaar. 'Dat betekent dat er in het netwerk een bestand van is aangemaakt, dat de gegevens ergens zijn opgeslagen.'

Haar hand bleef op weg naar haar mond hangen, met een garnaal tussen haar vingers.

Ook de anderen zaten plotseling roerloos.

Misschien was Russ dan toch niet alleen maar schattig en een flirt.

'Zelfs als ze de gegevens van hun eigen computer of hun harde schijf hebben gewist, moet er een kopie van bewaard zijn gebleven op de server,' verduidelijkte Russ. Nog steeds zwaaide hij met het roerstaafje, alsof het een toverstokje was.

'Wacht eens even,' zei Eric. 'Wil je daarmee zeggen dat er mogelijk een bestand is waarmee we kunnen aantonen dat er orkaanpuin is verwerkt in Reactor 5?'

'Dat hangt ervan af hoe gedetailleerd het computerprogramma is.' Vragend keek Russ haar aan. 'Wat kun je allemaal zien met dat programma?'

'Nou, je kunt niet zien wat er precies door de leidingen gaat, maar het programma geeft wel aan waar de materie zich bevindt, plus de temperaturen, het moment van vercooksen, welke kleppen open en dicht staan.' Ze probeerde zich het programma voor de geest te halen en alle data die daarop te zien waren.

'Zou er een verschil te zien zijn tussen de verwerking van kippeningewanden en orkaanpuin?' Eric keek haar hoopvol aan.

'Ja, natuurlijk. Dan zouden alle gegevens anders zijn,' antwoordde ze.

'Dat is dan de oplossing!' Hij sloeg met zijn hand op de tafel. 'We hebben al satellietfoto's van wat er naar binnen wordt gebracht, dus hoeven we alleen nog maar een kopie te hebben van dat bestand. En daar kan Russ wel voor zorgen. Gewoon een kwestie van hacken, of niet?'

Sabrina zag aan Russ' blik, voordat hij zijn ogen neersloeg, dat het niet zo eenvoudig zou zijn.

'Dat zal niet gaan, vrees ik,' zei hij.

Dat was niet het antwoord dat Eric, die op het puntje van zijn stoel zat, wilde horen. Zelfs in het gedempte licht zag Sabrina dat hij zijn kaken op elkaar klemde en zijn ogen tot spleetjes kneep.

Al sinds ze zijn grootmoedige aanbod van een nieuwe identiteit had geweigerd, maakte hij een nerveuze, rusteloze indruk.

'Kan het niet?' vroeg Eric. 'Of kun jij het niet?'

'Rustig aan.' Howard legde zijn hand op Erics schouder.

'Als ik het kon, zou ik het doen,' zei Russ. 'Dat weet je best.'

Hij klonk eerder gekwetst dan defensief, vond Sabrina.

'Maar je weet niet hoe. Ik snap het.'

Ze herkende de toon waarop Eric het zei: een schimpscheut met een beschuldiging van verraad erin. Net als hun moeder was hij in staat om woorden als wapens te gebruiken.

'Hij kan het niet, omdat hij daarvoor een computer van EcoEnergy zou moeten gebruiken,' bracht ze naar voren.

Het duurde even voordat Eric zich van Russ afwendde en haar aankeek. Toen dat eindelijk gebeurde, werd de blik in zijn ogen iets minder fel.

'Dan moeten we zien dat we bij EcoEnergy binnenkomen,' zei Max.

Uit haar glimlach leidde Sabrina af dat ze het als een grapje bedoelde, om de spanning te breken.

'Dat is helemaal geen slecht idee,' vond de Mayor.

Sabrina had niet de indruk dat híj het grappig bedoelde. Als ze goed had geteld, zat hij inmiddels aan zijn vijfde Pink Lady.

'De beveiliging is erg streng,' zei ze. 'Je kunt maar aan één kant het terrein op, en daar is een wachtpost en een hek. Eenmaal binnen, heb je voor elk deel van de gebouwen een sleutelkaart nodig. Ik weet zeker dat ze mijn kaart hebben gedeactiveerd er of op z'n minst een waarschuwingssignaal in hebben geprogrammeerd.' Ze schudde haar hoofd.

'Hoe ziet het terrein eruit?' vroeg Eric.

Aan zijn gezicht zag ze dat hij weer hoop begon te krijgen.

'Aan de voorkant staat een hoog hek,' vertelde ze. 'Aan weerszijden is een dicht bos, en aan de achterkant loopt de rivier.' De wending die het gesprek nam, beviel haar helemaal niet.

'De Apalachicola River?' vroeg Howard.

'Ja,' antwoordde ze. Weer voelde ze die knoop in haar maag. Het gesprek maakte haar bang.

Maar wat had ze dan verwacht? Per slot van rekening had ze er zelf op gestaan dat ze actie ondernamen om Sidel te doen ophouden met zijn smerige praktijken.

'Is er bewaking bij de rivier?' vroeg Eric, zoals ze wel had verwacht.

'Je kunt wel proberen het terrein op te komen, maar daar schiet je niets mee op.' Ze probeerde rustig te klinken. 'Zoals ik al zei, binnen heb je voor elke ruimte een sleutelkaart nodig, zelfs voor het gebouw waarin de administratie zit en voor het cafetaria en het fitnesscentrum.'

Daarop wist niemand iets te zeggen.

Ze keek van de een naar de ander, in de hoop dat ze het idee om te proberen EcoEnergy binnen te komen in de kiem had gesmoord. Er moest een andere manier zijn.

'Dat bedrijfsterrein...' Het gerimpelde gezicht van de Mayor stond peinzend. 'Ik neem aan dat er overal verkoopautomaten staan?'

Iedereen keek hem aan – beleefd, maar ook meewarig, meende Sabrina, zoals je naar iemand kijkt die je respecteert, maar van wie je niet verwacht dat hij iets zinnigs gaat zeggen. Waarschijnlijk dachten ze allemaal hetzelfde als zij: hoeveel Pink Lady's heeft hij inmiddels op?

'Dat neem ik aan,' antwoordde ze fatsoenshalve.

'In alle gebouwen?' vroeg hij.

Ze keek naar Eric. Moest ze de Mayor serieus nemen? Ze wist dat Erics vrienden haar wilden helpen, maar hoever moest ze gaan om hen ter wille te zijn? Moest ze doen alsof ze een oude zuiplap die ook een woordje wilde meepraten, voor vol aanzag?

Vreemd genoeg keek iedereen haar aan alsof ze een antwoord van haar verwachtten.

'Er staat een rij automaten in het fitnesscentrum.' Ze probeerde te bedenken waar nog meer automaten stonden. 'Ik neem aan dat er ook andere zijn, verspreid over het complex. Alleen weet ik niet precies waar, want ik drink alleen maar koffie.'

'Coca-Cola of Pepsi?' De Mayor wist van geen ophouden.

Hoewel ze het liefst tegen Eric zou zeggen dat dit nergens toe leidde, antwoordde ze: 'Pepsi.' Hopelijk zou haar ongeduldige zucht de Mayor duidelijk maken dat ze het zo wel mooi vond.

'Prachtig.' De Mayor wreef in zijn jichtige handen en leunde tevreden achterover. 'Dan krijg ik jullie daar wel binnen,' zei hij tegen Eric. 'Eitje.'

Hoofdstuk 92

Eric keek toe terwijl Sabrina Russ het aantekenboekje liet zien dat ze uit het kantoor van de vermoorde wetenschapper had meegenomen. Het kostte hem moeite hen niet te onderbreken, zich er niet mee te bemoeien, ook al begreep hij niets van computercodes.

Howard en de Mayor stonden te bellen, ieder aan een kant van het plankenpad. De een regelde een manier om het bedrijfsterrein van EcoEnergy op te komen, de ander gebruikte zijn connecties om toegang tot de gebouwen te krijgen zodra ze eenmaal op het terrein waren. Howard zou het wel voor elkaar krijgen, wist Eric. Van de Mayor was hij niet zo zeker. Weliswaar had de oude baas altijd de geweldigste verhalen, maar Eric wist niet hoeveel daarvan waar was.

'Je doet echt al het mogelijke.'

Max' stem deed hem opschrikken uit zijn gedachten.

'En bovendien meer dan veel andere broers zouden doen,' voegde ze eraan toe.

'Och, dat weet ik niet.'

'Het spijt me als ik je heb teleurgesteld.' Ze keek uit over het water, misschien zodat hij haar gezicht en haar ogen niet kon zien.

'Hoe bedoel je?'

'Nou, als ik haar niet had aangemoedigd, zou ze misschien zijn vertrokken en zich voor Kathryn Fulton hebben uitgegeven. Dat zou een stuk veiliger zijn geweest.'

'Sabrina mag dan introvert zijn en zich doorgaans braaf aan de regels houden, maar ik had moeten weten dat ze nooit zou weglopen van iets als dit.'

'Ik heb een prachtexemplaar weten te regelen,' zei Howard terwijl hij weer aan tafel kwam zitten.

Heel even wist Eric niet waar de oude baas het over had.

'Een motorjacht van vijf meter met tweehonderdvijfentwintig pk.'

'Ik geloof dat wij ook iets hebben gevonden,' zei Russ. Sabrina en hij schoven hun stoelen weer aan. Russ hield het aantekenboekje bijna eerbiedig voorzichtig vast, als een dominee een bijbel.

'We denken dat Lansik al was begonnen met het verzamelen van bewijsmateriaal,' legde Sabrina uit.

'Ik herken een groot deel van deze computercodes.' Russ wees naar het aantekenboekje. 'Volgens mij heeft hij zijn bestanden opgeslagen op de server, maar ze speciale namen gegeven, zodat niemand ze herkent of gemakkelijk kan vinden.'

'Dat is goed nieuws, toch?' Eric hoopte dat het geluk deze keer met hen was.

'Goed nieuws en slecht nieuws,' antwoordde Russ.

De blikken die Sabrina en Russ uitwisselden, stonden Eric niet aan. Het leek of ze iets gevaarlijks hadden besproken en ook al hadden besloten wat hun te doen stond.

'Het goede nieuws is dat Lansik het ons vrij gemakkelijk heeft gemaakt,' zei Russ. 'Ik heb alleen iemand nodig om bij een computer van EcoEnergy te komen en daar een virtuele deur voor me open te zetten. Het slechte nieuws is...' Hij aarzelde.

'Lansik schrijft dat hij een speciaal wachtwoord heeft achtergelaten in zijn kantoor,' vertelde Sabrina. 'Zonder dat wachtwoord kunnen we de bestanden niet downloaden.'

'Nou, die was in elk geval goed paranoïde.' Eric glimlachte om zijn nervositeit te maskeren. Dit begon hoe langer hoe ingewikkelder te worden.

'Nee, hij was gewoon ontzettend slim,' zei Russ. 'Om het wachtwoord te achterhalen moeten we iemand hebben die de weg weet in het laboratorium en in zijn kantoor. Dus dat betekent...' Opnieuw keek hij naar Sabrina.

'Nee,' zei Eric voordat ze had kunnen reageren. 'Het is veel te riskant als jij teruggaat. Dat hebben we al besloten. Ik ga, en het lukt me heus wel om dat wachtwoord te vinden.'

'Jíj hebt dat besloten,' wierp Sabrina tegen. 'En ik kan het veel sneller vinden dan jij.'

'Alles is geregeld.' Weer een interruptie, deze keer door de Mayor. 'Eric, je bent aangenomen. Het enige probleem is dat ze morgen al bij EcoEnergy leveren. Je moet je om zeven uur 's ochtends bij de distributeur in Tallahassee melden.'

'Morgen? Dat kan niet,' protesteerde hij.

'Als we het morgen niet doen, zullen we een week moeten wachten, tot de volgende levering.'

'Zo lang kunnen we niet wachten,' zei Sabrina. 'Misschien zijn ze al begonnen hun sporen uit te wissen en bewijsmateriaal te vernietigen.'

'En die energieconferentie begint vrijdag,' voegde de Mayor eraan toe. 'Morgenavond is er een groot diner, en waarschijnlijk hopen Sidel en Johnny Q. dat ze dan wat te vieren hebben. Ze zullen dat contract binnenhalen, compleet met applaus en erkenning, en niemand zal daarna ook maar enig geloof hechten aan een mokkende wetenschapper die hun goede naam probeert te bezoedelen.'

Eric keek de tafel rond. Hij had deze groep bij elkaar gebracht om hem te helpen, zijn eigen geheime groep. Deze mensen hadden een beroep gedaan op contacten uit hun verleden en waren bereid om hun nek uit te steken. Hij zuchtte en knikte, zij het met tegenzin. 'Oké, dan wordt het dus morgen.'

Hoofdstuk 93

Sabrina vond het helemaal niet erg dat ze vroeg opbraken omdat hun morgen een zware dag wachtte. Hoe eerder er een eind aan deze avond kwam, hoe beter wat haar betrof, want dan kreeg Eric tenminste de kans niet om van gedachten te veranderen.

De Mayor salueerde toen hij haar welterusten zei.

Howard wachtte tot Max haar aarzelend had omhelsd voordat hij haar een stevige knuffel gaf. Hij rook lekker: naar *hickory* en de subtiele muskusgeur van zijn eau de cologne.

Russ hield zich op de achtergrond, ineens stil en verlegen.

Toen Eric en zij het appartement boven binnen kwamen, verwachtte ze een preek, waarschuwende woorden van de grote broer.

'Volgens mij is hij verliefd op je,' zei hij echter tot haar verrassing.

'Pardon?'

'Russ. Hij is verliefd op je. Heb je dat niet gemerkt?'

'Laten we het er maar op houden dat mijn prioriteiten op dit moment elders liggen.' Ze liet zich op de krakende bedbank vallen en besefte dat ze nog steeds boos op Eric was.

Hij trok een van de plastic stoelen bij de eettafel vandaan en ging voor haar zitten. Hij zag er moe uit; zelfs zijn brede schouders hingen een beetje. Hij had zich niet geschoren.

Nu komt de preek, dacht ze. Ze was ervan overtuigd dat hij zou proberen alsnog zijn zin te krijgen.

'Als we morgen inderdaad naar EcoEnergy gaan, wil ik je één ding vragen.'

Eén ding maar? Maar ze sprak de woorden niet uit. Zijn gezicht stond ernstig, ernstiger dan ze het ooit had gezien. 'Zeg het maar,' zei ze.

'Ik wil graag dat je me vergeeft.'

Op haar onderlip bijtend staarde ze hem aan. Hij meende het, realiseerde ze zich. Het was nooit zijn bedoeling geweest haar pijn te doen. Wat had hij de vorige dag ook alweer gezegd? Dat zij onbedoeld slachtoffer was geworden van de situatie.

'Ik vergeef je,' zei ze. 'Maar dan moet jij pap vergeven.'

In de stilte die volgde, bereidde ze zich voor op een klaagzang waarom dat onmogelijk was en dus niet zou gebeuren.

Toen hij haar weer aankeek, zuchtte hij en zei: 'Oké, afgesproken.' Daarna omhelsde hij haar even.

Bevrijd van de spanning, viel ze in slaap terwijl hij naar het nieuws keek.

Rond middernacht schrok ze wakker, haast alsof er een wekker was gegaan.

Ze was alleen. De televisie stond uit, en alleen de lamp op het bureau brandde nog.

Een snelle inspectie van het appartement leerde haar dat Eric weg was.

Ze deed de bureaulamp uit en liep naar het raam. Wat had hij in 's hemelsnaam op dit uur van de nacht buiten te zoeken? En waarom had hij niet even gezegd dat hij weg moest? Waarom had hij geen briefje neergelegd?

Ze keek naar de lege bistrotafeltjes, naar de boten en het plankenpad. Overal heerste doodse stilte. Er was niemand te bekennen.

Toen zag ze plotseling een lichtflits aan de strandkant van de jachthaven. Vier mannen liepen langs het water: twee met zaklantaarns, twee met lange dunne palen. Ondanks de afstand en de duisternis herkende ze het silhouet van haar broer en zijn manier van lopen. De grote man was Howard, vermoedde ze. De andere twee herkende ze niet. Russ en de Mayor waren het in elk geval niet.

Ze schudde haar hoofd. Waar had Eric zich nu weer mee ingelaten?

Hoofdstuk 94

‘Het heet botsteken,’ legde Eric uit aan de man die Howard had voorgesteld als Manny: een breedgebouwde Cubaan met een smalle snor, waardoor het leek alsof hij voortdurend glimlachte.

Manny deed tenminste nog alsof hij geïnteresseerd was in wat Eric te vertellen had. De andere vent, die door Howard was voorgesteld als Porter – lang, mager, met stekels en een tatoeage – knikte wel en had ermee ingestemd een zaklantaarn te dragen, maar maakte voortdurend opmerkingen als: ‘Ik heb mijn platvis liever gewoon vers van de grill.’

Eric had geen idee waarom Howard had voorgesteld om te gaan botsteken. Misschien was dat zijn manier om de twee mannen op hun gemak te stellen, om hen voor te bereiden op waar het deze avond werkelijk om draaide. Om eerlijk te zijn verwonderde de hele gang van zaken hem. Hij had verwacht dat er een paar borrels zouden worden gedronken en dat er misschien een lijntje zou worden gesnoven, om de handelswaar te testen. Daarom had hij geprobeerd zich zo goed mogelijk voor te bereiden, temeer daar hij de volgende dag helder moest zijn. Een bedrijf als EcoEnergy binnendringen was zonder kater en zonder een goede nachtrust al moeilijk genoeg. Op botsteken had hij echter absoluut niet gerekend.

‘Ik dacht dat dit meer iets was voor de herfst,’ merkte hij op, want hij wilde niet dat Howard zou denken dat hij net zo gemakkelijk te overtuigen was als diens twee maten uit Miami.

'O, de rest van het jaar zijn ze er ook. Alleen trekken ze van oktober tot en met december massaal de Golf binnen.'

'Waarom doen we het 's nachts?' wilde Manny weten. 'We steken ze in hun slaap. Dat is eigenlijk niet eerlijk.'

Howard schoot in de lach. 'Nee, dat zie je verkeerd. We steken ze terwijl ze zich onder het zand schuilhouden in afwachting van hun prooi.'

'Je kunt het nog steeds niet laten, hè? Altijd maar met je kennis te koop lopen. Maar we weten inmiddels wel dat je een geweldige visser bent, hoor. Dat hoef je niet meer te bewijzen.' Lachend sloeg Porter Howard op de rug.

Eric meende dat hij Howard even ineen zag krimpen en betrapte zich op de neiging hem te verdedigen. En of Howard een geweldige visser was! Bovendien was hij kapitein van een boot die hij ook verhuurde en genoot hij met zijn bedrijf voor diepzeevissen een uitstekende reputatie in de Golf.

Omdat hij bang was dat hij deze hele avond zou verknallen als hij Howard opnieuw ineen zag krimpen, vermeed hij het verder naar Howard te kijken,

'We kunnen niet blijven.' Porter draaide er niet omheen. Hij stak een sigaret op. In het blauwe licht van de gasaansteker oogde zijn huid geel. 'Zodra we hier klaar zijn, reizen we door naar Texas.'

'Oké,' zei Howard.

Eric dacht dat hij opluchting in zijn stem hoorde.

'Als jullie je nou even door Eric een demonstratie botsteken laten geven, ga ik halen waarvoor je gekomen bent.' Na die woorden draaide Howard zich om en liep terug naar de winkel.

Eric deed zijn best, en Manny toonde zich nog altijd geïnteresseerd, maar Porter trok alleen aan zijn sigaret en keek uit over het water, alsof hij snakte naar het moment waarop ze weer weg konden varen.

Al na een paar minuten kwam Howard terug met een leren tas, die hij aan Porter overhandigde.

Met beide handen schudde Porter de hand van Howard. Het was

de enige emotie, het enige blijk van dank waarop Eric hem kon betrappen.

Binnen een uur waren de twee weer vertrokken.

Eric vroeg niet om uitleg. Samen met Howard liep hij terug naar de winkel, zonder iets te zeggen. Daar borg hij de stokken op. Ze hadden niets gevangen.

Howard legde de zaklantaarns op hun plaats terug.

Het was donker in de winkel. Alleen de kleine tl-buis achter de toonbank was aan.

En door het licht van die lamp kwam het dat Eric drie van Howards modelschepen zag liggen, met alle drie een kapotte romp. In eerste instantie dacht hij dat ze waren gevallen en dat Howard ze voor reparatie had klaargelegd. Maar toen pakte Howard een van de scheepjes op om een stapel opgerolde bankbiljetten, bijeengehouden door een elastiekje, in de holle romp te duwen.

Eric wendde zijn blik niet af; blijkbaar wilde Howard dat hij dit zag.

Zonder hem aan te kijken zei Howard: 'Porter heeft mijn leven gered. Hij heeft me uit een brandende helikopter gehaald, net buiten Da Nang.'

'En wat doet hij tegenwoordig voor de kost?' Eric verwachtte niet dat Howard het hem zou vertellen – al helemaal niet omdat het antwoord ongetwijfeld cocaïne- of heroïnesmokkel zou zijn.

'Wat hij voor de kost?' Howard lachte vreugdeloos. 'Hij heeft verdomme kanker. Een heel agressieve vorm. De korte tijd die hij nog heeft, wil hij op het water doorbrengen. En af en toe gaat hij bij wat oude vrienden langs. Ik ben blij dat ik iets voor hem kan betekenen.' Om zich heen gebarend voegde hij eraan toe: 'Want wat heb je hieraan als je je vrienden niet kunt helpen?'

Eerst veronderstelde Eric dat Howard op de winkel en het bedrijf doelde. Toen drong tot hem door dat Howard het over iets heel anders had.

Hij liet zijn blik over de meer dan honderd modelschepen gaan – de verzameling waarvan Howard onlangs nog had gezegd dat die voor Eric was, mocht hem iets overkomen. Op zijn eigen manier vertelde – en toonde – Howard hem dat de geruchten over hem op waarheid berustten. Het drugsgeld dat de FBI nooit had kunnen vinden, zat verborgen in Howards modelschepen. En hij gebruikte het uitsluitend om zijn vrienden te mee helpen.

Hoofdstuk 95

Donderdag 15 juni,
ergens boven het oosten van de Verenigde Staten,
onderweg naar Florida

Jason had de hele nacht niet geslapen. Hij had gedoucht en zich geschoren, maar zijn bed had hij niet gezien. Hij had niet ontbeten, geen kranten gelezen. Toen hij daarstraks in de spiegel had gekeken, was hij geschrokken van zijn opgezwollen ogen. Met zijn slordige haar, zijn overhemd uit zijn verschoten spijkerbroek en zijn versleten sportschoenen zag hij er ongewoon onverzorgd uit.

Die grungelook diende echter onbedoeld ook als vermomming. Na zijn gesprekje met rechercheur Christopher, de vorige avond, had hij zich er op het vliegveld op betrapt dat hij geregeld over zijn schouder keek. Zodra iemand dicht bij hem in de buurt was gekomen, had hij zijn hoofd gebogen om maar niet te worden herkend.

Voordat hij aan boord van het vliegtuig was gegaan, had hij zijn mobiele telefoon uitgezet. Normaal gesproken was hij altijd nog met een laatste telefoontje bezig terwijl het vliegtuig naar de startbaan taxiede en de stewardess meedeelde dat alle elektronische apparatuur uitgeschakeld diende te worden. Deze dag was hij echter niet in de stemming om nog wat laatste problemen op te lossen of antwoord te geven op 'dringende' vragen.

Gelukkig was het nog te vroeg voor problemen op kantoor. En voor het naderende diner was alles in kannen en kruiken. Eenmaal in Florida, hoefde hij alleen nog maar wat kleinigheden te controleren. Tot die tijd zat hij in de lucht en was hij niet bereikbaar, en daarvan waren zijn secretaresse en de senator op de hoogte.

Het was een heerlijk idee om bijna drie uur lang door niemand gestoord te kunnen worden. Hij nam een bloody mary en at de bijbehorende selderijstengel op bij wijze van ontbijt. Zijn laptop liet hij bewust dicht. In plaats daarvan luisterde hij op zijn iPod naar het laatste Jack Reacher-verhaal. Tegen de tijd dat hij in Tallahassee landde, zou hij meer ontspannen zijn dan hij in weken was geweest.

Hij had geregeld dat hij vroeg in het hotel terechtkon. Misschien zou hij een brunch op zijn kamer laten komen. Hij had de hele middag om zijn e-mail door te nemen en de bijzonderheden van het diner na te lopen. Senator Allen zou pas tegen het eind van de middag met zijn privévliegtuig op Tyndall Air Force Base aankomen. Jason had een limousine geregeld om hem op te halen.

Voor zichzelf had hij een rode BMW cabriolet gehuurd – een prima manier om te ontstressen. Hij had zich voorgenomen een ritje te maken over Highway 98, vanwaar je een schitterend uitzicht op de Golf moest hebben.

Hij knikte toen de stewardess hem vroeg of hij nog een bloody mary wilde. Op zijn horloge zag hij dat het nog geen zeven uur was, maar hij vond dat hij recht had op een beetje ontspanning. Dat had hij zo onderhand wel verdiend.

Later deze ochtend zou het Appropriations Committee een militair contract ter waarde van honderdveertig miljoen dollar aan EcoEnergy gunnen. Senator Allen zou de lieveling van de energietop zijn. Jason vond het niet eens erg dat de senator de schijnwerpers zou moeten delen met William Sidel.

Hij nam zich voor zich niet langer druk te maken over de mogelijke connectie tussen Sidel en Zach. Na deze top deed het er toch niet meer toe. Dan had zowel Sidel als senator Allen precies wat hij wilde.

Ook besloot hij dat hij zich geen zorgen meer zou maken over wat Lindy al dan niet aan senator Malone of rechercheur Christopher had verteld. Tegen de tijd dat hij terugkwam in Washington, zou de hele zaak-Kensor waarschijnlijk oud nieuws zijn. Hij moest gewoon ontspannen en genieten van de vruchten van zijn harde werken.

Hoofdstuk 96

Bij de Apalachicola River

Sabrina had een gruwelijke hekel aan varen. Jammer genoeg was dit waarschijnlijk niet het juiste moment om daarover te beginnen.

Ze was ooit doodziek geworden tijdens een boottocht vanuit Boston, om walvissen te spotten. Ze had het wetenschappelijke congres dat ze in Boston bezocht bij uitzondering even gelaten voor wat het was, en had in plaats daarvan deelgenomen aan een walvisexcursie. Het was eens maar nooit meer geweest. Na uren kokhalzen, overgeven en over de reling hangen tot haar maag leeg was – alle wc's waren bezet geweest door andere zeezieke passagiers – was ze zo volslagen uitgeput geweest, dat haar benen haar nauwelijks nog hadden kunnen dragen.

Van de walvissen had ze amper iets gezien, maar ze had wel een knappe man ontmoet. Hij was met verkoelende doekjes komen aanzetten om haar voorhoofd te betten, en met cola om de vieze smaak weg te spoelen. Aan het eind van de boottocht hadden ze telefoonnummers en e-mailadressen uitgewisseld. Maar een relatie op afstand onderhouden terwijl ze alleen de herinnering aan haar urenlange kokhalzen deelden – iets waaraan ze bovendien liever niet terugdacht – was helaas te moeilijk gebleken.

Dat een relatie op afstand niet werkte, had ze moeten onthouden. Als ze ooit weer thuis wist te komen, zou ze Daniel zijn ring teruggeven. Ja, het bleek heel gemakkelijk om goede voornemens te maken als je werd geconfronteerd met huurmoordenaars en bewegingsziekte.

Ofschoon deze boot veel kleiner was dan het walvisschip, werd ze alleen al bij de aanblik draaierig.

Howard putte zich ondertussen uit in loftuitingen over de vele gemakken waarvan de boot voorzien was. Hoewel alles op kabouterformaat was, klonk hij alsof hij het over de Queen Mary II had. 'Twee stoelen achterdeks, twee voorin.' Als een gastheer van een spelshow, die laat zien wat de deelnemers zoal hebben gewonnen, gebaarde hij naar de twee zitplaatsen achter in de boot en naar de stoelen in de minuscule stuurhut.

Het enige wat zij kon denken, was hoeveel ruimte een man als Howard alleen al innam. Hij zou in een van de stoelen aan het roer moeten zitten; het was ondenkbaar dat hij kon blijven staan. Telkens wanneer hij in de stuurhut verdween om spullen weg te bergen, moest ze denken aan die goocheltruc waarbij een ronde pin in een vierkant gat verdwijnt dat twee maten te klein is.

Ze hield zich voor dat de rivier niet te vergelijken was met de Atlantische Oceaan. Dit vaartochtje zou dus geen probleem hoeven zijn.

Maar zodra ze aan boord van de kleine vissersboot ging en de lichte deining voelde, kreeg ze last van misselijkheid. Ze weigerde echter daaraan toe te geven, laat staan iets te laten merken. Eric had haar immers luid en duidelijk te verstaan gegeven dat ze een risico vormde waar ging om sluipen en stiekem doen – vaardigheden die voor hem en zijn vreemdsoortige vriendengroep een tweede natuur schenen te zijn.

Goed, in tegenstelling tot zijn vrienden had zij nooit de fiscus hoeven misleiden of de FBI of welke andere overheidsinstantie dan ook. Althans, tot op dit moment. Kennelijk was ze een laatbloeier. Dat wilde echter nog niet zeggen dat ze niet ook snelle leerling kon zijn.

'Russ en jij kunnen het beste aan bakboord gaan zitten,' zei Howard. 'Dan is het gewicht goed verdeeld.'

Russ nam plaats op de andere stoel in de stuurhut en begon zijn laptop aan te sluiten op diverse elektronische apparaten waarvan Sabrina geen flauw benul had waarvoor ze dienden.

Ze begreep waarom hij in de stuurhut was gezet, veilig onder een dak en omringd door glas. Zelf zou ze droog moeten zien te blijven op een van de stoelen achterin, waar alleen een reling van slechts enkele decimeters hoog kon voorkomen dat ze overboord sloeg.

Het wiegen van de stil liggende boot had haar al misselijk gemaakt, maar dat bleek nog niets vergeleken met het effect van het schudden en schokken toen de motor werd gestart.

Het enige lichtpuntje was dat ze tegen de tijd dat ze hun bestemming bereikten zo graag van boord zou willen, dat ze koelbloedig de confrontatie zou aangaan met bewakers, geweren en zelfs met tanks vol kippeningewanden.

Hoofdstuk 97

Even buiten Tallahassee, Florida

Eric zette nog een krat Pepsi op de steekwagen. Hoewel het pas de eerste lading was, plakte het eerst zo frisse overhemd van zijn uniform nu al aan zijn lijf. Zijn pet kon het zweet dat over zijn gezicht liep niet langer tegenhouden. De werkhandschoenen had hij bijna meteen uitgetrokken, want die gaven hem het gevoel alsof zijn vingers in brand stonden.

Volgens zijn collega – een jonge vent die zich 'Bubba' noemde – was hij hun baas inmiddels vijf flessen water schuldig. Hij had er niet aan gedacht om zelf water mee te nemen, iets wat zijn collega wel had gedaan. Die had een hele jerrycan vol bij zich.

Eric had nog nooit iemand ontmoet die vroeg – nee, erop stond – om 'Bubba' te worden genoemd, zelfs nadat Eric naar zijn echte naam had geïnformeerd. Tenslotte betekende het niet alleen 'broeder' maar ook zoiets als proleet

'Mijn pa is me Bubba gaan noemen toen ik twee was, dus ik zou niet weten waarom ik dat nu zou moeten veranderen,' aldus Bubba.

Aanvankelijk had Bubba niet veel gezegd. Zodra ze in de bestelwagen waren gestapt, had hij een cassettebandje van de Rolling Stones opgezet en het volume omhoog gedraaid. Sommige woorden, zoals *'can't get no'*, had hij meegezongen, maar *'satisfaction'* had hij aan Mick Jagger overgelaten.

Eric had al snel in de gaten dat zijn jongere collega geen enkel wantrouwen koesterde naar aanleiding van de plotselinge personeelswisseling. Bubba wekte de indruk het leuk te vinden nieuwe krachten het klappen van de zweep te leren, al was het maar omdat hij een ander daardoor het meeste werk kon laten doen, terwijl hij uitleg gaf. Toch was hij geen lijntrekker, wat hij zo nu en dan bewees door twee kratten tegelijk uit de wagen te tillen.

Tot Erics verbazing slaagde Bubba er ondanks zijn flink uitpuilende taille in bij het sjouwen zijn broek niet te verliezen. Sterker nog, zijn overhemd bleef keurig in zijn broek zitten.

Na de eerste levering vroeg Bubba: 'Werkte jij hiervoor soms bij die bronwaterfabriek die moest stoppen?'

'Nee, maar dat was me wel een toestand, hè?'

'Het schijnt dat de een of andere idioot van het bedrijf zelf rotzooi in sommige flessen deed.'

'Echt?' Eric stond altijd weer versteld van de verhalen waarmee de mensen kwamen. Alsof de waarheid nog niet erg genoeg was.

'Jammer dat zoiets nou nooit eens bij Coca-Cola gebeurt, hè?' Bubba bulderde van het lachen.

'Ach, die hebben hun eigen problemen. Neem nou Coca-Cola Blak. Wie verzint zoiets? Mensen die frisdank drinken, doen dat juist omdat ze geen koffie lusten.'

Toen Bubba niet reageerde, keek Eric opzij, bang dat hij de een of andere bedrijfsethische regel met de voeten had getreden, dat kritiek op uitvindingen van de concurrent niet was toegestaan.

Maar Bubba knikte, en toen hij uiteindelijk reageerde, klonk er oprechte waardering in zijn stem door. 'Je hebt volkomen gelijk, maat.'

Toen hij de Rolling Stones weer wilde aanzetten, aarzelde hij. 'Hou je eigenlijk wel van de Stones? Ik heb ook de Doobie Brothers en de Boss.'

'Ik vind de Stones prima,' antwoordde Eric.

En voor het eerst durfde hij te geloven dat hun plan zou kunnen slagen – vooropgesteld dat ze niet werden neergeschoten of gearresteerd.

Hoofdstuk 98

Op de Apalachicola River

Alhoewel Sabrina nauwelijks iets kon zien door het dichte struikgewas, deed het bedrijfsterrein van EcoEnergy haar vanaf de rivier denken aan een verlaten stad, aan een plaats uit de Twilight Zone waar alleen machines bestonden.

De zon kwam net op tussen de bomen. In de verte hoorde ze de eerste tankauto's arriveren: het gesis van de luchtdrukremmen, het geknars van de versnellingsbak, het gerommel van de transportbanden.

Ze wist dat ze op het terrein zelf niemand zou tegenkomen. De enkelingen die op dit uur al aan het werk waren, waagden zich niet in de drukkende hitte en bleven waar ze werden geacht te zijn.

Toen ze een jaar eerder bij EcoEnergy was komen werken, was haar al snel duidelijk geworden dat behalve degenen die in ploegendienst in de centrale werkten, iedereen vlak voor negenen binnenkwam. Sommigen maakten aan het eind van de dag overuren, maar niemand kwam vroeger dan nodig was. Dat betekende dat ze maximaal een uur hadden om binnen te komen en weer te vertrekken.

Handig manoeuvreerde Howard de boot langs boomstammen en rommel in de rivier en onder overhangende takken door.

Ze keek naar zijn enorme handen op het roer en op de gashendel, naar de soepele, haast tedere manier waarop hij de boot beurtelings naar rechts en naar links stuurde, met zo min mogelijk deining – iets waar ze hem innig dankbaar voor was. Haar maag mocht dan enigszins tot rust gekomen zijn, nu waren het haar zenuwen die haar parten speelden.

Eerder die ochtend, onderweg van Pensacola Beach naar Tallahassee, hadden de mannen ontbeten met burrito's en gebakken aardappeltjes, maar zij had nog geen kop koffie naar binnen kunnen krijgen. Inmiddels voelde ze het zuur meedogenloos branden in haar lege maag.

Ofschoon hij nooit eerder op deze rivier had gevaren, scheen Howard precies te weten hoe dicht ze bij de oever konden komen. Op een gegeven moment schuurden de propellers echter toch over de bodem, en ze zag Howard ineenkrimpen toen het nog een keer gebeurde. Russ hield zelfs even op met zijn computeractiviteiten.

Howard zette een knop om, waarop de motor stationair ging draaien. Vervolgens kwam hij naar de achterkant van de boot.

Ze keek niet naar wat hij deed. Alles ging goed zolang ze maar niet naar het water keek.

Na enkele minuten legde hij zijn hand op haar schouder en zei: 'Ik breng je zo dicht mogelijk bij de oever.'

Ze schonk hem een zwak glimlachje.

Zo dicht mogelijk bleek uiteindelijk toch nog zo'n zeventig centimeter, misschien wel een meter, van de kant te zijn.

Howard hielp haar in Russ' rubberen waadpak, dat bij haar tot aan haar middel reikte.

Ondertussen bevestigde Russ iets op haar rechteroor wat eruitzag als een piepklein gehoorapparaatje, waarbij hij heel voorzichtig, bijna angstig, haar haar opzij duwde.

Ze voelde het korte staafje van de microfoon over haar wang strijken.

Nadat hij de schouderbanden van het waadpak had versteld, richtte Russ zijn aandacht weer op de laptop en de elektronische apparatuur die hij in de stuurhut had opgesteld. Verscheidene lampjes lichtten op. Hij pakte nog een piepklein gehoorapparaatje en deed dat op zijn eigen oor. Na wat met de lengte van het staafje van de microfoon te hebben gerommeld, keerde hij Howard en haar de rug toe en zei op gedempte toon: 'Test, test, één, twee, drie.'

Ze kon hem duidelijk verstaan, en dat vertelde ze hem.

'Probeer jij het eens,' zei hij, waarop ze de woorden herhaalde. Hij stak zijn duimen naar haar op. 'Probeer te voorkomen dat het nat wordt, oké?'

Ze knikte, maar voelde wel meteen lichte paniek. Waarom hield hij zelfs maar rekening met de mógelijkheid dat het nat zou worden? Ze hadden haar gezegd dat ze naar de oever zou kunnen lopen en dat ze niet hoefde te zwemmen. Uiteraard kon ze best zwemmen, maar ze woonde inmiddels lang genoeg in Florida om te weten dat je alleen in een rivier ging zwemmen als je kon zien dat er geen watermocassinslangen in zaten.

'Hou het waadpak aan,' zei Howard, alsof hij haar angst aanvoelde. 'In elk geval tot je uit het hoge gras bent. Het rubber is van een zware kwaliteit. Slangen kunnen er niet doorheen bijten.'

'Nou, dat is een hele geruststelling,' zei ze. 'En ik maar denken dat gewapende bewakers mijn grootste zorg waren.' Ze bedoelde het als een grapje, maar Howard noch Russ kon erom lachen.

Russ wees naar de plattegrond van het bedrijfsterrein van Eco-Energy. 'Mocht je in de problemen komen – wat voor problemen ook – dan moet je ons exact vertellen waar je bent. Dan komen we naar je toe.'

Omdat ze zag dat hij het meende, bracht ze hem maar niet in herinnering dat ze zonder sleutelkaart nergens naar binnen zouden kunnen.

De zon stond inmiddels zo hoog, dat hij door de bomen scheen schaduwen creëerde.

Ze hielpen haar het donkere water in. Het klotsende water reikte bijna tot aan de rand van haar waadpak. Ze moest haar armen omhooghouden en kleine stapjes nemen, maar kon niet voorkomen dat ze elke keer een beetje dieper wegzakte.

'Voorzichtig,' hoorde ze Russ in haar oor fluisteren.

'Naar rechts,' zei Howard. Zijn kalme stem stelde haar een beetje gerust. 'Rechts aanhouden, Sabrina.'

Het was verschrikkelijk heet met dat pak aan. Ze wiste het zweet van haar voorhoofd en streek een lok haar achter haar oor – voorzichtig, om het gehoorapparaatje niet nat te maken. Haar pony plakte aan haar gezicht.

'Nog iets meer naar rechts,' drong Howard aan.

Bij de oever aangekomen, kon ze zich aan enkele dode boomstronken en dikke wortels omhoogtrekken. Het waadpak was echter loodzwaar; de schoenen zogen zich vast in het slib en dreigden haar naar beneden te trekken.

Toen ze eindelijk op de kant stond en een zucht van verlichting slaakte, hoorde ze iets in het water vallen, pal links van waar zij even daarvoor had gewaad. Hoewel het nog niet helemaal licht was, kon ze de slang duidelijk door het water zien kronkelen. Hij kruiste de route die zij even eerder had genomen, onder een laag overhangende boomtak. Haar maag draaide zich om, en de koude rillingen liepen over haar rug, ondanks het feit dat de lieslaarzen zo heet en klam als een sauna waren.

'Goed gedaan,' zei Howard met dezelfde kalmte als waarmee hij haar had weggeloodst van een slang die misschien maar een halve meter boven haar had gehangen.

Ineens wenste ze dat ze weer op de boot zat.

Hoofdstuk 99

EcoEnergy

Eric hoopte dat Sabrina nog niet op hem stond te wachten.

Tijdens de rit van Pensacola naar Tallahassee had hij ruim een uur met een zaklantaarn de plattegrond van het bedrijfsterrein van EcoEnergy zitten bestuderen, in een poging die in zijn geheugen te prenten. Hij was doodmoe en had na het botsteken met Howards maten slechts een paar uur kunnen slapen, dus hij vroeg zich af hoeveel er van de plattegrond was blijven hangen.

Terwijl Bubba naar het wachthuisje reed, liet Eric zijn blik over het uitgestrekte complex gaan waar zijn zus had gewerkt. Overal stonden of reden vrachtwagens. EcoEnergy was een stuk groter dan hij zich het bedrijf had voorgesteld.

Nadat de beveiligingsbeamte Bubba's legitimatiebewijs had gecontroleerd, vroeg hij om dat van Eric.

Russ had uitstekend werk verricht met een valse werknemerspas, die hij had gemaakte met behulp van informatie die de vriend van de Mayor per e-mail had gestuurd – dezelfde vriend die Eric op het laatste moment dit baantje had weten te bezorgen. Eric had geen idee hoeveel invloed de Mayor en zijn vrienden hadden. Hij hoopte alleen vurig dat hij er geen spijt van zou krijgen dat hij de oude baas had vertrouwd.

Het legitimatiebewijs had Bubba's inspectie doorstaan, maar die had er slechts vluchtig een onverschillige blik op geworpen. De beveiligingsbeambte daarentegen betastte het uitvoerig en draaide het om. Hoorde er soms iets op de achterkant te staan wat Russ was ontgaan?

Eric besloot zich in geval van nood van den domme te houden. Hij zou gewoon zeggen dat hij niet wist dat het een vervalsing was.

Shit! De bewaker deed zijn raampje dicht en pakte de telefoon. Misschien was de waakzaamheid wel verhoogd vanwege de moord.

Eric had geen enkele mogelijkheid om Sabrina te waarschuwen. Maar Russ had hem proberen over te halen een zendermicrofoontje te dragen, en uiteindelijk had Eric ingestemd met een gps-apparaatje. Dus Russ zou het Sabrina kunnen laten weten als hij van het bedrijfsterrein werd afgevoerd naar een gevangenis ergens in Tallahassee.

'Dat gezeik heb je hier om de haverklap,' zei Bubba. 'Je zou onderhand denken dat ze hier de heilige graal bewaren of zo.' Hij haalde een pakje kauwgom uit zijn zak en gooide er een paar in zijn mond, waarna hij Eric het pakje voorhield.

Blijkbaar had hij een goede beurt gemaakt met zijn opmerking over Coke Blak. Eric bedankte hem en nam ook een paar kauwgommetjes. Onwillekeurig vroeg hij zich af aan welke kant Bubba zou staan als de bewaker onthulde dat de pas vervalst was.

De bewaker deed het raampje weer open en overhandigde Bubba Erics legitimatiebewijs. Daarna gebaarde hij dat ze konden doorrijden, zonder een woord te zeggen, met de telefoon tussen zijn oor en zijn schouder geklemd.

Ik lijk wel paranoïde, dacht Eric. Ik laat me veel te veel opnaaien.

Ze reden om een gebouw van golfplaat heen – de centrale zelf, wist Eric. Vanaf het parkeerterrein kon hij tussen de bomen en de struiken een stukje van de rivier zien. De boot zag hij niet, en Sabrina evenmin. En dat was maar goed ook. 'Wat maken ze hier eigenlijk?' vroeg hij op een toon alsof geen flauw idee had en het hem ook niet echt interesseerde.

'Het schijnt dat ze kippeningewanden samenpersen of zoiets, en dan krijgen ze olie.' Ook Bubba klonk niet echt geïnteresseerd.

'Echt? Krijg nou de tering.'

'Nee, de vogelpest.' Opnieuw bulderde Bubba van het lachen.

Eric lachte met hem mee. Het komende uur zou Bubba zijn beste vriend zijn.

Bubba parkeerde op een plek voor laden en lossen tussen de centrale en een van de administratieve gebouwen.

Eric probeerde zich de plattegrond voor de geest te halen. 'Het is hier wel verrekte groot,' merkte hij op. 'Staan in alle gebouwen automaten?'

'Minstens één per gebouw, op de begane grond. Dus we hoeven geen trappen op of met de lift. Dat scheelt weer in tijd.' Bubba gaf hem een klembord en stapte uit.

Ook Eric stapte uit, en hij deed alsof hij het orderformulier op het klembord bestudeerde. Hij zag meteen dat ze hier wel even bezig zouden zijn. Nu moest hij alleen nog Bubba zover zien te krijgen dat ze het gebouw van EcoLab als eerste zouden doen. Daarna zou hij Bubba lang genoeg moeten zien kwijt te raken om op zoek te gaan naar Sabrina en haar binnen te laten.

Terwijl ze hun steekwagens uitlaadden, keek hij om zich heen. Er was verder niemand te zien, behalve de chauffeurs van de tankwagens. De kans was dus klein dat er toevallig net iemand de juiste deur binnen zou gaan, waardoor hij met zijn karretje mee naar binnen kon glippen. Hij had geen andere keus dan bij Bubba blijven.

In gedachten liep hij alle mogelijkheden langs. Hij moest Sabrina zo snel mogelijk zien binnen te krijgen, want anders bestond het risico dat ze werd betrapt.

Terwijl hij nog stond te piekeren, tikte Bubba hem op de schouder. 'Deze heb je nodig om binnen te komen.'

Eric staarde naar de sleutelkaart die Bubba hem gaf. De rest van wat zijn collega zei, hoorde hij nauwelijks.

'Ik neem de centrale, het fitnesscentrum en de cafetaria. Jij doet de rest. Red je dat, denk je?'

'Ik doe mijn best.' Hij moest een glimlach onderdrukken en zich beheersen om geen zucht van verlichting te slaken.

Hoofdstuk 100

Zodra ze op veilig terrein was, waar geen slangen zaten, liet Sabrina zich op de grond vallen en werkte zich uit het waadpak. Het kostte haar enige moeite om het rubber over haar joggingschoenen te krijgen. Ondertussen hield ze de boomtakken boven haar hoofd in de gaten. Haar T-shirt was doorweekt van het zweet en plakte aan haar huid, waardoor het voelde alsof ze had gezwommen.

'Eric is net het hek door.'

De onverwachte stem in haar oor deed haar bijna opspringen van schrik.

'Hij is vroeg,' fluisterde ze. Angstvallig keek ze om zich heen, om zich ervan te overtuigen dat zich niemand binnen gehoorsafstand bevond. Ze wist niet zeker of Russ haar wel goed kon horen boven het geronk van de vrachtwagens uit, ofschoon de bomen het motorlawaai en de herrie van transportbanden en andere machines wel enigszins dempten. 'Kun je me verstaan?' vroeg ze net iets harder.

'Uitstekend. Hoe is het?'

'Heet en bezweet.'

'Zo heb ik een vrouw het liefst.'

Die opmerking verraste haar, en ze glimlachte. Russ en Howard deden duidelijk hun best om ervoor te zorgen dat ze kalm bleef en niet in paniek raakte.

'Compleet met een sexy rubberen waadpak, zeker?' pareerde ze.

'Zeker weten!'

Ze rolde het waadpak op, in de hoop dat er op die manier niets in kon kruipen terwijl ze weg was. Toen ze daarmee klaar was, duwde ze het in de holte van een boom. Al die tijd bleef ze om zich heen kijken. Ze moest uit het zicht blijven tot Eric erin was geslaagd het gebouw met EcoLab binnen te komen.

Vanwaar ze stond, kon ze tussen de bomen maar een klein stukje van de boot zien. Aan de andere kant van de begroeiing lag het parkeerterrein. Hier vlakbij had ze de verstopte leiding gevonden. Dat leek wel eeuwen geleden, in plaats van een paar dagen.

Hoe had het ooit zo ver kunnen komen? Inmiddels waren er twee mensen dood en waren er tientallen, misschien wel duizenden, mensen ziek, alleen omdat iemand nog een paar miljoen dollar extra wilde verdienen. Het was amper te bevatten.

Het concept, de gedachte achter EcoEnergy had haar ertoe bewogen de overstap te maken van de universitaire wereld naar het bedrijfsleven. Nadat ze had besloten dat ze dichter bij haar vader wilde zijn, had ze eerst een baan bij de Florida State University overwogen, aan dezelfde faculteit waar haar vader had gewerkt, maar Lansik had haar gelokt met beloften van wetenschappelijke doorbraken – doorbraken die niet alleen van grote invloed zouden zijn op het milieu, zo had hij beweerd, maar ook op de politiek.

En Sidel had het allemaal naar zich toe getrokken – de beloften, de doorbraken – en gebruikt om zijn eigen inhaligheid te bevredigen.

'Hij is bijna op de afgesproken plek.' Opnieuw deed Russ' stem haar opschrikken.

'Dat heeft hij snel gedaan. Weet je of hij alleen is?'

'Nee, want hij wilde geen zendermicrofoontje. Maar maak je geen zorgen, hij doet de deur alleen open als de kust veilig is.'

Of als hij onder schot wordt gehouden door een beveiligingsman. Ze moest telkens weer denken aan die bewaker die zich tijdens de stroomuitval had gedragen als een gestoorde Robocop.

'Ik ga ernaartoe,' zei ze, en ze verliet langzaam, schoorvoetend de betrekkelijke veiligheid van haar schuilplaats.

Hoofdstuk 101

Even buiten het Reid Estate,
aan de Golf van Mexico

Abda observeerde de beveiliging rond het landgoed. Het wemelde er van de mannen met helmen, kogelvrije vesten en machinegeweren. Aan deze kant van het buitenverblijf waar de energietop over enkele uren zou beginnen, ging het echter meer om de afschrikwekkende aanwezigheid van soldaten dan om militaire tactiek.

Hij had vijf limousines geteld, waarvan twee waren begeleid door zes zwarte SUV's. Stuk voor stuk waren ze door nog meer veiligheidsfunctionarissen opgewacht bij het toegangshek. Die mannen praatten in hun manchetten en droegen zonnebrillen en zwarte pakken, ondanks de moordende hitte.

Vanzelfsprekend had Abda dit machtsvertoon verwacht. Hij wist dat de naamspeldjes die Khaled, Qasim en hij hadden weten te bemachtigen – de speldjes met de magische barcode aan de onderkant – hun toegang tot het landgoed zouden verschaffen. Ook wist hij dat ze nog langs diverse metaaldetectors zouden moeten, en misschien zouden ze zelfs worden gefouilleerd. Het maakte niet uit. Geen van drieën waren ze gewapend. En ze hadden geen explosieven bij zich, zelfs niet in vloeibare vorm.

Hij keek op zijn horloge. Nog even, en hij zou zich moeten melden bij het cateringbedrijf. Hij was van plan te arriveren vijf minuten voordat zijn dienst begon. Vijf minuten te vroeg leek hem genoeg om zijn nieuwe werkgever tevreden te stellen, maar was ook weer niet zo overdreven dat hij een gretige indruk maakte.

Khaled had zich al enkele uren eerder gemeld. Hij hoorde bij de groep die de tafels en stoelen voor het ontvangstdiner moest klaarzetten en de tafels moest dekken met kleden, borden, bestek, glazen en bloemstukken.

Zonder protest had Khaled zich bij hun taakverdeling neergelegd, al wist hij als maker van het dodelijke poeder het meeste van de eigenschappen en de dosering. Het lag dus voor de hand dat hij het resultaat van zijn schepping persoonlijk wilde zien. Desondanks had hij zich erbij neergelegd dat Abda, als hun leider, die verantwoordelijkheid op zich zou nemen. Abda zou het fatale poeder toedienen.

Abda zou de president van de Verenigde Staten de dodelijke maaltijd voorzetten.

Hoofdstuk 102

Tallahassee Regional Airport

Het eerste wat Jason deed toen hij uit het vliegtuig kwam, was een koffie verkeerd halen. De twee bloody mary's waren hem naar het hoofd gestegen. En dat was ook geen wonder, zo vroeg op de ochtend, op een lege maag.

Maar het was wel heerlijk geweest, dat ontspannen achteroverleunen zonder ook maar ergens aan te hoeven denken.

Alleen was hij vergeten dat hij nog moest rijden.

Nou ja, hij had alle tijd. Hij zou rustig zijn koffie opdrinken en dan zijn bagage oppikken. En zodra zijn hoofd weer helder was, zou hij de huurauto gaan halen.

Bij de gedachte aan de chique cabriolet glimlachte hij. Zo'n auto had hij nog nooit gehad. Hij had er zelfs nog nooit in gereden.

Toen hij langs een van de gates liep, viel zijn blik op het televisiescherm erboven. Wat hij daarop zag, deed hem abrupt stilstaan.

Niemand merkte het. De mensen liepen gewoon om hem heen. Passagiers stonden in de rij, klaar om aan boord te gaan. Slechts weinigen keken naar het televisiescherm, laat staan naar hem.

Terwijl de anderen opstonden om in de rij te gaan staan, liet hij zich in een stoel pal onder het scherm vallen, al zijn aandacht gericht op de CNN-nieuwsticker.

Eerst dacht hij nog dat het om de stemming in het Appropriations Committee ging. Maar toen zag hij de handboeien.

Op het scherm werd een geboeide senator Allen de trappen van het Capitool af geleid.

Door de herrie om zich heen kon Jason het commentaar niet volgen, dus moest hij het doen met de bewegende regel onder in beeld:

> Volgens senator Allen is de aanklacht volstrekt ongegrond. Gregory McDonald kwam vanmorgen met het nieuws. Volgens ABC News beschikt McDonald over onweerlegbare bewijzen waaruit de betrokkenheid zou blijken van de senator bij de moord op Zach Kensor. Kensor, een staflid van senator Max Holden, werd zondagochtend vermoord aangetroffen in het Washington Grand Hotel.

Hoofdstuk 103

EcoEnergy

Pas na drie vergeefse pogingen herinnerde Eric zich in welk gebouw EcoLab was ondergebracht. Vlug bevoorraadde hij een paar automaten om van zijn lading af te komen. De lege steekkar liet hij in een hoek staan. Als Bubba of iemand anders hem betrapte, zou hij zeggen dat hij op zoek was naar een wc en was verdwaald.

Dat bleek niet eens zo vergezocht. In het doolhof van gangen raakte hij al snel zijn richtinggevoel kwijt. Zo zou hij nooit een toilet vinden, om nog maar te zwijgen van het laboratorium.

Hij haalde het kleine gps-apparaatje uit het foedraal aan zijn riem. Het foedraal oogde alsof het voor een mobiele telefoon bedoeld was, en het opsporingsapparaatje paste er precies in. Even bleef hij staan om het schermpje te bekijken en zijn positie te bepalen. Russ had alle belangrijke locaties erin gezet, en Eric was ervan overtuigd dat de deur die hij moest hebben, zich aan zijn rechterhand bevond.

Toen hij deze opendeed, was er echter geen spoor van Sabrina te bekennen. De hete klamme ochtendlucht sloeg hem in het gezicht en droeg een geur met zich mee die hij niet kon plaatsen.

Net toen hij de deur weer wilde sluiten, hoorde hij geritsel in de lagerstroemia die tegen het gebouw groeide. 'Bree?'

Op de een of andere manier leek ze in haar T-shirt en sportbroekje extra kwetsbaar.

Zonder ook maar iets te zeggen trok ze de deur zachtjes achter zich dicht. 'Ik ben binnen,' zei ze.

Hij besefte dat het geen verzuchting van opluchting was, maar dat ze het tegen Russ en Howard had.

'Hij heeft me een sleutelkaart gegeven.' Hij hield het ding als een trofee omhoog. Trouwens, het wás ook een soort trofee.

'Echt waar?'

Aan haar gezicht zag hij dat er een nieuw idee bij haar opkwam. Op het moment dat Bubba hem de kaart had gegeven, was hetzelfde idee bij hem opgekomen.

'Dat vertel ik je alleen om je duidelijk te maken dat het daardoor gemakkelijker was,' legde hij uit. Hij wenste dat hij zijn mond had gehouden.

'Hij heeft een sleutelkaart,' zei ze in het minuscule microfoontje. Daarna wendde ze zich weer tot hem. 'Ga er alsjeblieft geen Steve Austin mee uithangen.'

Hij schonk haar zijn meest gekwetste blik en trok zijn pet dieper over zijn bezwete voorhoofd. 'Ik moet ervandoor. Ik heb nog heel wat automaten te vullen.'

Een paar tellen keken ze elkaar aan.

Hoewel hij haar zo-even nog kwetsbaar had gevonden, las hij nu slechts vastberadenheid in haar ogen. Ze bevond zich op bekend terrein en had zichzelf een opdracht gesteld. Hij hoopte maar dat dat genoeg zou zijn om haar op de been te houden. Dit soort geheime acties was meer zíjn stijl.

'Red je het?' vroeg hij toch maar.

'Ja.' Ze knikte, maar keek hem niet aan. Blijkbaar was ze er zelf nog niet van overtuigd.

'Pas goed op jezelf, oké?'

'Dat zal ik doen. Jij ook. En denk erom, geen rare dingen doen met die sleutelkaart.'

'Ik? Rare dingen?' Hij glimlachte, draaide zich om en liep de gang uit. Toen hij over zijn schouder blikte, ging Sabrina al door de deur naar het trappenhuis.

Hij keek op zijn horloge en haalde het gps-apparaatje weer tevoorschijn. Hij moest terug naar zijn steekkar en een nieuwe lading

Pepsi halen.

En wanneer hij dat had gedaan, kon hij best even bij het kantoor van William Sidel langs.

Hoofdstuk 104

Sabrina wist dat Eric haar een grote dienst bewees door haar gewoon te laten doen waarvoor ze was gekomen. Toch viel het haar zwaar hem te zien weglopen. Maar hij moest nu eenmaal naar het volgende gebouw, om daar de frisdrankautomaten te vullen. Alles wat afweek van het normale, zou de aandacht trekken.

Ze liep de trap op en bleef op elke verdieping even staan om te luisteren. Op Pasha en O'Hearn na zou waarschijnlijk niemand haar herkennen met haar nieuwe kapsel en in een sportbroekje en T-shirt.

Ze controleerde haar armen, om te zien of de bruine kleur door de vochtigheid misschien was gaan strepen. Daarna drukte ze haar oor tegen de deur van het trappenhuis.

'Ben je er nog?'

De stem van Russ maakte haar alwéér aan het schrikken.

'Jezus!' fluisterde ze. 'Dat moet je niet meer doen, hoor.'

'Ik controleer alleen maar of alles goed met je is.'

'Dat zal best, maar ik schrik me telkens het leplazarus.'

'Sorry,' zei hij. 'Ik had nooit gedacht dat ik jou ooit "leplazarus" zou horen zeggen.'

'Nee, en ik had nooit gedacht dat ik hier ooit rond zou sluipen.'

'Oké, ik zal je niet meer laten schrikken. Maar hou ons wel op de hoogte, goed?'

'Goed.'

Aan de andere kant van de deur spitste ze opnieuw haar oren. Vervolgens liep ze de gang in.

Het was overal doodstil. Er zoemden geen computers of kopieerapparaten. Zelfs de tl-buizen brandden nog niet. Zonlicht stroomde naar binnen door de kleine melkglazen ramen in de deuren naar het laboratorium.

Ze probeerde de deur die het dichtst bij Lansiks kantoor was. Soms zat die op slot, maar nu gelukkig niet.

Ook daar heerste doodse stilte. Witte jassen hingen aan de antieke kapstok; schoon gespoelde reageerbuizen lagen te drogen op een papieren handdoek op het aanrecht, en op een plank met monsters stonden flessen met vloeistof in diverse tinten bruin.

Ze was verbijsterd dat het er allemaal zo gewoon uitzag, alsof ze nooit was weggegaan. Maar wat had ze anders verwacht? Het leven ging door. Ook zonder haar en Anna liep alles in het laboratorium op rolletjes.

Misschien had ze op zijn minst toch enige chaos verwacht. Tenslotte hadden Anna en zij voortdurend de rommel opgeruimd die de mannen maakten.

Haar vader had haar eens verteld dat hij niet geloofde in teams van wetenschappers. Het ego van de een was nu eenmaal groter dan dat van een ander. En briljante geesten waren niet noodzakelijk grootmoedig – al helemaal niet als het erom ging wie de eer mocht opeisen.

Toch vond Sabrina het absurd dat ook maar iemand kon denken dat zij Anna zou vermoorden vanwege een promotie.

In Lansiks kantoor leek op het eerste gezicht niets veranderd. Zelfs de oude blauwe bank stond er nog. Zijn ingelijste getuigschriften en diploma's waren echter weggehaald. Witte vierkanten op de muren verrieden waar ze hadden gehangen.

Maar daar ging het nu niet om. Ze liet zich op de stoel achter het bureau en zette zijn computer aan. Hij startte normaal op, wat betekende dat hij nog met de server verbonden was. Ze ging naar het configuratiescherm en vond onder 'Netwerk' het programmabestand dat Russ had gezegd nodig te hebben. Vervolgens opende ze haar eigen e-mail, eenvoudigweg door haar wachtwoord in te tikken. Kennelijk had niemand eraan gedacht haar account te verwijderen. Na Russ' e-mailadres te hebben ingetikt voegde ze het programmabestand bij als bijlage en drukte op 'verzenden'.

Hij had gezegd dat hij wilde dat ze een deur voor hem openzette en die open liet staan. Door hem deze e-mail te sturen had ze die deur geopend. Met behulp van het bijgevoegde programmabestand zou hij toegang krijgen tot alles wat op de server was opgeslagen. Het leek een beetje op hoe hackers virussen downloadden. Weliswaar begreep ze het niet helemaal, maar ze wist wel dat Russ de bestanden die te maken hadden met het verwerken van puin, op deze manier kon achterhalen – mits ze nog op de server stonden.

'Ik heb de e-mail net gestuurd,' zei ze in haar microfoontje. 'Laat me even weten of je hem hebt ontvangen.' En toen kon ze alleen maar wachten.

De seconden tikten voorbij. De stilte leek een eeuwigheid te duren.

Wat als het allemaal niet zo simpel was als Russ het haar had voorgespiegeld?

'Hebbes,' zei hij eindelijk.

Ze sloot het e-mailprogramma af, maar liet de computer aan. Nu moest ze het wachtwoord van Lansik zien te vinden, zodat Russ alle gecodeerde bestanden van de server kon halen. In zijn aantekenboekje had Lansik geschreven dat hij het wachtwoord 'in het volle zicht in zijn kantoor' had achtergelaten en dat 'een echte wetenschapper het zou moeten herkennen'. Volgens Russ moest het zeker uit minstens zes tot acht cijfers of letters bestaan.

Maar wat als het verwerkt was in de getuigschriften en diploma's die waren weggehaald? Dat was heel goed denkbaar. En die hadden allemaal met wetenschap te maken.

Op het kleine memobord achter het bureau hingen de gebruikelijke dingen die mensen op memoborden of aan de muur van hun kantoor hingen, alleen was de keuze van Lansik duidelijk wetenschappelijk getint. Er hingen wat cartoons uit de New Yorker, een krantenartikel over EcoEnergy met uitspraken van Lansik, en een strookje papier dat eruitzag alsof het afkomstig was uit een fortune-cookie. 'Ooit zult u rijk en beroemd zijn' stond erop, met daaronder een reeks geluksgetallen. Zo eenvoudig kon het toch niet zijn?

'Ben je er klaar voor om er een te proberen?' vroeg ze.

'Zeg het maar,' kwam onmiddellijk Russ' reactie.

'Oké, daar gaat ie. 43590.'

'Dat zijn maar vijf tekens.'

'Ja, dat weet ik. Ik denk ook niet dat dit het is, maar je zei dat het iets heel simpels zou kunnen zijn.'

Aan de andere kant van de lijn bleef het stil.

Terwijl ze wachtte, liet ze haar blik door het kantoor gaan. Er viel niet veel te zien. Lansik had de inrichting buitengewoon minimaal gehouden. Aan een van de muren hing het periodiek systeem – het type ouderwets geplastificeerde poster van twintig bij dertig, zoals die op middelbare scholen wordt gebruikt. Aan de muur daartegenover hing een kleine klok.

'Helaas,' zei Russ. 'Dat is'm niet, ook niet achterstevoren.'

Ze keek op haar horloge. Dit duurde te lang. In het volle zicht, herhaalde ze in gedachten. En een echte wetenschapper moest het kunnen herkennen. Ze keek weer naar het periodiek systeem. Zou het een of andere chemische combinatie zijn? Een grapje als olie en water?

Om de een of andere reden keek ze opnieuw naar het memobord. Daar had Lansik twee uitspraken van Albert Einstein opgehangen. De eerste luidde:

> Men moet zijn tijd verdelen tussen politiek en vergelijkingen. Maar onze vergelijkingen zijn voor mij veel belangrijker.

Het andere citaat had ze nooit eerder gezien of gehoord:

> Als A staat voor succes in het leven, dan is A gelijk aan x plus y plus z. Werk is x; y is spel, en z is weten wanneer je je mond moet houden.

Ze keek naar beide teksten, veel te lang naar haar gevoel. Ten slotte zei ze: 'Russ, probeer dit eens: AAxyzxyz.'

Deze keer duurde het wachten een stuk korter.

'Dat is'm! Ik ben binnen! Kom zo snel mogelijk terug naar de boot.'

Ze glimlachte en slaakte een opgeluchte zucht. Over enkele minuten zouden ze kopieën hebben van de bestanden die elk verwerkingsstadium van het orkaanpuin beschreven, compleet met data en tijdstippen. Die zouden ze kunnen koppelen aan de satellietfoto's die Russ had gedownload.

'Je hebt wel lef, zeg, om terug te komen.'

Het duurde even voor tot haar doordrong dat de stem niet die van Russ was, in haar oor. Deze stem klonk vlak achter haar. Toen ze zich omdraaide, zag ze O'Hearn in de deuropening staan.

'Het is allemaal één grote vergissing,' zei ze. Ongetwijfeld zou hij het begrijpen zodra ze hem had verteld dat haar vermoeden omtrent Reactor 5 juist was geweest.

'Inderdaad. Een enorme vergissing. Want jíj had dood moeten zijn.'

Toen pas zag ze de revolver in zijn hand.

Hoofdstuk 105

Tallahassee Regional Airport

Jason liep naar een andere televisie op het vliegveld. Om hem heen leek alles wazig. Geluiden liepen door elkaar heen, zijn reflexen waren traag. Misschien kwam dat nog door de bloody mary's. Hij botste zelfs een paar keer tegen mensen op, zonder het werkelijk te merken.

Al drie keer was hij naar een andere wachtruimte gegaan, om niet de aandacht op zichzelf te vestigen. Inmiddels was hij de tel kwijt van bij hoeveel vluchten hij de passagiers had zien boarden en hoeveel vluchten hij had zien binnenkomen. Ook was hij ieder besef van tijd kwijtgeraakt. Met zijn tas en zijn attachékoffer liep hij van het ene eind van de terminal naar het andere.

Toen hij zijn mobiele telefoon aanzette, raakte hij bijna in paniek bij het zien van de enorme hoeveelheid gemiste oproepen en ingesproken boodschappen. Het ding begon bovendien meteen te rinkelen, waar hij zo van schrok, dat hij het bijna uit zijn hand liet vallen. Aangezien hij het telefoonnummer niet herkende, zette hij het toestel gauw weer uit en liet het in zijn jaszak glijden.

De nieuwsticker van CNN kwam telkens met nieuwe informatie. Doordat hij het meeste al vaak had zien langskomen, had hij het onmiddellijk in de gaten wanneer er nieuwe informatie over het scherm bewoog. Hij meende het ergste nu wel achter de rug te hebben, maar daarin vergiste hij zich, begreep hij bij het lezen van het laatste nieuws:

> Jason Brill, het hoofd van de staf van de senator, wordt gezocht voor ondervraging. Aangenomen wordt dat Brill Washington DC heeft verlaten. Iedereen die informatie heeft over zijn verblijfplaats, wordt verzocht te bellen met 1-800-555-0700.

Hij schoof naar de punt van zijn stoel. Dat sloeg nergens op! Natúúrlijk had hij DC verlaten, vanwege de energietop. Dat had helemaal niets met de moord op Zach te maken. Hoe kon iemand zelfs maar denken dat hij op welke manier dan ook bij die moord betrokken was?

Hij keek om zich heen. Nog altijd stonden er lange rijen passagiers te wachten om aan boord te gaan. Luchthavenpersoneel kwam met enige regelmaat langs om vuilnisbakken te legen. Sommige medewerkers reden gehandicapte passagiers rond. Af en toe kwamen er ook bewakers langs, maar niemand scheen hem op te merken. Er was niemand die zelfs maar naar hem keek.

Opeens schoot het door hem heen dat hij misschien werd opgewacht bij de bagageband of bij de huurauto. Jezus! Het kon niet anders, of ze wisten dat hij met de vroege vlucht was vertrokken en dat hij inmiddels was gearriveerd. Dat hadden ze zo kunnen natrekken. En hij kon hiervandaan geen vlucht naar elders nemen, want ook dat zouden ze makkelijk kunnen nagaan.

De kledingtas, die hij had ingecheckt, had hij nog niet opgehaald. In gedachten maakte hij de inventaris op van de inhoud, om te controleren of er iets in zat wat hij beslist nodig had. Maar bijna alles, behalve zijn nette kleding, had hij in zijn tas en attachékoffer gedaan, en die had hij hier bij zich.

Hij liet zich achterover in de kunstleren stoel vallen. Nu pas drong echt tot hem door hoe alleen hij was. Hij haalde zijn mobiele telefoon tevoorschijn, zette hem aan en begon een nummer in te toetsen. Nog voor hij daarmee klaar was, schakelde hij de telefoon weer uit. Een mobiele telefoon was te traceren, of niet? Hoewel hij dat niet zeker wist, durfde hij geen risico te nemen.

Opnieuw liet hij zijn blik over de drukte op het vliegveld gaan. Toen pakte hij zijn tas en zijn koffertje en liep naar een rij openbare telefoons waar niemand stond. Het was zo lang geleden dat hij van zo'n telefoon gebruik had gemaakt, dat hij de instructies moest lezen voordat hij het nummer kon kiezen. Als hij een antwoordapparaat kreeg, zou hij gewoon ophangen. Niemand zou het telefoonnummer herkennen.

Na drie keer overgaan nam ze op. 'Hallo.'

'Lindy, je spreekt met Jason.'

'Waar zit je?' Ze dempte haar stem tot een paniekerig gefluister. Nee, niet paniekerig. Samenzweerderig.

'Dat doet er niet toe. Wat is er in godsnaam aan de hand?'

'Wacht even,' zei ze.

Zijn maag verkrampte. Zou ze hem verraden? Hij hoorde haar tegen iemand zeggen dat ze wat later zou komen, dat ze dit telefoontje nog even moest afhandelen.

Als hij het zich goed herinnerde, was ze al in Florida. Had senator Malone dat de vorige avond niet gezegd? Waarschijnlijk was ze al op het landgoed.

'Je baas zit goed in de problemen,' zei ze uiteindelijk. 'Het schijnt dat zijn vingerafdrukken in Zachs hotelkamer zijn gevonden.'

'Jezus! Ik kan het gewoon niet geloven!'

'Jason, hij beweert dat hij jou in bescherming probeerde te nemen.'

'Wát?'

'Jij zou hem hebben gebeld, en toen is hij naar je toe gekomen om je uit de brand te helpen.'

'Hoe bedoel je?'

'Je hebt tegen mij gezegd dat je Zach niet kende.'

'Nee, en dat is ook zo.'

'Volgens je baas spraken Zach en jij al maanden met elkaar af in het hotel. Je reserveerde altijd dezelfde kamer, vanuit je kantoor. De telefoonmaatschappij heeft er een lijst van.'

Wanhopig op zoek naar houvast, omklemde hij de hoorn. Godallemachtig! De laatste paar maanden had hij diverse keren dezelfde kamer gereserveerd in het Washington Grand – in opdracht van senator Allen.

'Jason?'

'Dat geloof je toch allemaal niet? Ik was bij jou.'

Nu bleef het even stil.

'Je was al weg toen ik wakker werd,' zei ze toen.

'Lindy, ik ben om vier uur weggegaan.' Hij harkte met zijn vingers door zijn haar en keek om zich heen. Zou iemand zijn angst kunnen ruiken?

'Ik heb geen idee hoe laat je bent weggegaan.'

'Lindy, ik heb het niet gedaan. Ik heb er niets mee te maken!'

Opnieuw bleef het stil. Tot zijn ontzetting.

'Heb je dat ook tegen de politie gezegd?' vroeg hij. Hij zocht steun tegen de muur, want zijn knieën dreigden het te begeven.

'Nee, dat heb ik niet tegen hen gezegd... Maar ze hebben er ook niet naar gevraagd... Nog niet.'

'Lindy, waarom zou ik...' Hij keek weer om zich heen en vervolgde zachter: 'Waarom zou ik met jou naar bed gaan als ik homo was?'

'Weet ik veel waarom kerels doen wat ze doen!' zei ze met een lichte boosheid in haar stem. 'Dat heeft Zach er ook niet van weerhouden om met me naar bed te gaan. Meteen bij de eerste ontmoeting.'

Weer een stilte.

Hij sloot zijn ogen en liet zijn hoofd tegen het schot van de telefooncel rusten. Ze geloofde hem niet.

'Jason, misschien moet je gewoon naar de politie gaan en hun vertellen wat er is gebeurd.'

De paniek snoerde zijn keel dicht. Hij slikte krampachtig. Hoe kon ze denken dat hij tot moord in staat was? Ze zou hem geen goed alibi kunnen geven. Als de vrouw met wie hij naar bed was geweest, hem al in staat achtte naar een andere kamer in hetzelfde hotel te gaan om daar een mannelijke minnaar af te slachten, wat moest de politie dan wel niet denken? Blijkbaar klonk het verhaal van senator Allen erg overtuigend.

'Jason?'

Hij legde beheerst de hoorn op de haak.

Een hele poos bleef hij daar alleen maar staan. De geluiden om hem heen konden niet door het bonzen in zijn hoofd heen dringen.

Tussen zijn voeten stonden de enige bezittingen die hij nog had. De geur van kaneel deed zijn lege maag verkrampen.

Hij kon nergens heen. En de enige op wie hij dacht te kunnen rekenen, de enige aan wie hij trouw had gezworen, had hem zojuist voor een aanstormende trein gegooid.

Hoofdstuk 106

EcoEnergy

'Wat is er aan de hand?' hoorde Sabrina Russ in haar oor fluisteren.

'Wat ben je met die revolver van plan, O'Hearn?' vroeg ze zonder zich te verroeren.

Voelde O'Hearn zich serieus bedreigd? Hij dacht toch niet dat ze was teruggekomen om de rest van haar collega's om te brengen?

'Revolver? Wie is O'Hearn?' vroeg Russ.

Ze negeerde hem en wendde haar hoofd onopvallend een beetje af, zodat O'Hearn het oortje niet zou zien.

De blik in zijn zwarte ogen was net zo woest en verwilderd als zijn dikke bos haar.

'Waarom ben in je in godsnaam teruggekomen?' Hij keek het kantoortje rond tot zijn blik op het computerscherm viel. Doordat ze haar e-mail had afgesloten, was alleen de schermbeveiliging te zien. 'Wat is er zo belangrijk, dat je ervoor terug bent gekomen?'

'Ik heb Anna niet vermoord,' zei ze, in een poging het hem uit te leggen. Ze veronderstelde dat hij dacht dat hij zich tegen haar moest verdedigen, en dat hij het zou begrijpen zodra ze hem had verteld hoe het zat.

Ineens kwam er echter een andere gedachte bij haar op. Hoe wist hij dat zij het doelwit was geweest?

'Wat bedoelde je daarnet?' vroeg ze. 'Waarom zei je dat ík dood had moeten zijn?'

'Hij heeft iets voor je achtergelaten, waar of niet?' Zijn aandacht bleef op de computer gericht. Hij keek telkens van haar naar het beeldscherm en terug. 'Die klootzak heeft iets voor je achtergelaten op zijn computer.'

Ze had O'Hearn nooit eerder kwaad gezien. Gewoonlijk gedroeg hij zich kalm en redelijk, ook wanneer er een crisis was. Nu sprak hij echter zo driftig, dat er spetters speeksel in zijn zilvergrijze sikje belandden en zijn borstelige wenkbrauwen samentrokken in een boze V. Doordat hij de mouwen van zijn overhemd had opgerold en omhooggeschoven, kon ze de gezwollen aderen op zijn armen zien – vooral op zijn rechterarm, waarmee hij het wapen vasthield.

'Ik weet niet waar je het over hebt,' zei ze.

'Vertel op! Wat heeft hij voor je achtergelaten?' Hij richtte de revolver op haar.

'Ik heb echt geen flauw idee wat je bedoelt.' Ze deinsde achteruit, maar dat merkte ze pas toen haar kuiten de oude blauwe bank raakten.

'Jullie hadden bijna de hele boel verziekt, Lansik en jij. Zonde dat jullie niet net als die goeie ouwe Ernie Walker waren. Die had er tenminste geen bezwaar tegen zich in Cancún terug te trekken, met een leuk sommetje geld.'

'Jij zit ook in het complot,' zei ze, bijna op fluistertoon. Ze kon het bijna niet geloven, maar Sidel had natuurlijk iemand nodig gehad om wijzigingen aan te brengen in de software, iemand die verstand had van dingen als de juiste temperatuur en de tijd die nodig was voor het vercooksen van het te verwerken materiaal.

'Hoezo, ik zit ook in het complot?' Hij leek verontwaardigd. 'Lansik mag dan de formule hebben bedacht om olie te maken van kippeningewanden – hij heeft in elk geval alle eer naar zich toe getrokken – maar ík heb erop aangedrongen dat we Klasse 2-afval zouden verwerken om efficiënt te zijn en winst te maken.' Hij gebaarde met de revolver om zijn woorden kracht bij te zetten.

'Maar de aanpassingen aan de apparatuur zijn nooit gedaan,' zei ze, haar blik strak op het vuurwapen. 'Hoe kon je als wetenschapper dan meewerken aan een verkeerd procedé?'

'Wat klets je nou? Heb je enig idee hoeveel de overheid betaalt voor het afvoeren van de rotzooi van die vervloekte orkanen? Alleen door dat soort afval te verwerken kunnen we met dit procedé concurrerend zijn. Met kippeningewanden alleen zullen we nooit genoeg olie kunnen produceren om serieus genomen te worden. En wat heeft het voor zin om iets te doen als niemand je serieus neemt?'

'Maar daar was Lansik het niet mee eens.' Ze wilde hem aan de praat houden. Het leek bijna alsof hij de revolver vergat wanneer hij praatte. Alleen zwaaide hij er wel erg roekeloos mee.

Vanuit haar ooghoeken keek ze het kleine kantoor rond, op zoek naar iets wat ze als wapen kon gebruiken.

Zou Russ of Howard haar te hulp komen? Nee, want die konden het gebouw niet in. Eric was weg, om automaten bij te vullen, en Russ en Howard konden geen contact met hem te leggen.

'Dwight was veel te bekrompen,' zei O'Hearn. Hij klonk niet langer kwaad, maar eerder als iemand die overtuigd is van zijn eigen gelijk.

'Waarom heeft Sidel hem dan niet gewoon ontslagen?'

'Sidel?' Hij lachte schamper. 'Die sukkel? Dacht je nou werkelijk dat die er ook maar iets van begreep? Hij weet dan misschien hoe hij investeerders moet paaien, maar van thermolyse heeft hij geen kaas gegeten. Je hebt zijn toelichting toch gehoord? "Tovenarij" noemt hij het!' Opnieuw moest hij lachen.

Het ontging haar niet dat hij de hand met de revolver erin langs zijn lichaam liet hangen. Hij mocht dan een enorm groot ego hebben, hij was geen moordenaar. Als ze hem dit kantoor uit wist te krijgen, naar het laboratorium, had ze misschien een kans te ontkomen.

'Maar de olie is heel anders,' bracht ze naar voren.

Hij hield op met lachen en keek haar aan.

'Olie van Klasse 2-afval is veel minder zuiver,' vervolgde ze.

'Wat weet jij daar nou van?'

Hoewel ze wist dat ze onzin verkocht, hield ze vol: 'Ik heb monsters gezien met zoveel troep erin, dat je bezinksel krijgt.'

'Dat geldt niet voor dit spul.'

Maar haar plan werkte: hij gebaarde dat ze door de deur moest gaan en duwde haar in de richting van de flessen met monsters, die op de plank aan de andere kant van het laboratorium stonden.

Ze moest geduld hebben, hield ze zich voor. Als ze hem maar genoeg naar de mond praatte, zou hij die revolver totaal vergeten. Het was maar klein wapen, en het leek bijna een stuk speelgoed. Als het haar lukte een werkbank tussen hen in te krijgen, zou ze misschien kunnen ontsnappen – ervan uitgaande dat O'Hearn geen bedreven schutter was.

Net toen ze weer hoop begon te krijgen, ging de deur van het laboratorium open. In de opening verscheen een potige vent met brede schouders, glad naar achteren gekamd haar met flinke inhammen erin en diepliggende ogen.

Sabrina had het idee hem al eens eerder te hebben gezien.

'Nee maar, kijk eens wie we daar hebben! Dat werd tijd,' zei O'Hearn. 'Je hebt eindelijk de kans om je vergissing goed te maken.' Hij wees naar haar.

Op dat moment drong tot haar door wie de man was. Van dichtbij was hij veel groter dan toen hij op de loopbrug boven de tank had gestaan.

En in tegenstelling tot O'Hearn was deze man wel degelijk tot moord in staat, wist ze.

Hoofdstuk 107

Met een gedeeltelijk geladen steekkar begaf Eric zich naar de derde verdieping.

In de hal beneden was hij zijn eerste bewaker tegengekomen, die hem kort en onverschillig had toegeknikt, alsof zelfs het groeten van een simpele leverancier al te veel moeite was. Op dat moment had Eric beseft dat zijn uniform en steekkar hem niet alleen toegang hadden verschaft, maar hem ook onzichtbaar maakten.

Toen hij uit de lift op de derde verdieping stapte, kwam hij in een soort ontvangsruimte. Hier waren geen gangen, slechts drie deuren die op de receptie uit kwamen. Op de grootste deur was een strakke koperen plaat aangebracht – niet zomaar een naambordje – met daarin WILLIAM SIDEL gegraveerd.

Eric had verwacht dat de secretaresse van de algemeen directeur al op haar post zou zijn. Secretaresses van algemeen directeuren kwamen immers vroeg naar kantoor om alles te regelen voor hun baas, voordat die zelf arriveerde. In de lift had hij daarom verscheidene charmante excuses bedacht waarom hij op de verkeerde verdieping was terechtgekomen. Maar er was niemand.

De enorme deur naar Sidels kantoor ging moeiteloos open. En waarom ook niet, dacht Eric. Als Sidel niets te verbergen heeft, hoeft hij ook zijn deur niet op slot te doen. Bovendien kon je dit gebouw – en de lift naar de derde verdieping – alleen binnen komen met een sleutelkaart.

Sidels kantoor bleek een reusachtig driehoekig vertrek waarvan twee van de drie wanden uit glas bestonden, van de vloer tot het plafond.

Als er al opnamen bestonden van de moord op Anna Copello – en volgens Sabrina hingen in elke reactor beveiligingscamera's – zou Sidel die in bewaring hebben, zo had Eric bedacht. Sidel had ze in elk geval niet aan de politie gegeven.

Een zoektocht door het kantoor leverde echter geen geheime bergplaatsen op. En toen hij ten slotte een dubbele bodem in een van de bureauladen aantrof, bleken daarin geen videobanden of dvd's te liggen. Maar wel een stapeltje polaroidfoto's die de moeite waard waren.

Hij liet de foto's in de zak van zijn overhemd glijden keek en het terrein over. Zou Sidel ook vaak op deze plek staan, trots op het koninkrijk dat hij had geschapen? Het wás ook iets om trots op te zijn, een ontzagwekkende prestatie, als de klootzak maar niet zo arrogant en inhalig was geweest.

Plotseling realiseerde Eric zich dat van hem hetzelfde kon worden beweerd. Hij was met zijn sleutelkaart eveneens arrogant en inhalig geworden. Natuurlijk hoefde Sidel zijn kantoor niet af te sluiten. Waarschijnlijk hingen er overal verborgen camera's en sloeg een bewaker op dit moment al zijn bewegingen gade. Sterker nog, waarschijnlijk was er al iemand onderweg naar boven om hem in zijn kraag te vatten!

Hij draaide zich langzaam om en keek speurend het kantoor rond. Ondertussen luisterde hij goed of hij de lift hoorde.

Zijn ervaring en training zeiden hem dat hier geen verborgen camera's waren. Toch moest hij hier zo snel mogelijk weg, want anders zou hij – letterlijk – de boot missen.

Hoofdstuk 108

Leon had er een hekel aan dingen onafgemaakt te laten. En dat mens, die Sabrina Galloway, vertegenwoordigde de grootste blunder in zijn hele loopbaan. Die miskleun was nog erger dan wat er met Casino Rudy was gebeurd.

Nou ja, ze had in elk geval het fatsoen om doodsbang te kijken.

'Weet je eigenlijk wel hoe je zo'n ding moet gebruiken, professor?' vroeg hij hatelijk, wijzend naar de .22 revolver – een aardige kleine blaffer, maar zoals O'Hearn ermee in het rond zwaaide, zou hij weinig schade aanrichten.

'Dat zou ik niet hoeven weten als jij gewoon je werk had gedaan,' zei O'Hearn. 'Daar ben je tenslotte goed voor betaald.'

'Niet om het een of ander, maar ik ben nog helemaal niet betaald. En dan nog eens wat, als ik me niet vergis zei je dat de politie het verder zou opknappen. Dus...' Hij keek op zijn horloge. 'Ik neem aan dat ze onderweg zijn?'

'Doe maar niet zo bijdehand en reken nou maar gewoon met haar af.'

'Heb jíj hem ingehuurd?' vroeg het Galloway-mens aan O'Hearn.

Leon schudde zijn hoofd. Kennelijk zag ze in O'Hearn nog steeds een collega, in plaats van een doorgedraaide wetenschapper. 'Inderdaad,' zei hij tegen haar. 'Het is gewoon verbazingwekkend hoever mensen – zelfs wetenschappers – uit hebzucht kunnen gaan.'

'Dit is geen kwestie van hebzucht,' protesteerde O'Hearn.

Klaarblijkelijk had Leon een gevoelige snaar geraakt.

'In elk geval niet voor mij,' voegde O'Hearn eraan toe.

'O, nee?' Leon hield zijn hoofd schuin en grijnsde om hem nog meer op te jutten.

'Dit gaat erom dat we serieus genomen worden en als een echte concurrent worden gezien. Zoals Lansik het aanpakte, en met alleen kippeningewanden, zou dat nooit gebeurd zijn.'

'Hoe zal iemand ons ooit serieus kunnen nemen?' vroeg Galloway, tot hun beider verrassing. 'Hoe kunnen we ooit maar een klein beetje geloofwaardigheid opbouwen als door onze schuld duizenden mensen ziek worden?'

'Hè? O, dat stomme bedrijfje in mineraalwater. Dat stelt toch niks voor.' O'Hearn lachte.

Het geluid deed Leon een beetje denken aan een misthoorn: geen aangenaam geluid.

Hij wist niets van mensen die ziek waren geworden van het drinken van water. Trouwens, telkens wanneer hij hier kwam, verbaasde het hem dat mensen niet ziek werden van de stank alleen al.

Nogmaals keek hij op zijn horloge. Hij wilde de boel afronden en vertrekken. 'Oké, laten we opschieten,' zei hij. Hij liep op O'Hearn toe, die tot zijn verrassing zonder protest afstand deed van zijn wapen.

'En doe het deze keer goed,' zei O'Hearn op een toon die Leon deed denken een van zijn docenten op de middelbare school – een man die hij niet bepaald had gemogen.

'Ga maar mee,' zei hij. 'Dan weet je zeker dat het goed gebeurt.'

'Nee, daar vertrouw ik op.'

Kennelijk kreeg de arrogante wetenschapper het nu toch een beetje benauwd.

'Sorry, maar ik sta erop dat je meegaat. Zo werk ik nu eenmaal.' Hij pakte Galloway bij de pols. Zijn vingers sloten zich er makkelijk omheen, merkte hij, en ze kromp niet ineen. Althans, bijna niet. 'O, en dan nog wat, professor. Ik moet de videoband van die beveiligingscamera hebben.'

'Hè? Wat voor een videoband? Waar heb je het over?'

Leon moest een grijns onderdrukken. Die vent mocht dan een briljant wetenschapper zijn, hij was een bar slechte leugenaar. 'De videoband waarop te zien is dat ik dat arme mens in die tank sodemieter. Ik weet dat jullie in alle reactorgebouwen camera's hebben hangen. Ms. Galloway en ik wachten wel even terwijl je die band gaat halen.' Aan O'Hearns gezicht zag hij dat die de mogelijkheden tegen elkaar afwoog.

Uiteindelijk liep de wetenschapper zwijgend naar een rij opbergkisten, maakte het combinatieslot van een ervan los, haalde er een doosje met een cd-rom uit en wierp dat naar Leon.

De briljante wetenschapper gooit als een meisje, schoot het door Leon heen. Dus hij hoefde geen hulp van hem te verwachten. Anderzijds zou hij ook geen last van hem hebben.

Hoofdstuk 109

Dit is wat er met Lansik is gebeurd, zei Sabrina tegen zichzelf terwijl ze over de reling keek, in de tank met ronddraaiende kippeningewanden. Een stuk van zijn horloge en wat weefsel waren het enige wat er van hem was overgebleven. Misschien zou er van haar nooit meer iets worden teruggevonden.

Vreemd genoeg moest ze vooral aan haar vader denken. Die was al zo veel kwijtgeraakt. Het zou wel heel erg wreed en onrechtvaardig zijn als zijn dochter letterlijk een onderdeel werd van een wetenschappelijk procedé.

Uiteindelijk was O'Hearn degene geweest die haar hierheen had gesleurd. Haar pols deed zeer, net als haar kaak. Toen ze had geprobeerd zich los te rukken, had hij haar geslagen, en hard ook.

Zijn huurmoordenaar had achter hen gelopen, met in zijn hand een pakje zakdoekjes om het zweet van zijn voorhoofd te vegen. Hij maakte een onverschillige indruk, bijna alsof hij dit allemaal met tegenzin deed. Helemaal niet de koude berekenende schurk zoals ze zich een huurmoordenaar had voorgesteld.

O'Hearn, daarentegen, gedroeg zich alsof hij amfetaminepillen had geslikt. Hij leek stijf te staan van de energie en kwam rusteloos, ongeduldig en sterk over.

Zodra Leon haar draadloze oortelefoontje in de gaten had gekregen, had hij het in zijn broekzak gestopt. Vreemd genoeg had hij er niets over gezegd tegen O'Hearn. Bij het verlaten van het laboratorium had hij het onopvallend, haast steels, in zijn broekzak laten verdwijnen.

Ze had dus geen enkele mogelijkheid meer om Russ en Howard om hulp te vragen. Het maakte ook niet uit. Ze konden toch niets voor haar doen.

De stalen roosters van de loopbrug bewogen en trilden door het gestage geronk van katrollen, motoren en transportbanden. De eerste tankwagens begonnen te laden en te lossen. Hier, twee verdiepingen boven het lawaai, zou niemand het merken wanneer ze zwaaide of om hulp schreeuwde. Zelfs een schot zou onopgemerkt blijven.

Leon haalde O'Hearns revolver tevoorschijn, klapte het magazijn open en keek de wetenschapper aan. 'Toe maar, het is nog geladen ook. Je stijgt in mijn achting.' Daarna verraste hij zowel O'Hearn als haar door de loop tegen O'Hearns slaap te zetten.

'Wat krijgen we nou, verdomme?' Paniek klonk door in O'Hearns stem, boven het geronk van de vrachtwagens en het gejank van de transportbanden uit.

'O, dat was ik nog vergeten te zeggen,' zei Leon. 'Ik heb een nieuwe opdrachtgever.' Hij wierp een vluchtige blik op haar. 'Sorry dat ik je heb meegesleept, maar zonder jou zou ik hem nooit hierheen hebben gekregen.' Hij bleef de revolver tegen het hoofd van O'Hearn houden. 'Je kunt gaan.'

'Hè?' zei ze.

O'Hearn hield haar nog steeds vast, en zijn nagels drongen nu diep in haar arm.

Wilden die twee soms een zieke grap met haar uithalen?

Leon drukte de revolver nog strakker tegen O'Hearns slaap, waardoor diens hoofd opzij boog. 'Laat los. Of ik breek een voor een je vingers.'

'Wat is dit voor idioterie?' Maar O'Hearn liet haar los. Hij gaf haar een harde zet, waardoor ze met haar rug tegen de reling viel en haar evenwicht verloor.

Vlug greep ze zich vast. Als hij iets harder had geduwd, zou ze de diepte in zijn gevallen.

Ze wist niet of ze die huurmoordenaar wel kon vertrouwen. Per slot van rekening had ze zelf gezien dat hij Anna van achteren had aangevallen en over de reling had geduwd. Zou hij hetzelfde doen met haar zodra ze zich had omgedraaid?

Haar blik kruiste de zijne.

'O, trouwens, zeg maar tegen je buurvrouw dat ik voorlopig niet meer naar Florida kom,' zei hij achteloos.

Miss Sadie! Natuurlijk! De oude dame had het dus inderdaad met deze man op een akkoordje gegooid. Hoe was het mogelijk?

Sabrina aarzelde niet langer. Ze greep de reling vast en trok zichzelf hand over hand naar het eind van de loopbrug, zonder ook maar één keer achterom te kijken. Toen ze de stalen ladder afdaalde, miste ze echter de laatste tree, waardoor ze op de grond viel.

Ergens in de verte meende ze een alarm te horen, maar dat moest verbeelding zijn – door de associatie met de vorige keer dat ze het hier weg was gevlucht.

Iedereen die haar zag – en inmiddels kwamen er diverse auto's het terrein op rijden – zou denken dat ze vóór haar werk haar dagelijkse rondje hardliep. Alleen beperkte ze zich niet tot het trottoir of het asfalt, maar nam ze de kortste route, over bermen, dwars over het parkeerterrein en om tankwagens heen.

Pas toen ze het struikgewas had bereikt, bleef ze staan.

Het waadpak lag nog op zijn plek. Het viel niet mee om het aan te trekken over haar joggingschoenen en bezwete benen heen. En ondertussen moest ze ook nog telkens omkijken, of er niemand aankwam. Haar hart bonsde, haar ademhaling ging met horten en stoten. Ze verwachtte elk moment een bewaker, zeker met dat loeiende alarm. Inmiddels had ze wel door dat dat geen verbeelding was.

Onbeholpen, met het gevoel alsof er lood in het waadpak zat, strompelde ze tussen de bomen door. Toen ze eindelijk bij de rivieroever was, dacht ze dat ze zou flauwvallen van opluchting bij de aanblik van de boot, waarop Howard haast uitzinnig naar haar stond te zwaaien.

Ze bevroor toen ze een hand op haar schouder voelde en sloot haar ogen, te uitgeput om zich te verzetten.

'Ik moest iets doen,' zei Russ achter haar.

Ze deed haar ogen open en draaide zich om.

Hij was druipnat, en het zweet parelde op zijn kaalgeschoren hoofd, maar hij grijnsde breed.

Toen hij zijn arm om haar schouders sloeg, leunde ze dankbaar tegen hem aan. Hij rook naar transpiratie en rivierwater.

'Je hebt ergens een alarm doen afgaan,' zei ze.

'Ja, dus we moeten maken dat we wegkomen.'

Meteen maakte ze zich weer druk om slangen.

Tegen de tijd dat ze zich in de boot hees, was ze er echter vrij zeker van dat ze op de terugtocht niet weer misselijk zou worden.

Hoofdstuk 110

Tallahassee Regional Airport

Zelfs tijdens het kleine stukje van de deuren van het luchthavengebouw naar de wachtende limousine kon Natalie zweren dat haar haar begon te kroezen door de hete vochtige lucht.

'Misschien helpt dit een beetje.' Hij hield haar een glas voor met een ijskoud limoengroen drankje waarin een prikker met stukjes fruit prijkte.

'Nou, je weet wel hoe je een meisje in stijl moet ophalen.' Ze stapte in en ging op de bank tegenover hem zitten. Pas nadat ze de lange smalle doos in cadeauverpakking voorzichtig naast zich had gelegd, pakte ze het glas van hem aan. Ze nam een slok, en het pittige drankje gleed fluweelzacht door haar keel. Als alles goed ging, hoopte ze zichzelf op een dag of twee aan het strand te trakteren, met nog veel meer van dit soort glaasjes.

'Je had geen cadeautje hoeven meenemen.'

'Dit?' Met haar vrije hand tilde ze zorgvuldig, bijna eerbiedig, het pak op. 'Dit is de enige reden dat ik hier ben.'

'Wat je noemt een exclusieve bezorgservice.'

'We doen de dingen nu eenmaal graag op de ouderwetse manier, dat heb ik je al eerder verteld. Mijn baas wil er absoluut zeker van kunnen zijn dat de president dit krijgt vóór het ontvangstdiner van vanavond.'

'Daar moet dan wel iets heel bijzonders in zitten.'

'Je moest eens weten.' Ze gebaarde met haar hand, zoals ze meestal deed om haar woorden kracht bij te zetten. 'Heb je enig idee hoe moeilijk het is om op korte termijn een effen rode zijden das te vinden?'

In werkelijkheid had het haar geen enkele moeite gekost om de das te vinden, maar door er grapjes over te maken, was het gemakkelijker om de das niet als een tijdbom te zien.

Ze nam nog een slok van het verrukkelijke drankje.

De haastige voorbereidingen van de ongeplande reis hadden niets voorgesteld in vergelijking met de stress waaraan ze toch al ten prooi was. Het was ineens allemaal erg snel gegaan. Alle stukjes waren bijna van het ene op het andere moment op hun plaats gevallen.

Ze hadden allebei behoefte aan luchtigheid, frivoliteit, om de spanning een beetje te verlichten – als soldaten in een oorlogsgebied of politiemensen op een gruwelijke plaats delict. Maar Colin en zij waren dan ook de enigen die werkelijk beseften hoe weinig het had gescheeld, of de situatie was volledig uit de hand gelopen.

Over een paar uur zouden ze weten of ze erin waren geslaagd een terroristische aanslag te voorkomen of er een uit te lokken.

Hoofdstuk 111

EcoEnergy

Allemachtig, wat stonk die vent! De lucht was haast nog erger dan die van de kippeningewanden in de tank onder hen. Bovendien bood hij een gênante aanblik. Een volwassen vent die in zijn broek piste!

'Nou zijn we ineens niet meer zo briljant, hè, professor?' hoonde Leon.

'Wie heeft je betaald?' wilde O'Hearn weten. 'Sidel zeker?'

Leon schudde zijn hoofd, niet bij wijze van antwoord, maar uit afschuw. Hij begreep nooit waarom iemand zijn laatste ademtochten verspilde om erachter te komen wie hem uit de weg liet ruimen.

O'Hearn stond met zijn rug tegen de reling, zwetend, huilend, zichzelf bevuilend. Zijn slaap was schraal op de plek waar Leon de loop ertegenaan had gedrukt.

Als die idioot eindelijk eens stil bleef staan in plaats van te blijven bewegen, zou Leon hem verder geen pijn hoeven doen.

'Maak me niet dood! Alsjeblieft!' Het was niet meer dan een zacht gejammer.

Eindelijk. Misschien zou die ellendeling zich nu verder koest houden. Leon vond het leuk om hem een beetje te laten spartelen, misschien omdat deze hele verrekte klus zo totaal uit de hand gelopen was.

Jezus, wat was het hier heet nu de zon boven de bomen uit was geklommen. Al dat vervloekte staal en beton. En dan die stank! Hij zou blij zijn als hij hier klaar was en eindelijk naar huis kon.

Ergens in de diepte hoorde hij een alarm. Hij hield zijn hoofd schuin, spitste zijn oren om iets te kunnen horen boven de herrie van de machines. Of was het een sirene? Dat Galloway-mens zou toch niet zo stom zijn geweest om de bewakers op hem af te sturen, of wel?

Hij was even afgeleid, en O'Hearn had het meteen in de gaten. Misschien geloofde de man nog een kans te hebben, want hij graaide naar het wapen.

Vloekend duwde Leon hem van zich af, maar O'Hearn had al beet. Waarom grepen ze toch altijd naar het wapen?

De kleine gestoorde wetenschapper bleek sterk. Hij had het wapen in zo'n muurvaste greep, dat hij zowel Leon als zichzelf tegen de reling duwde.

Leon probeerde zich staande te houden, terwijl O'Hearn zijn nagels in zijn arm klauwde. Het kostte hem moeite zijn vinger om de trekker te houden, want O'Hearn was erin geslaagd hun armen naar beneden te duwen, waardoor die tegen hun buiken drukten.

Leon besefte dat hij de patstelling zou moeten doorbreken en zijn gewicht zou moeten gebruiken om de wetenschapper over de reling te duwen. Hij had O'Hearn precies waar hij hem hebben wilde. Zich schrap zettend tegen de reling schopte hij de wetenschapper tegen zijn schenen.

Met een van pijn vertrokken gezicht keek O'Hearn naar hem op. Hij bood geen fraaie aanblik: op elkaar geklemde vergeelde tanden, een zilvergrijze geitensik glinsterend van het spuug, wijd opengesperde ogen, opgezette aderen op zijn voorhoofd. En hij gromde. Zelfs met alle herrie om hen heen kon Leon hem horen grommen als een dolle hond.

Leon had de zaak echter weer volledig onder controle en stond stevig op zijn benen.

Net toen hij het stuk ellende over de reling wilde duwen, klonken er twee schoten. Misschien zou hij het geluid niet eens als schoten hebben herkend – gedempt en kort als ze waren – als hij de inslag niet had gevoeld.

Hij zag de schok op O'Hearns vertrokken gezicht: de opgetrokken wenkbrauwen, de nog altijd wijd opengesperde ogen. En abrupt kwam er een eind aan hun worsteling. O'Hearn viel, gleed opzij, zijn bovenlichaam kantelde over de reling. Hij verzette zich niet, probeerde zich niet vast te grijpen, schreeuwde zelfs niet meer.

Roerloos keek Leon toe terwijl er weer een wetenschapper in de kolkende brij stortte.

Pas toen hij de stalen ladder af begon te klimmen, drong tot hem door dat het niet alleen O'Hearns bloed was op de voorkant van zijn overhemd. Bij elke beweging voelde hij de pijn in zijn zij.

Beneden klonken de sirenes luider.

Hij zou het nooit halen naar het parkeerterrein aan de achterkant van het complex, waar hij zijn laatste gestolen auto had gezet. En met al dat bloed kon hij niet zomaar naar buiten lopen. Wat ontzettend klote om zo aan zijn eind te komen! Die waarzegster zat nu waarschijnlijk ergens in haar vuistje te lachen.

Hij was er al van overtuigd dat hij het niet zou redden, toen hij de Pepsi-wagen zag. De bestuurder sloot net de achterkant, klaar om te vertrekken. Leon begon te rennen, tussen jankende transportbanden door, en wist het bijrijdersportier te bereiken zonder dat iemand hem zag. Tenminste, dat hoopte hij. Hij rukte het portier open en werkte zich omhoog op de stoel, op hetzelfde moment dat de bestuurder het portier aan de andere kant opendeed. Gauw richtte Leon de revolver op hem, maar hij hield het wapen zo laag mogelijk. 'Instappen,' beval hij.

De man gehoorzaamde en ging achter het stuur zitten, na een snelle blik op Leons bebloede kapotte overhemd.

'Ik doe je niks,' zei Leon. Uit alle macht probeerde hij de brandende pijn in zijn lijf te negeren. 'Je hoeft er alleen maar voor te zorgen dat ik hiervandaan kom.'

De bestuurder staarde hem slechts aan.

Leon vroeg zich af of hij hem misschien naar buiten moest duwen en proberen de bestelwagen zelf te besturen. Doorgaans werden voertuigen die het terrein verlieten, niet aangehouden.

Maar uiteindelijk deed de andere man zijn gordel om en startte de motor. Voordat hij de auto in de eerste versnelling zette, wierp hij nog een blik op Leon. ‘Wat wil je horen? De Boss, de Stones of de Doobie Brothers?’

Hoofdstuk 112

Tallahassee, Florida

Voor de zoveelste keer nam Jason de mogelijkheden door, maar dat leverde opnieuw niets op. Het enige wat hij had, waren wat kleren en zijn laptop.

Maar ineens realiseerde hij zich dat hij iets vergat: zijn attachékoffer met allemaal documenten erin en een harde schijf vol bestanden. Hij had al een verband tussen William Sidel en Zach Kensor gevonden. Wat zou hij nog meer te weten komen als hij de correspondentie en het archief van senator Allen onder de loep nam? Dat zou de politie ongetwijfeld ook doen, maar misschien ontdekte hij iets wat de politie ontging of niet herkende als belangrijk.

Hij haalde zijn laptop tevoorschijn. Het vliegveld bood draadloos internet aan, en binnen enkele minuten had hij toegang tot de bankafschriften en creditcardbetalingen van senator Allen. Door gebruik te maken van alle trucs die hij kende, had hij vijf minuten later ook toegang tot de e-mails van de senator – zowel de zakelijke als de persoonlijke. Toen hij stuitte op een hele reeks berichten die de senator in de prullenmand had laten verdwijnen, wist hij dat hij in de roos had geschoten.

Hij besloot kopieën van alles op een aparte geheugenstick te downloaden. De truc – en het was inderdaad een truc – was om de informatie in de juiste handen te spelen. Hém zou de politie uitlachen als hij ermee kwam, dus zou hij iemand anders moeten uitkiezen.

Nadat hij zijn laptop had afgesloten, liep naar een van de winkeltjes op het vliegveld en kocht een honkbalpet van de Florida State University en een envelop van twintig bij dertig waarop in grote rode letters SPOED stond. Uit zijn tijd als koerier wist hij dat de aanduiding 'spoed' altijd de aandacht trok, ongeacht de aard van de zending. Hij deed wat papieren in de envelop, verzegelde die en schreef er een naam op.

Bij de bagagebanden zag hij dat zijn kledingtas samen met wat andere bagagestukken aan de kant geschoven was. Er waren net weer wat vluchten binnengekomen, en het wemelde bij de banden van de passagiers

Hij gaf een jongen die eruitzag als een student tien dollar om de kledingtas voor hem te halen, en nog eens tien dollar om een taxi voor hem aan te houden.

Terwijl de jongen daarmee bezig was, hield Jason in de gaten of hij werd gevolgd. Er was echter niemand die ook maar enige aandacht aan de knul besteedde.

Hij verzocht de taxichauffeur hem af te zetten bij de hoek van het hotel waar hij moest zijn, en instrueerde hem een blokje om te rijden voordat hij zijn bagage in de lobby afleverde. Dat gaf Jason de tijd om zijn honkbalpet op te zetten en naar binnen te lopen met alleen de envelop bij zich.

Een beetje ongeduldig en met de onverschilligheid die hij zich in zijn tijd als koerier had aangeleerd overhandigde hij de envelop aan de conciërge. 'Het is de bedoeling dat dit zo snel mogelijk wordt afgegeven,' zei hij tegen de man, die hem nauwelijks een blik waardig keurde, maar slechts oog had voor de naam op de envelop.

Tegen de tijd dat Jason de balie de rug toe draaide, had de conciërge de telefoon al gepakt.

Toen Jason naar buiten liep, hield de taxi net stil voor de deur. De chauffeur stapte uit en zette zijn bagage op de stoep.

'Bedankt.' Jason gaf hem een fooi van twintig dollar. Vervolgens stopte hij de honkbalpet in een zijvak van zijn kledingtas, tilde zijn bagage op en ging de lobby weer binnen. Daar liep hij rechtstreeks naar een rij openbare telefoons, waar hij afwachtte terwijl hij deed alsof hij een telefoontje pleegde.

Hij hoefde niet lang te wachten. Een kleine verzorgd ogende man die hij nooit eerder had gezien, kwam de envelop bij de conciërge ophalen.

Jason volgde hem de lift in. Zich gedragend als een vermoeide reiziger, knikte hij de man bij binnenkomst vluchtig en met een zwakke glimlach toe. Afwezig drukte daarna hij op de knop voor de dertiende verdieping, alsof hij niet had opgemerkt dat die al brandde, aangezien de man met de envelop daar ook moest zijn.

Eenmaal op de dertiende verdieping liet hij de kleine man voorgaan. Hij hees zijn bagage naar zijn andere schouder en deed alsof hij probeerde uit te vinden welke kant hij uit moest voor zijn kamer.

De kleine man liep voortvarend naar het eind van de gang, klopte daar op een deur en leverde de envelop af. Er werd niet veel gezegd.

Om een hoek wachtte Jason tot hij zeker wist dat de man de lift naar beneden had genomen. Daarop liep hij naar de kamer aan het eind van de gang, haalde diep adem en klopte aan.

Opluchting viel van haar gezicht te lezen toen ze de deur had geopend.

'Ik vroeg me al af waar je zat,' zei senator Malone.

Hoofdstuk 113

Marriott Hotel
Tallahassee Airport, Florida

Eric vond het geen prettig idee elkaar te ontmoeten in een hotel op het vliegveld, maar de Mayor had hen tot op dat moment in geen enkel opzicht teleurgesteld.

Alleen Howard was er niet bij; die moest het motorjacht terugbrengen. Eric had gehoopt dat Sabrina met hem mee zou gaan, maar ze had erop gestaan hem te vergezellen naar het Marriott, en daar had hij weinig tegen in kunnen brengen. Tenslotte ging het ook om haar en liep zij nog altijd het gevaar te worden opgepakt wegens moord.

Russ had een leren attachékoffer bij zich, met daarin zijn laptop en kopieën van alle verwerkingsbestanden. De satellietbeelden en de polaroidfoto's die Eric bij EcoEnergy in Sidels bureaula had gevonden, zaten er ook in.

'Denk je dat we genoeg hebben?' vroeg Russ aan de Mayor, terwijl ze gevieren uit de lift stapten.

'Onze contactpersoon is iemand die er geen doekjes om windt. Dus hij zal meteen zeggen of het genoeg is of niet, daar ben ik van overtuigd. Ik hoop dat de combinatie van de gegevens de spreekwoordelijke laatste nagel aan de doodskist zal zijn.'

'Zolang hij het ons maar niet lastig maakt vanwege de manier waarop we de informatie hebben gekregen,' zei Russ.

Eric kon hem zijn twijfel niet kwalijk nemen. Ook hij voelde zich niet helemaal op zijn gemak met deze afspraak.

Bij de bewuste suite gekomen klopte de Mayor aan.

De anderen hielden zich op de achtergrond.

Toen de deur openging, was Eric met stomheid geslagen. Hoe was het mogelijk dat hij dit niet had zien aankomen? Hij kende de man die in de deuropening stond, al zou geen van beiden dat laten merken. Toen de Mayor hem aan Colin Jernigan voorstelde, begroette Eric hem dus alsof ze elkaar voor het eerst ontmoetten.

In amper twintig minuten tijd hadden ze alles verteld en toegelicht wat ze te weten waren gekomen.

Jernigan knikte geregeld en zei toen ze waren uitgesproken: 'Dat is me nogal wat.'

'Kun je er iets mee?' wilde de Mayor weten.

'O, ik weet zeker dat we wel iets weten te bedenken.'

'Dus ze zullen moeten ophouden met het verwerken van orkaanpuin?' vroeg de Mayor

'Ik zou denken van wel.'

Eric vond Jernigan echter weinig overtuigend overkomen.

'Welke straf staat er tegenwoordig op het vervuilen van oppervlaktewater, hier in Florida?' vroeg Russ.

'Straf? Ik denk eigenlijk dat er alleen boetes worden opgelegd, maar zeker weten doe ik het niet.'

'Een boete?' Sabrina schoof naar de punt van haar stoel. 'Ze hebben iemand ingehuurd om me te vermoorden en vervolgens geprobeerd mij die moord in de schoenen te schuiven, alleen om een boete te ontlopen?'

Eric kon haar frustratie bijna voelen.

'We hebben geen bewijs dat ze hebben geprobeerd je te vermoorden,' zei Jernigan. 'Ik zal met de State Patrol gaan praten,' voegde hij eraan toe, alsof dat haar enige zorg was. 'Waarschijnlijk kan ik er wel voor zorgen dat de aanklacht wordt ingetrokken, in ruil voor je medewerking aan het onderzoek. Maar als ik eerlijk ben...' Hij gebaarde naar de documenten en computeruitdraaien op de koffietafel. 'Wat jullie boven tafel hebben weten te krijgen is waarschijnlijk niet voldoende voor een aanklacht wegens een ernstig misdrijf.'

'En die polaroidfoto's?' vroeg Eric.

'Die zullen het definitieve einde betekenen van de carrière van senator Allen.'

'En Sidel?' vroeg Sabrina.

'Niemand verbiedt hem pornografie in zijn bureaula te bewaren. Hij komt pas in de problemen als blijkt dat er bij de mannen op die foto's minderjarige jongens zitten.'

De Mayor en Russ zeiden niets.

Eric keek naar Sabrina en zag dat ze Jernigan aandachtig opnam. Ze was duidelijk niet onder de indruk en verre van tevredengesteld. Dat gold trouwens ook voor hemzelf, maar hij wist niet goed wat ze verder nog konden doen.

'Het is niet mijn bedoeling zo negatief te klinken,' zei Jernigan. 'Alles bij elkaar is de informatie buitengewoon interessant –'

'Ik weet ineens weer waar ik je naam eerder heb gezien,' viel Sabrina hem in de rede.

Allemaal keken ze naar Jernigan.

Eric was ervan overtuigd dat Sabrina zich vergiste. De Jernigan die hij kende, strooide zijn naam niet in het rond. Sterker nog, het was een van de namen die in DC doorgaans alleen maar werden gefluisterd. Eric wist niet precies voor wie Jernigan werkte op Justitie – dat scheen overigens niemand te weten – alleen dat het iemand uit de hoogste regionen was en dat alles waarbij hij werd betrokken, topgeheim was.

Sabrina haalde het kleine paarse aantekenboekje tevoorschijn – het boekje van Lansik, besefte Eric – en begon het door te bladeren. Zodra ze had gevonden wat ze zocht, schoof ze het boekje over de tafel naar Jernigan. 'Mr. Lansik had je naam en telefoonnummer opgeschreven.' Ze tikte op de bewuste bladzijde. 'Dus je wist hier al van.'

Eric zag aan Jernigan dat Sabrina gelijk had, hoewel hij zichzelf bewonderenswaardig goed in de hand wist te houden. Jernigan bleef rustig zitten en toonde zich niet verschrikt. Het enige in zijn gezicht wat bewoog, waren zijn ogen. Hij keek Sabrina aan zoals iemand dat doet die over de rand van zijn leesbril blikt om beter in de verte te kunnen kijken. 'Mr. Lansik heeft inderdaad contact met me gezocht,' beaamde hij.

'Dus je wist wat er aan de hand was?'

Eric hoorde de woede in haar stem. Hij was er ooit getuige van geweest dat ze een student de oren waste, en nu klonk ze net zo.

'We wisten niet precies wat zich er afspeelde. Mr. Lansik trok zich plotseling terug en is nooit op onze afspraak verschenen.' Jernigan leunde zuchtend naar achteren, alsof dat iets was waarover hij geen controle had.

Maar Eric wist wel beter. Waarschijnlijk was er niets waarover Jernigan géén controle had.

'En je hebt nooit overwogen een onderzoek in te stellen,' zei Sabrina op een toon die grensde aan sarcasme. 'Je hebt niet de moeite genomen om uit te zoeken waaróm hij niet kwam opdagen.'

Jernigan keek demonstratief op zijn horloge, om duidelijk te maken dat wat hem betrof dit gesprek beëindigd was. 'Nee. Mensen veranderen nu eenmaal weleens van gedachten.'

Ze stond op, liep naar Russ' attachékoffer, ritste een zijvak open en haalde er iets uit. 'Mr. Lansik veranderde niet zomaar van gedachten. Hij werd gedwongen.' Na die woorden legde ze een plastic zakje voor Jernigan op tafel. 'Dit is alles wat er van hem over is.' Daarna liep ze naar de deur.

Russ pakte zijn attachékoffer en volgde haar naar buiten.

De Mayor stond op en wachtte tot Jernigan hetzelfde deed. Na Jernigan de hand te hebben geschud verliet de oude baas zonder een woord te zeggen de suite.

Eric en Jernigan bleven alleen achter.

Jernigan tilde het plastic zakje even op en legde het toen terug op de tafel. 'Wat een driftkop,' merkte hij op.

'Wat had je dan verwacht? Ze is mijn zus.'

'Ik wist niet dat jij aan de EcoEnergy-zaak werkte.'

'Dat deed ik ook niet. Ik help mijn zus. Voordat Sabrina bij mij kwam, wist ik niet eens dat er iets niet in de haak was bij EcoEnergy. Door Sabrina ben ik hierin verzeild geraakt. Wat denk je dat er met Sidel zal gebeuren?'

'Ik weet het niet zeker.' Opnieuw keek Jernigan op zijn horloge. 'Helaas kunnen we niet voorkomen dat hij vanavond als gastheer optreedt tijdens het diner vóór de energieconferentie. Er is gewoon niemand die hem op basis van deze informatie ter verantwoording kan roepen, want alle aandacht is op dit moment op senator Allen gericht, vanwege het schandaal.'

Eric schudde zijn hoofd. Zo hoorde het niet te gaan. Sidel had geprobeerd Sabrina te laten vermoorden, maar zou deze avond gewoon met de president feestvieren.

'Waar ben jij uiteindelijk terechtgekomen?' vroeg Jernigan.

'Hoe bedoel je?'

'Voor wie ben je uiteindelijk gaan werken?'

'De drugsbestrijding.'

Jernigan knikte goedkeurend. 'Dus je zit hier in Tallahassee?'

'Nee, in Pensacola Beach.'

'Vanwege drugskoeriers?'

'Nee, een ex-dealer. We hebben nooit harde bewijzen tegen hem kunnen vinden, of het geld.'

En dat zou Eric ook in zijn rapport zetten. Howard was het rechte pad op gegaan. Hij verdiende het met rust gelaten te worden.

'Afijn,' zei Jernigan, 'ik moet me gaan voorbereiden op dat diner.'

Er werd op de deur geklopt.

Jernigan keek Eric aan, die alleen maar zijn schouders ophaalde.

Het bleek Sabrina te zijn, inmiddels afgekoeld en een stuk kalmer. 'Sorry dat ik zomaar wegging,' zei ze, maar ze keek Eric aan, niet Jernigan. 'Er moet toch iets zijn wat we kunnen doen.'

Jernigan wendde zich tot Eric alsof hij van hem een antwoord verwachtte.

Plotseling kreeg Eric een ingeving. 'Misschien is er inderdaad iets wat we kunnen doen. Maar ik moet je eerst wat vertellen, Bree.'

Hoofdstuk 114

Onderweg naar het Reid Estate

William Sidel controleerde zijn strikje in het spiegelglas dat hem scheidde van de chauffeur van de limousine. Zijn smoking zat iets strakker dan de vorige keer dat hij hem had gedragen, maar stond hem nog altijd goed.

En hij voelde zich ook goed, beter dan ooit. Sterker nog, hij had het gevoel alsof hij ternauwernood een kogel had weten te ontwijken.

Waarschijnlijk was het hoe dan ook een kwestie van tijd geweest, voordat Johns manier van leven hem ten val zou hebben gebracht, maar waarom had het uitgerekend deze week uit moeten komen?

Het Appropriations Committee had besloten de stemming over het militaire contract een week uit te stellen, vanwege het schandaal. Althans, dat had hij gehoord. Hij vermoedde echter dat er iets anders achter zat en vreesde dat de tegenstanders hun zin al hadden gekregen. Nu John was uitgeschakeld, moest hij het stellen zonder de informatie over afspraken die werden gemaakt in hotels, cafés en zelfs wc's, in plaats van in het Congres zelf.

Hij besloot dat hij zich daar deze avond even geen zorgen over zou maken. Deze avond was van hem, eerlijk gekocht. En niemand kon die bederven.

Hoofdstuk 115

Het Reid Estate

Abda was nog altijd stomverbaasd over hoe soepel de voorbereidingen waren verlopen. Door zijn wellevendheid en oog voor detail had hij de hoofdtafel toegewezen gekregen, precies zoals hij had gehoopt en verwacht.

Kort nadat hij op het werk was verschenen, was hij Khaled tegen het lijf gelopen. Zijn vriend had er doodmoe uitgezien, maar behalve vermoeidheid had Abda nog iets anders in zijn ogen gelezen. Ongeduld? Gespannen verwachting? Abda wist hoezeer Khaled naar dit banket had uitgekeken, hoezeer hij ernaar had verlangd getuige te zijn van het moment waarop de president van de Verenigde Staten zijn handen naar zijn keel bracht, snakkend naar lucht, klauwend in zijn eigen huid, in de hoop de verstikkingsverschijnselen te verlichten.

Anders dan Khaled voelde Abda geen verlangen, geen gretigheid. Hij kende echter ook geen aarzeling, geen spijt dat het zover had moeten komen. Hij was bereid te doen wat nodig was, ofschoon hij nog altijd zocht naar signalen dat er een compromis was bereikt. Hij had gehoord dat er een besluit was genomen, al was de situatie voor de buitenwacht nog steeds volstrekt onduidelijk.

Wat het besluit ook was, hij besefte en accepteerde dat er een moordaanslag voor nodig kon zijn om de belangen van zijn land te verdedigen en de status en invloed daarvan in de wereldeconomie te versterken. Hun loyaliteit kon niet door de ene na de andere president als vanzelfsprekend worden beschouwd en vervolgens aan de kant worden gezet vanwege de politieke waan van de dag.

Sommigen zouden hun werkwijze misschien extreem noemen en het wagen die te vergelijken met de methodes van andere radicale groeperingen. Er zouden er ook zijn die aannamen dat het slechts een kwestie van hebzucht was, van oliebelangen. Kortzichtig als ze waren, zouden ze het allemaal mis hebben.

Abda stond bij het blad met de voorgerechten, klaar om die te serveren zodra de gasten hun plaatsen hadden ingenomen. Het poeder dat hij moest toevoegen, zou volledig onzichtbaar verdwijnen in de Parmezaanse kaas. Niemand zou iets in de gaten hebben.

Ongeïnteresseerd keek hij toe terwijl de rijke man van wie het landgoed was, de gasten aan de hoofdtafel aan elkaar voorstelde.

De president was er nog niet. Zonder twijfel zou die op grootse wijze zijn entree maken.

En wanneer het zover was, zou Abda er klaar voor zijn.

Hoofdstuk 116

Natalie knikte en wuifde onopvallend naar senator Shirley Malone toen deze de zaal binnen kwam.

De senator zag er schitterend en voornaam uit, lang en statig in zwarte zijde met zilveren pailletten. En dan had ze ook nog een knappe jonge man aan haar zijde.

Natalie vroeg zich alleen wel af de senator haar moment goed gekozen had.

Anderzijds was ze opgelucht dat er door de uitschakeling van senator Allen – die ze succesvol hadden weten te ontmaskeren en afbranden – geen slachtoffers waren gevallen onder zijn staf. Hoewel ze niet had verwacht dat hij zou proberen Jason Brill de schuld in de schoenen te schuiven, had dat haar ook niet echt verrast. 'Overleven' heette dat in DC. Of 'bijkomende schade', zoals haar baas de dood van Zachary Kensor had genoemd. Wat haar betrof hoefden er niet nog meer slachtoffers te vallen, zelfs al vond ze Brill een enorme lastpak.

Na een blik op haar horloge keek ze opnieuw naar de deur. Waar blééf Colin? De president kon elk moment arriveren, en zij zat hier tussen drie lege stoelen.

Hoofdstuk 117

Met gepaste trots schoof Jason senator Malones stoel uit op haar plaats naast het podium – de plek die oorspronkelijk was gereserveerd voor zijn baas. Zij zou de senator deze avond in meer opzichten vervangen dan door simpelweg zijn plaats aan tafel in te nemen.

Ze had hem verzekerd dat niemand vragen zou durven stellen over zijn aanwezigheid, zeker niet als hij als haar begeleider kwam. En ze had gelijk gekregen: niemand had ook maar iets gevraagd, al voelde hij de blikken wel in zijn rug priemen.

Ook Lindy keek alsof haar mond bijna openviel van verbazing.

Graag zou hij tegen haar zeggen dat er dus ook mensen waren die hem wél geloofden.

Eerder die middag, in de suite van senator Malone, had hij alles verteld wat hij wist en – dat was nog belangrijker – wat hij eerder niet had geweten. Hij was ervan overtuigd geweest dat senator Allen invloedrijk genoeg was om hem de moord op Zach in de schoenen te schuiven. Voor bijna alle aantoonbare ontmoetingen tussen de senator en Zach had Jason immers de reservering gedaan en de betaling geregeld of de logistiek. En hoe iets overkwam, was ontzettend belangrijk in DC. Hij had dan ook oprecht geloofd dat hij er geweest was.

'De waarheid kan een machtig wapen zijn,' had senator Malone hem echter voorgehouden.

Nu hij Sidel het podium op zag komen, was hij daar nog niet zo zeker van. Per slot van rekening was Sidel er nog steeds – onaangetast, onbeschadigd, sterker dan ooit en omringd door degenen die in hem hadden geïnvesteerd, die voor hem hadden gelobbyd, die zijn belangen hadden behartigd en hem hadden vertrouwd.

En dat klopt niet, dacht Jason terwijl hij zijn plaats innam.

Hoofdstuk 118

Abda was uitermate alert. Mr. Reid had William Sidel voorgesteld, de algemeen directeur van EcoEnergy, die op zijn beurt de president van de Verenigde Staten welkom zou heten.

Hij omklemde het medicijnflesje in de zak van zijn jasje. Hij had de handeling eindeloos geoefend, zodat niemand iets zou merken. Vrijwel moeiteloos draaide hij het dopje eraf, en al even vlotjes vond hij de bewuste capsule en nam hem tussen zijn vingertoppen.

Khaled stond naar hem te kijken, vanuit de hoek waar ook hij met een blad klaarstond.

'Dames en heren,' zei Mr. Sidel, 'ik ben er trots op en beschouw het als een grote eer u om een warm welkom te vragen voor de president van de Verenigde Staten.'

Een donderend applaus barstte los in de zaal. Stoelen vielen om toen gasten gingen staan.

Niemand lette op Abda, die van de opschudding gebruikmaakte om de capsule tevoorschijn te halen.

Hij kon de man voor wie het applaus bedoeld was bijna niet zien. En de tijd drong. Hij maakte zich zo lang mogelijk en wrong zich in allerlei bochten om tussen de applaudisserende mensen door te kunnen kijken.

Terwijl hij de capsule tevoorschijn haalde, constateerde hij tevreden dat zijn handen droog waren, zijn handen vast, al voelde hij een trilling van opwinding in zijn borst. Dit was het moment waar ze al die tijd naartoe hadden geleefd. Al hun harde werken, hun geheime ontmoetingen, hun slapeloze nachten waren gericht geweest op dit ene moment.

En hij was er klaar voor. Met zijn vingertoppen kneep hij in de capsule, klaar om die te breken en de inhoud over het voorgerecht te strooien. Van het dodelijke poeder zou in de Parmezaanse kaas geen spoor te zien zijn.

En dan zou het te laat zijn. Dan zou het voorbij zijn. Het was een les voor iedereen die hier aanwezig was.

Opeens zag hij de rode das. De president van de Verenigde Staten droeg een effen rode das.

Ze hadden gewonnen. Zijn land had gewonnen. Khaled en Qasim en hij hadden gewonnen.

Nu had hij opgelucht moeten zijn. Er zou deze dag niemand hoeven sterven. Maar terwijl hij de nog intacte capsule weer in zijn jaszak liet glijden, besefte hij dat het alleen maar uitstel van executie was – letterlijk.

Hoofdstuk 119

William Sidel kon zijn geluk niet op. Daar zat hij, naast de president en omringd door senatoren, buitenlandse diplomaten, beroemdheden en ondernemers die een prominente plaats innamen op de Fortune 500.

Hij werd geacht een korte toespraak te houden. John had hem op het hart gedrukt het luchtig en charmant te houden. Alsof John hém in dat opzicht ook maar iets kon leren. Hier was hij juist goed in! Hij zou een paar grappen maken, een paar gemakkelijke slachtoffers tot doelwit kiezen, en de mensen zouden uit zijn hand eten.

Hij wachtte niet tot de tweede gang aan alle gasten was geserveerd. Daarvoor was hij veel te ongeduldig. Gretig, verlangend kwam hij overeind en ging weer achter het spreekgestoelte staan.

Drie gasten kwamen verlaat binnen, zag hij. Ze interesseerden hem niet. En ook niemand anders besteedde aandacht aan het drietal. Iedereen was benieuwd naar wat hij ging zeggen.

Tot Erics opluchting had Sabrina zijn bekentenis dat hij als undercoveragent werkte zonder slag of stoot geaccepteerd.

Die opluchting was echter van korte duur geweest, want er hadden direct en in het diepste geheim nieuwe plannen moeten worden gesmeed.

Ergens stemde het hem zelfs een beetje bezorgd dat ze zich zo bereid toonde om mee te werken aan wat hij had voorgesteld.

Het was allemaal snel en soepel geregeld. Binnen een uur nadat de beslissing was gevallen, was Jernigan met een avondjurk en een smoking gekomen, plus uitnodigingen en kaartjes waarop stond dat ze waren ingedeeld aan de tafel voor het podium.

Ze waren maar een klein beetje te laat, en zelfs dat was opzettelijk. Jernigan had het zo geregeld, dat ze binnenkwamen op het moment dat Sidel naar het spreekgestoelte liep. Wat gaf het dat ze het voorgerecht hadden gemist? Sabrina zag eruit alsof ze stond te popelen om het hoofdgerecht voor haar rekening te nemen.

Onder de tafel tikte Sabrina ongeduldig met haar voet op de grond. De schoenen die Jernigan haar had gegeven, waren te hoog en iets te groot. Alhoewel ze zakdoekjes in de neuzen had gepropt, dreigde ze ze nog steeds te verliezen. Terwijl ze met haar voet tikte, voelde ze de schoen vervaarlijk aan haar tenen wiebelen. En dat terwijl ze op dit moment juist behoefte had aan houvast.

Toen Sidel doorging met zijn flauwe corpsbalgrappen, schoot het door haar heen dat ze iedereen hier een dienst zou bewijzen door hem het zwijgen op te leggen. Desondanks had ze het gevoel dat er een knoop in haar maag was gelegd. Haar keel was kurkdroog, zelfs nadat ze haar glas water in één lange teug leeg had gedronken.

Jernigan schoof zijn volle glas naar haar toe.

Liep het dan zo in de gaten, vroeg ze zich af.

De knappe donkere vrouw aan de overkant van de tafel wierp haar een zijdelingse blik toe. De vrouw had haar toegeknikt toen ze samen met Jernigan binnen was gekomen en had haar zelfs een vluchtige glimlach geschonken toen ze haar met een handgebaar had uitgenodigd plaats te nemen.

Sabrina keek naar Eric. Ze kon zich nog tot op het laatste moment bedenken, had hij gezegd. Dan zouden ze simpelweg genieten van de maaltijd.

Alleen was dat gewoon ondenkbaar na alles wat er de voorbije dagen was gebeurd. Ze was met haar auto van de weg gereden en ternauwernood aan de explosie ontsnapt toen de auto in brand was gevlogen. Ze was getuige geweest van de dood van een collega. Haar goede naam was door het slijk gehaald, ze was met de dood bedreigd, ze was akelig dicht bij een watermocassinslang gekomen en ze had oog in oog gestaan met een huurmoordenaar. En dat alles door toedoen van de man achter de katheder.

Ze stond op. 'Mr. Sidel!'

Er klonk gerinkel van servies en bestek, maar dat verstomde snel.

'Klopt het dat uw centrale verantwoordelijk is voor de verontreiniging van het mineraalwater van Jackson Springs?'

Doodse stilte.

Sidel had nog een glimlach op zijn gezicht van zijn laatste mop. Het duurde even voordat tot hem doordrong dat hij werd aangevallen. 'Pardon?'

'Tientallen mensen zijn ziek geworden. Er is zelfs een meisje van tien in het ziekenhuis opgenomen, bij wie dioxine in het bloed is aangetroffen. Dioxine die uw centrale in de Apalachicola River heeft geloosd.' Ze zag dat er twee mannen van de Geheime Dienst naar haar toe kwamen.

Jernigan wuifde hen weg.

'Ik weet niet waar u het over hebt,' zei Sidel. 'En het is zonneklaar dat voor u hetzelfde geldt.'

Er klonk gefluister, en er werd met stoelen geschoven, terwijl gasten probeerden de aanstichter van de commotie te ontdekken.

'O, maar ik weet heel goed waar ik het over heb.' Toen ze aan hem zag dat hij haar eindelijk herkende, voegde ze eraan toe: 'Want ik was tot voor kort een van uw wetenschappelijk medewerkers.'

Abda was net klaar met het bedienen van de hoofdtafel, toen de vrouw de aanval op Mr. Sidel opende.

Hij voelde zich merkwaardig teleurgesteld, en plotseling doodop. De bladen wogen ineens loodzwaar. Elk bord, elke gast die hij moest bedienen, werd een inspanning. Hij had niet beseft hoe moeilijk het zou zijn om van een potentiële moordenaar te veranderen in een eenvoudige ober.

Hij had opgelucht moeten zijn, blij. Want ze hadden hun doel bereikt. Een deel van het militaire oliecontract zou aan hen worden toegewezen, en de invloed en de status van hun land hadden geen schade opgelopen. Maar in plaats van voldaan en tevreden voelde hij zich stuurloos.

Hij luisterde naar wat de vrouw te zeggen had en hoorde de passie in haar stem. Misschien was dat wel wat hem zorgen baarde: dat hij ergens tussen het voorgerecht en de tweede gang zijn passie was kwijtgeraakt.

Nee, hij had passie vervangen door vastberadenheid. En dat was niet erg. Passie kon gevaarlijk zijn.

Iets verderop zag hij Khaled naar de hoofdtafel lopen, met een dienblad boven zijn hoofd. Doordat alle ogen op de vrouw gericht waren, schonk niemand hem enige aandacht. Voor de mensen hier was hij gewoon een van de vele obers.

Abda zag echter wat er op het dienblad stond: drie kleine plastic flesjes met trekdoppen.

Hij verstijfde en keek toe terwijl Khaled het dienblad naast de hoofdtafel neerzette en twee van de flesjes pakte. En nog steeds was er niemand die ook maar enige aandacht aan hem besteedde. Khaled duwde de dop van het ene flesje in de bodem van het andere. Vervolgens pakte hij het derde flesje.

'Hij heeft een bom!' riep Abda.

Razendsnel trok Eric Sabrina naar de grond.

Jernigan had zijn pistool al getrokken.

Agenten van de Geheime Dienst haastten zich naar de president.

En de Arabisch ogende man in oberstenue hield zijn handen omhoog, zodat iedereen kon zien dat hij het serieus meende. In zijn ene hand hield hij de twee flesjes die hij al met elkaar had verbonden. In zijn andere hand hield hij een derde flesje.

Vloeibare explosieven, wist Eric. De man zou de laatste fles alleen maar in de andere hoeven schuiven. Zodra de drie vloeistoffen contact maakten, zouden ze exploderen. Godallemachtig! Hoe was het met zo'n zware beveiliging mogelijk dat een met explosieven bewapende ober de president van de Verenigde Staten op nog geen halve meter kon naderen, klaar om een hele zaal op te blazen?

Hij keek de zaal door.

'Rustig,' zei Jernigan terwijl hij langzaam en met zijn pistool omlaag op de man toe liep. 'Wat u ook wilt, alles valt te regelen.'

De man reageerde niet. Zijn blik schoot heen en weer tussen de flesjes, Jernigan en de dodelijk geschokte gasten aan de hoofdtafel.

'Dit wilt u niet doen,' vervolgde Jernigan.

Eric herkende zijn toon. Tijdens hun opleiding had hij er vaak grappen over gemaakt. Die toon, dat was iets voor slaapliedjes, niet voor onderhandelingen met terroristen.

'Zeg maar wat u wilt. Dan zorg ik ervoor.'

De man keek Jernigan aan.

Misschien werkt die benadering dan toch, dacht Eric.

Maar toen glimlachte de man en bracht zijn handen naar elkaar toe.

Voordat de flessen elkaar konden raken, spatte zijn hoofd uiteen door een schot van ergens boven hem.

Eric had de sluipschutter niet eens gezien.

Hoofdstuk 120

Zaterdag 17 juni,
Tallahassee, Florida

Natalie liet zich in de leren kussens zakken, strekte haar benen en schopte een voor een haar schoenen uit. Deze privérit per limousine naar het resort was een primeur voor haar, en ze genoot ervan. Er hoefden geen zaken te worden gedaan, er hoefden geen ego's te worden gestreeld. Geen deadlines of speciale bestellingen noch telefoontjes of gekken met bommen.

Het had allemaal perfect uitgepakt.

Alhoewel, 'perfect' was niet het woord dat ze hardop zou gebruiken. Ze waren deze keer wel verrekte dichtbij gekomen. Er waren te veel risico's genomen, en ze was blij dat geen daarvan een beslissing van háár was geweest. Als het aan haar lag, zou ze helemaal niets met dat soort ellendelingen te maken willen hebben, maar zij was dan ook niet zo diplomatiek als haar baas. Voor haar waren ze allemaal de vijand, en soms kostte het haar moeite het grote geheel te zien. Soms had ze zelfs momenten van twijfel. Al zou ze dat natuurlijk nooit toegeven.

In haar werk en op dit beveiligingsniveau moest je accepteren dat er nu eenmaal slachtoffers konden vallen. Het was echter voor het eerst dat ze daar bijna zelf toe had behoord.

Nu kon ze echter rustig gaan slapen in het besef dat er onder haar verantwoordelijkheid geen bloed gevloeid was. Tenminste, deze keer niet. Dat het ooit wel zou kunnen gebeuren, was zo'n akelige gedachte, dat ze daar maar liever niet te lang bij stilstond.

De afgelopen week – in haar eentje thuis, een beetje eenzaam zonder haar jongens – had ze gespeeld met het idee om samen met haar gezinnetje naar het Midwesten te verhuizen. Misschien naar Chicago of zelfs naar Omaha. Zowel in Chicago als in Omaha had ze vrienden die voortdurend probeerden haar over te halen voor 'een normaal bestaan' te kiezen.

Bij de gedachte glimlachte ze. Wat ze zojuist had meegemaakt, kon nauwelijks normaal worden genoemd. Dus misschien werd het inderdaad tijd om zich te bezinnen en voor iets anders te kiezen.

Ze keek over de schouder van de chauffeur door het voorraam. Nog een kleine honderd kilometer naar Destin, zag ze op een bord langs de weg. Over drie kwartier zou ze dus in het privéresort zijn. En daar zou ze alle tijd hebben om na te denken en beslissingen te nemen.

Het geluid van haar mobiele telefoon deed haar opschrikken uit haar gedachten. Waarom had ze dat ding ook niet uitgezet? Ze viste hem uit haar tas, van plan dat alsnog te doen, tot ze het nummer herkende. 'Natalie Richards.'

'Ben je er al?'

'Nog drie kwartier.' De opwinding in de stem van haar baas deed haar glimlachen. 'En nogmaals bedankt.'

'Je hebt het meer dan verdiend. Trouwens, ik ben niet de enige die je dankbaar is. Je hebt het hele land een dienst bewezen. Het valt soms niet mee om de president scherp en op de juiste koers te houden.'

'Ach, we vormen een goed team.'

'Precies. En daarom bel ik ook. Ik wil dat je je tijd in de zon, op dat spierwitte strand, goed benut. Om na te denken. Want ik heb besloten een gooi te doen naar het presidentschap en ik wil jou als mijn campagneleider.'

Ze was met stomheid geslagen. Alle risico's en geheimen, alle dromen van een normaal bestaan werden plotseling overschaduwd door haar trots en plichtsbesef.

'Met alle respect, *sir*, maar het had niet veel gescheeld, of u was gisteravond al president geweest,' zei ze. 'Desondanks zal ik het een eer vinden uw campagneleider te zijn, meneer de vicepresident.'

Hoofdstuk 121

Chattahoochee, Florida

Sabrina legde het in aluminiumfolie gewikkelde maisbrood op het blad voor haar vader. Het was nog warm, vers uit de oven van Miss Sadie.

Haar vader zag er deze dag goed uit. Hoewel hij rusteloos met zijn vingers op de armleuningen van zijn stoel roffelde, stonden zijn ogen niet zo onrustig als anders en bleef zijn blik langer op één punt gericht. Het leek zelfs bijna alsof hij haar aankeek.

Ze meende hem te zien glimlachen toen hij Eric achter haar ontdekte.

'Hallo, pap,' zei Eric, maar hij bleef waar hij was.

'We hebben het er met de dokter over gehad en we willen je graag een weekend meenemen,' zei ze. 'Heb je zin in een ritje naar het strand? En misschien een beetje diepzeevissen?'

'Als ik mijn vriend Mick dan maar niet misloop.' Haar vaders blik schoot tussen Eric en haar heen en weer. 'Hij is gisteravond weer bij me langs geweest. Met een Snickers.'

'Mick?' Ze herinnerde zich geen Mick in het leven van haar vader. Met een vragend gezicht draaide ze zich om naar Eric, maar die haalde slechts zijn schouders op.

'Wat zou je ervan vinden om een paar dagen naar Pensacola Beach te gaan?' vroeg Eric. 'Dan kan ik je aan mijn vrienden voorstellen.'

Haar vaders vingers trommelden nog heftiger. 'Aan Howard Johnson?'

Ze glimlachte. Hij wist het dus nog.

Maar net toen ze een sprankje hoop begon te koesteren, voegde haar vader eraan toe: 'Mick, mijn vriend, moest naar de dierenarts om zich te laten hechten. Ik heb de hechtingen gezien.'

Ze wilde hem al corrigeren. Hoe was het mogelijk dat hij dierenartsen en huisartsen door elkaar haalde? 'Je vriend Mick is toch niet toevallig een hond, hè?' grapte ze.

'Nee, nee.' Haar vader boog zich naar voren en fluisterde: 'Dokters moeten bepaalde... verwondingen bij de politie melden. Dierenartsen niet.'

Ze begreep er niets van, en ook op Erics gezicht las ze frustratie. Ze wilde zo graag een paar dagen van de zon, de zee en elkaar genieten. Misschien was het naïef te denken dat zoiets mogelijk was, maar ze hoopte van niet. Na alles wat ze hadden doorgemaakt, hadden ze wel een paar dagen rust verdiend.

'Kunnen we onderweg ergens stoppen voor een cheeseburger?' vroeg haar vader. 'Met zoetzuur en uien?'

Eric legde zijn hand op haar schouder.

Ze knikte en glimlachte, nog voordat hun vader eraan toevoegde: 'En misschien wat frietjes en een chocoladeshake?'

Nawoord

Hydro Thermal Upgrading (HTU), kortweg thermolyse, is geen hersenspinsel van mij. Het is een werkelijk bestaand en verbazingwekkend procedé waarmee afval in olie wordt omgezet – een opwindende en levensvatbare alternatieve energiebron.
EcoEnergy, inclusief zijn algemeen directeur, bedrijfsterrein en medewerkers, zijn daarentegen wel door mij verzonnen. Vergeeft u mij alstublieft eventuele fouten of onnauwkeurigheden in mijn beschrijving van het procedé, en ook mogelijke verdraaiingen van feiten ten behoeve van mijn verhaal.

Ook verschenen bij MIRA BOOKS:

Alex Kava – De val (pocket)

Wanneer de maniakale moordenaar Albert Stucky ontsnapt, weet de FBI dat hij niet zal rusten voor hij de vrouw te pakken heeft die hem achter de tralies heeft gezet: Maggie O'Dell.

*****

Crimezone.nl

ISBN 978 90 8550 110 7 – 480 pagina's – € 4,95

Alex Kava – Noodzakelijk kwaad

Een golf van rituele moorden teistert de VS. Alle slachtoffers zijn rooms-katholieke priesters. Father Keller, een kindermoordenaar waar Maggie O'Dell al jaren op jaagt, vreest dat hij het volgende slachtoffer zal zijn. In ruil voor bescherming biedt hij aan te helpen met het onderzoek.

'Kava weet te boeien en te shockeren als geen ander. Lees het en huiver!'

Crimezone.nl

ISBN 90 8550 071 0 – 400 pagina's – € 11,95

Alex Kava – Verloren zielen

Vijf jongens plegen zelfmoord. De dochter van een senator wordt gewurgd. Voor FBI-agent Maggie O'Dell zijn het twee afzonderlijke zaken. Tot één naam in beide opduikt: die van de Eerwaarde Joseph Everett.

'Kava schrijft zenuwslopende thrillers, die je tot de laatste bladzij in onzekerheid laten.'

Mystery Scene

ISBN 90 8550 045 1 – 398 pagina's – € 9,95

Erica Spindler – De dood voor ogen

Als jong meisje wordt Jane tijdens het zwemmen geraakt door een boot – met opzet, denkt ze. Jaren later wordt dit vermoeden bevestigd wanneer de belager uit haar jeugd weer opduikt... en aankondigt dat hij haar deze keer wil zien sterven.

'De nieuwste Spindler is weer een absolute aanrader.'

New Mystery Reader

ISBN 978 90 8550 102 2 – 416 pagina's – € 10,95